目次

第2部 結実

第3部 危機

第5代チェアマンに就任当初の村井満(2014年4月7日/著者撮影)

プロローグ　されどJリーグは生き残った

日本サッカーのカレンダーは「スーパーカップ」から始まる。リーグ戦の開幕前に開催される、昨シーズンのJ1リーグ王者と天皇杯覇者による一発勝負。2022年は「FUJIFILM SUPER CUP 2022」として、2月12日に横浜市の日産スタジアムで開催され、川崎フロンターレと浦和レッズが対戦した。

当日朝の私のタイムラインには、ロシア軍によるウクライナ侵攻への懸念と新シーズン開幕への期待とが、同じくらいに流れている。2年間にわたる新型コロナウイルスとの戦いは、ひとまず収束傾向にあったものの、次なる危機の火種はくすぶり続けていた。

Jリーグチェアマン退任を控えた村井満《むらいみつる》にとり、このスーパーカップは「最後の大仕事」であった。任期は3月15日までだが、多くのファン・サポーターを前に優勝トロフィーを手渡すのは、これが最後。当日の心境について、村井はこう振り返る。

「やはり感慨深かったですね。チェアマンに就任した2014年、満員の旧国立競技場で初めてプレゼンターを務めたのが、当時のFUJI XEROX SUPER CUPでしたから。もうひとつ忘れられないのが、2020年2月8日に埼玉スタジアム2002で開催されたスーパーカップ。まさにコロナの感染拡大前夜だったんですが、この時は事前にマスクを5万枚用意して備えていました。『今年は無事にシーズンを迎えられるのだろうか』という、複雑な思いが交錯した一日でしたね」

試合は、7分と81分に江坂任《えさかあたる》がゴールを決め、2対0で浦和が勝利。その後の表彰式で、浦和のキャプテン西川周作《しゅうさく》に銀製トロフィーを手渡す際、マスク越しでもわかるくらい、村井は満面の笑みを浮かべていた。

チェアマン就任以前、村井が自他共に認める熱狂的な浦和サポーターであったことは、Jリーグファンには周知の事実である。

表彰式終了後、日産スタジアムのバックスタンドには、Jクラブのマスコット52体が勢揃い。紅組と白組に分かれての、マスコット大運動会が行われた。

スーパーカップでは、全国のJクラブからマスコットが集結して、ファンに向けたグリーティングや撮影会を行うことが風物詩となっていた。しかし前回の2021年大会は、感染対策のために中止。この年は2年ぶりに、マスコット大集合が実現したのである。

マスコットたちが繰り広げる、何とも牧歌的な茶番劇を撮影していると、不意にJリーグの理事たちの姿が視界に入ってきた。

副理事長の原博実《はらひろみ》、専務理事の木村正明、常勤理事の佐伯夕利子《さえきゆりこ》、そしてチェアマンの村井。いわゆる「チームMURAI」の面々である。

村井と理事たちは、観客の視界を遮《さえぎ》らないように身をかがめながら、スマートフォンでマスコットたちを撮影していた。それぞれの表情からは、コロナ禍の危機を乗り越え、無事に任期を終えることへの深い安堵《あんど》感が見て取れる。

「マスコットたちが退出して、スタンドのお客さんも全員が帰路について、後片付けが終わった時ですよ。これで解散だね、なんて言っていた時に突然、スタジアムの大型ビジョンに日本代表の森保一《もりやすはじめ》監督が映し出されて『村井チェアマン、8年間お疲れさまでした』って。それはJリーグの職員が準備していた、サプライズのビデオメッセージだったんですね。そんなこともあったので、あの日は忘れ難《がた》い一日となりました」

以上が、1万8558人もの観客の前で、Jリーグチェアマンとしての最後の務めを果たした、村井満の回想である。

村井のJリーグチェアマンの在任期間は、2014年1月31日から2022年3月15日まで。チェアマンの任期は1期2年なので、4期8年だったことになる。サッカーの世界での、8年は長い。この間に日本代表監督は5人替わった。

ここであらためて、歴代チェアマンを列挙してみよう（カッコ内は任期）。

- **第1代　川淵三郎《かわぶちさぶろう》（1991〜2002年）　1936年生**
- **第2代　鈴木　昌《まさる》（2002〜06年）　1935年生**
- **第3代　鬼武健二《おにたけ》（2006〜10年）　1939年生**
- **第4代　大東和美《おおひがしかずみ》（2010〜14年）　1948年生**

・**第5代　村井 満　（2014～22年）　1959年生**
・**第6代　野々村芳和《ののむらよしかづ》　（2022年～）　1972年生**

このリストから、いくつか興味深い事実が浮かび上がってくる。

まず、任期。11年続いた初代チェアマンの川淵を除けば、村井の8年は最長である（最長4期8年のルールは村井が作ったものだ）。

次に、チェアマン就任時の年齢を見てみよう。

川淵は54歳、鈴木と鬼武は66歳、大東は61歳、そして村井は54歳。現チェアマンの野々村が、49歳で「最年少」と話題になったが、60代での就任が常態化していたことを思えば、川淵と村井の54歳は目を引く。

もっとも、1991年と2014年とでは、同じ54歳でも社会的な見方はまったく異なる。川淵が就任した当時、一般的に54歳は「定年間近」という印象だった。

生年についても注目したい。

川淵、鈴木、鬼武の3代は、いずれも1930年代生まれ。いわゆる「焼け跡世代」である。第4代の大東で、ようやく初の戦後生まれのチェアマンが誕生。村井の1959年という生年は、当時としては新鮮なものに感じられた。

また、任期や就任時の年齢以上に、村井の異端ぶりを感じさせるのが、その出自。

村井を除く歴代チェアマンは、Jクラブの社長経験者、もしくは日本サッカー界に功績を残した人物に限られていた。鈴木と大東は鹿島アントラーズ、鬼武はセレッソ大阪、野々村は北海道コンサドーレ札幌で、それぞれ社長や会長を務めた。川淵はクラブ経営の経験こそなかったものの、日本代表と古河電工サッカー部で選手と監督の経験を持つ。

それに対して、村井のサッカー経験は高校時代で終わっている。Jリーグ社外理事を6年務めていたものの、サッカー界ではまったく無名の存在であった。

その一方で、ビジネス界における村井のキャリアは、実に眩《まばゆ》いばかりである。

早稲田大学法学部を卒業後、1983年より日本リクルートセンター（現・リクルート）入社。2000年の同社執行役員就任を経て、04年にリクルートエイブリック（社名をリクルートエージェントに変更後、現・リクルートに統合）代表取締役社長に就任。さらに2011年には、リクルート・グローバル・ファミリー香港《ほんこん》法人（RGF HR Agent Hong Kong Limited）社長、13年には同社会長に就任。

確かに、鹿島運輸社長（鈴木）やヤンマーマリナックス社長（鬼武）、住友金属工業九州支社長（大東）といったキャリアを持つ元チェアマンもいた。だが、時価総額8兆円の大企業で執行役員となり、前職がグローバル企業の会長となると、話は違ってくる。

そもそもビジネスの世界で頂点を極めた人間が、サッカーの世界に転身することは、かなりのレアケース。むしろ初代チェアマンの川淵のように、ビジネスの世界に限界を感じ、サッカーの世界へ飛び込んだ例のほうが多いくらいだ。

多くのサッカー関係者は、村井の出自が「業界外」であることを理由に、彼を異端視している。だが私の捉え方は違う。

村井は、ビジネスの世界で成功した上で、Jリーグのトップの地位を担うことになった、初めてのケース。それゆえの「異端のチェアマン」なのである。

村井満がJリーグチェアマンの打診を受けたのは、2013年11月27日。Jリーグのオフィスが、東京・御茶ノ水の日本サッカー協会ビル（以後、JFAハウス）にあった時のことだ。そこからほど近い、すき焼きの「江知勝《えちかつ》」が舞台である。

1871年創業の江知勝は、多くの文豪に愛されてきた名店として知られる（芥川龍之介《あくたがわりゅうのすけ》、夏目漱石《そうせき》、森鷗外《おうがい》の作品にも登場する）。2020年1月31日、惜しまれながら閉店。明治時代にタイムスリップでもしたかのような、歴史の重みを感じさせる日本家屋はあっさり取り壊され、跡地にはのっぺりしたタワーレジデンスが建っている。

当日の出来事を村井はメモに残していた。以下、引用する。

《少し早く着き、上野から不忍《しのばず》方面に歩く。湯島《ゆしま》天神を経由して、赤門から東大キャンパスへ。安田講堂裏から江知勝へ。》

《すでに両者は到着しており対面。仲居さんを遠ざけ、酒が入る前にしばしの歓談。盛岡訪問の件などを話す。》

村井を待っていたのは、当時チェアマンだった大東、そして専務理事の中野幸夫。村井は事前に中野から「そのうち大東さんから大事な話があるから」と聞かされていた。

「ひと通りの歓談後、大東さんから単刀直入に『村井に（チェアマンの）後任を託したい』と言われました。実はその時は、わりと冷静に受け止めていたんですよ。中野さんからの前フリで、薄々感じていましたので『ええっ？』という驚きはなかったです。加えて、もうひとつ、少し伏線《ふくせん》めいたこともあったんです」

「伏線めいたこと」とは何か。それは初代チェアマン、川淵三郎との出会いである。この年、村井は川淵と2回、顔を合わせている。

「きっかけは、浦和駅前のパルコにある多目的ホールでの『スポーツで豊かな浦和になるために』というトークイベントでした。そこでJリーグの理念を語っていただくべく、登壇していただいたのが川淵さん。6月29日の開催で、主催したのは『一般社団法人Jリーグの理念を実現する市民の会』です。私は会の設立時の理事でした」

２０１３年当時、村井はリクルート・グローバル・ファミリー香港法人の会長を退任し、自宅のある埼玉県さいたま市に戻っていた。

１９８３年に当時の日本リクルートセンターに入社してから、ちょうど30年という節目の年。間もなく53歳という村井の年齢は、一般的には「まだまだこれから」であろう。が、リクルートの企業文化に照らせば、後進に道を譲って新しいチャレンジをするタイミングであると、当人は捉えていた。

その選択肢のひとつに「大好きなサッカーに関わる」という考えもあったのだろう。川淵を招いてのトークイベントも、その延長線上にあったと考えれば合点《がてん》がいく。

もっとも、この時の村井は舞台の表に出ることはなく、あくまでも裏方に徹していた。のみならず、2時間に及んだ川淵の講演内容をすべて書き起こし、さらに細部に至るまで事実関係を確認しながら推敲《すいこう》を重ねた。1カ月に及ぶ作業の中、川淵の言葉を写経のように反芻《はんすう》したため、村井はJリーグの理念を自身の血肉にすることができたという。

苦心の末に完成した講演録は、秘書を通じて川淵に手渡されることとなる。「それでいったん、川淵さんとの縁は終わった」というのが、この時の村井の認識。それから3カ月が経ち、秘書を通じて「川淵が会いたがっている」という連絡を受ける。

かくして村井は、ホテルオークラの中華レストラン「桃花林《とうかりん》」で、川淵と会食することとなった。それが11月12日。チェアマン就任オファーの15日前のことであった。

「例の講演録について、川淵さんがいたく感動されていることを、その時に初めて知ったんですよ。『よくぞあそこまで、まとめてくれた』なんて、おっしゃっていましたね。この時は、雑談めいた話が多かったんですが、一方で『村井という人間は何者なのか』を知ろうとする、面接めいた質問もありました」

以上、「伏線めいたこと」を振り返ったところで、11月27日の江知勝に話を戻す。再び、当時の村井のメモから（文中の「チェアマン」とは大東のことである）。

《チェアマンご自身、任期4年で退任するつもりであること。若返りを図るべく、村井に後任を託したい旨、述べられた。私自身、サッカー選手でもなくクラブ経験もないことを伝えたが、チェアマンは企業経営の経験と若さを語られた。自信があるわけではないが、難局から逃げないことが信条であることを伝え、了解の意思を伝えた。》

当人いわく「ほとんど即答でしたね」。そして、こう続ける。

「大東さんからの打診を受けるのか、それともお断りするのか。私の判断基準は、ただひとつ。この村井にチェアマンを引き継ぎたいと、大東さんが本心から思っているのか――。これだけでした。本意ではない形でチェアマン職を譲ろうとしていたら、私ははっきり断るつもりでした」

一方で「川淵さんから推挙があっての、この場ではないか」との考えを、村井は捨てきれなかったという。しかし、確証はない。結局、大東と中野の前で、初代チェアマンの名を口にすることはなかった。

その後のメモには**《酒を入れて、大いに燗酒《かんざけ》を飲んだ。全部で20本近く飲んだ。》**とあり、3人は大いに酔っ払った。しかし、酒で顔を赤らめながらも、村井は大東の観察を続けていた。それは、人事とガバナンスのプロフェッショナルとしての、死ぬまで捨て切れぬ習性であった。

＊

村井の前任者である大東が、Ｊリーグチェアマンの任にあったのは、２０１０年から14年まで。就任2年目の２０１１年には、東日本大震災によるリーグ戦の中断があり、さらに2年後の13年はＪリーグ開幕20周年の記念事業が相次いだ。

そして２０１２年から、専務理事の中野と共に大東を支えていたのが、大河《おおかわ》正明と中西大介というふたりの理事。このうち財務面を担ってきた大河は、チェアマンとしての大東をこう評している。

「ご自身が先頭に立って、何かを決断するという感じではなかったですね。大東さんの時代は、僕なり中西なりが実務的なところで動いて、それが機能していました。そういう意味では、上手《うま》く前に進んでいたのは確かなんです。けれども残念ながら、当時のJリーグ本体にはカネがなかった」

大河がいう「当時」とは、Jリーグが20周年を迎えた2013年を指す。

ここで少し長くなるが、驚くほどに危機的だった、当時のJリーグの台所状況を解説しておきたい。これを理解しておかないと、Jリーグが「異端のチェアマン」を受け入れざるを得なかった背景が見えてこないからだ。

まず、収入について確認しておく。

Jリーグに加盟する、クラブの主な収入源は、パートナー（スポンサー）企業による協賛金、入場料、物販、そしてリーグからの配分金。これに対してJリーグは、加盟クラブから支払われる会費、放映権料、そしてパートナー企業からの協賛金の3本柱である。

加盟クラブの数は年々増加していたが、増えれば増えるだけ1クラブ当たりの配分金は目減りする。放映権料については、J1・J2の全試合を中継するスカパー！を中心に、NHKとTBSを加えた3社で5年契約。年間50億円ほどの収入があった。再び、大河。

「放映権については、地上波での放送はほとんどない状態。当時はCSのスカパー！さんと5年契約を結んでいて、（放映権料は）減ることはないけれど増えることもありませんでした」

問題は、協賛金。これまで看板などの広告枠は、開幕前から伴走してきた広告代理店の博報堂が販売権を独占し、Jリーグとミニマムギャランティ契約を結んでいた。ミニマムギャランティ契約とは、広告枠が埋まらなくても最低限の金額を保証するというもので、実質的に博報堂が赤字を補塡《ほてん》する状態が続いていた。

この契約が、2013年に見直されることになったと、大河は語る。

「それまで博報堂さんとは、40億円くらいでミニマムギャランティ契約を結んでいました。それが博報堂さん1社では無理という話になって、新たに電通さんにも入ってもらったんだけど、それでも広告枠を埋めることはできなかったんですね。クラブの数も増える一方で、これは配分金をカットするしかない、というくらいの厳しい状況でした」

ちょうどこの頃、Jリーグの成長戦略を検討する「Jリーグ戦略会議」が、Jリーグのチェアマンと理事、JFA（日本サッカー協会）やJクラブの代表者を招集して定期的に行われていた。その中で、協賛金などの減少により「このままでは2014年から、Jリーグは13億円減収する」という、衝撃的な報告が上がってくる。これが「2ステージ制」と呼ばれる、2ステージ＋ポストシーズン制導入に向けた議論に拍車をかけることとなった。

「僕自身、2ステージ制という判断が、必ずしも正しいとは思わなかったし、ファン・サポーターの皆さんからも、さまざまなご意見をいただきました。けれども、お客さんを集めるためには、ファースト、セカンド、年間という3つの山（＝優勝決定）を作るべきではないかと。ただし5年も10年も続けるという話でもなく、まずは3年くらいやってみようという感じでしたね」

当時のチェアマン、大東の回想である。

2ステージ＋ポストシーズン制とは、年間勝ち点最多クラブが優勝するのではなく、ファーストステージとセカンドステージの優勝クラブ、そして年間勝ち点2位・3位にも優勝のチャンスがあるシステムである（詳細については稿を改めて解説する）。

かつてJリーグでは、ファーストおよびセカンドステージの優勝クラブが年間優勝を決める、Jリーグチャンピオンシップ（CS）を開催していた時代があった。1997年からは、両ステージの優勝クラブが同一の場合、CSを行わないことを決定。2002年はジュビロ磐田が、03年には横浜F・マリノスが、それぞれ完全優勝した経緯もあり、04年を最後に廃止されていた。ところが廃止から11年後の2015年、まるで時代に逆行するかのように2ステージ制は復活する。その一番の目的は、地上波での放送による増収であった。

NHKとTBSでもタイトルが懸かった試合が放送されれば、広告価値も上昇。ステークホルダーをつなぎとめる説得材料にもなり、毎年10億円ほどの増収が見込めることが明らかになった。

2ステージ制導入を検討していた、当時のJリーグが思い描いていたのは、最後に行われた2004年のCSのイメージだろう。浦和レッズと横浜F・マリノスという、人気クラブ同士の対戦ということもあり、その話題性や注目度は数字にも表れている。

12月5日に横浜国際総合競技場（現・日産スタジアム）で行われた第1戦の入場者数は6万4899人（当時の新記録）、11日の埼玉スタジアムでの第2戦は5万9715人。TV視聴率は、第1戦がTBSで12・0%、第2戦がNHK総合で15・3%を叩き出している。地上波でのJリーグ中継が、極めて限定的だった当時にあって、2桁の視聴率は久々の快挙であった。

長いシーズンの中で、最も多くの勝ち点を積み重ねたクラブが優勝する。それがリーグ戦の本質である。これに対して2ステージ制は、山場を作りやすいというメリットはあるものの、それはあくまでもTV局や広告代理店の発想。実際にプレーする選手、そして応援するファン・サポーターには、およそ受け入れ難いものであった。

なぜなら、レギュラーシーズンの34試合で積み上げてきたものが、わずか数試合の結果で覆《くつがえ》ってしまいかねないからだ。たとえばレギュラーシーズンで3位のクラブが、CSの結果で優勝してしまったら、1位のクラブの関係者は目も当てられない。

一方のJリーグ側もまた、従来のリーグ方式がベストであることは十分に理解していたし、できれば本質を捻《ね》じ曲げた大会方式を採用したくはなかった。しかし本質や理念よりも、さらには選手やファン・サポーターの心情よりも、目先の10億円を手にしなければならない――。

それくらい、当時のJリーグには「カネがなかった」のである。

2ステージ制が復活したのは、村井がチェアマンに就任して2年目となる2015年のことである。ただし、決定したのは13年9月17日の理事会であり、当時の村井は社外理事。前述したJリーグ戦略会議で、2ステージ制の導入を主張していたのが、中野や大河と共に大東を支えていた理事の中西である。もっとも当人は、ただ目先の10億円という金額に執着していたわけではなかったことを強調している。

当時の中西は、当人いわく「世界中のサッカーを視察しながらJリーグの現在地を確認する」立場にあった。そんな彼が、2ステージ+ポストシーズン制導入の必要性を強く感じる決定的な契機となったのが、2010年に開催されたECA（欧州クラブ協会）の総会。中西はアジア人として初めて、オブザーバーで参加している。

そこで直面したのが、世界のサッカー界における、食物連鎖のピラミッド。中西によれば「ヨーロッパ主要国の名だたるクラブが、日本をはじめとするアジア諸国を『どう料理しようか』とディスカッションしていた」という。話には聞いていたものの、その生々しい内容に、あらためて中西は衝撃を受けることとなった。

世界のサッカーは、競技レベルの面でも投資マネーの面でも、ヨーロッパ中心で回っている。その中でも突出しているのが、イングランド、スペイン、ドイツ、イタリア、フランスによる「ヨーロッパ5大リーグ」だ。

2022年のFIFAワールドカップ・カタール大会では、アルゼンチンが優勝してクロアチアが3位に輝いているが、大会で活躍した選手の大半は5大リーグで活躍している。換言するなら、5大リーグ以外の強豪国は、いずれも選手を供給する側にある。サッカー王国のブラジルしかり、タレントの宝庫であるアフリカ諸国しかり、育成システムに定評のある日本もまたしかり。

日本人選手が世界で活躍すること自体、サッカーファンには喜ばしく、誇らしいことである。選手を送り出すクラブも、移籍金さえ残してくれれば、それを元手に新たな才能を発掘したり育成したりすることができる。だが、興行団体であるJリーグは違う。集客やメディア露出につながる、若きタレントが湯水のごとく流出してしまうのは、決して歓迎すべき状況ではない。国内リーグの行く末を考えれば、選手の海外移籍はむしろ「死活問題」でさえあった。

だからこその2ステージ制というのが、中西の主張である。

「選手を獲られる側は、国内リーグを維持するために、ポストシーズン制を採用しています。アルゼンチンも、メキシコも、そしてベルギーも。われわれJリーグも、メディア価値を保ちながら収入を確保するために、何らかの手を打たなければなりませんでした」

中西によれば、そこで得られた10億円は「新しいタレントを育《はぐく》む、環境作りの原資とするのが一番の目的」と語っている。しかしながら、議論に参加した理事の大半は、そこまで考えてはいなかった。「カネがないので背に腹は代えられない」というのが本音であり、この時に得られた収益が、育成の環境整備に速やかに投資されたという話も聞かない。

そんな議論の只中《ただなか》にあったタイミングで、2ステージ制はメディアにすっぱ抜かれてしまう。以下、2013年5月15日、「朝日新聞」東京版の記事から引用。

《Jリーグが来季、2ステージ制を10季ぶりに復活させる方針であることが14日、朝日新聞の取材で分かった。この日行われたJ1実行委員会で、シーズンを第1、第2ステージに分け、それぞれの優勝チームが対戦するチャンピオンシップ（CS）で年間王者を決める来季の日程案をリーグ側が提示した。6月のJ1、J2合同実行委で導入の可否を議論する。》

記事の中にもあるように、当初、2ステージ制は2014年での導入が検討されていた。しかし、議論の過程で制度上の不備が見つかり、結果として翌15年での導入に持ち越されることとなる。

注目したいのが、この記事が紙面を飾った2013年5月15日という日付。何とも間の悪いことに、1993年5月15日にJリーグが開幕して、ちょうど20周年のタイミングであった。

こうした重要な案件が、密室で決められようとしていることに、ファン・サポーターが不信感を募らせるのは当然であった。やがて、Jリーグへの異議申し立てを表明する横断幕が、スタジアムやJFAハウス近辺で展開されてゆく。

その急先鋒に立っていたのが、浦和レッズのサポーター。5月26日、3万4021人の観客を集めた国立競技場で、このような横断幕が浦和のゴール裏から掲出された。

「Jリーグ成人おめでとう、頭は赤ちゃんのままだね」

「世界基準からかけ離れた2ステージ制、そこに日本サッカーの未来はあるの？」

サポーターのファナティックな気質と影響力の大きさゆえに、浦和にはアンチも少なくない。しかし、この時ばかりは浦和サポーターの主張への共感が、クラブの垣根を越えて広まっていく。これに対してJリーグは、中西がメディアに登場しては「なぜ2ステージ制なのか」を説《と》いていたが、最後まで説明不足のそしりを免《まぬが》れることはなかった。

結局、9月17日の理事会にて、Jリーグは2015年からの2ステージ制導入を決定。ファン・サポーターの間に、急速に無力感と失望感が広がっていった。

次期チェアマン就任オファーに、話を戻そう。果たして大東は、なぜ自らの後任を、村井に託したのであろうか。そしてこの決定は、大東ひとりによってなされたのであろうか。

ふたつの疑問のうち、前者について大東はこう答えている。

「これからのJリーグを引っ張っていくには、実行委員会や理事会のメンバーから幅を広げて、次期チェアマン候補を考えていました。（条件としては）まずサッカーへの理解があること。人格的にも適正で、ビジネスにも明るいこと。村井さんは社外理事でしたけれど、こうした条件に適《かな》う上に、非常にしっかりした意見をお持ちでした」

一方、トップの人事について「時代背景によって人材要件は変わる」と主張するのが、当時理事だった中西。FIFA（国際サッカー連盟）やUEFA（欧州サッカー連盟）の事例を挙げながら、その理由をこう語る。

「FIFA会長でいえば、ワールドカップの拡大路線ならジョアン・アヴェランジェのような豪腕タイプ、IOC（国際オリンピック委員会）とのリレーションシップならゼップ・ブラッターのような実務に長《た》けた人材が求められました。UEFA会長に関しても、レナート・ヨハンソンのようなビジネスパーソンのほうがいい時代もあれば、ミシェル・プラティニのような元スター選手のほうが上手くいく時代もありました」

その上で中西は、こう言い切った。

「大東さんの次はビジネスパーソンでないと、しんどかったですよね」

かなりの回り道となってしまったが、以上が「異端のチェアマン」誕生前夜となる、2013年当時のJリーグの状況である。

Jクラブの数を増やし続けたものの、人気は上向かない上に、収入とメディア露出は減少。加えて2ステージ制導入決定で、ファン・サポーターの不信感は増大していた。20周年をのんきに寿《ことほ》ぐ余裕など、実はまったくなかったのが、当時のJリーグであった。

一方で、チェアマンに求められる資質や役割もまた、大きく様変わりしていた。少なくとも、チェアマンが（文字どおり）深々と椅子に腰を落ち着けて、優秀かつ実務に長けた理事に「良きに計らえ」で済ませられた時代は、すでに終わっていたのである。これからはチェアマン自らが最前線に立ち、自らの責任をもって決断しなければならない。

そんな混迷の時代に、Jリーグは突入していくこととなる。

＊

本書を上梓《じょうし》する2023年は、Jリーグが開幕して30周年に当たる。

今から30年前、1993年といえば平成5年。この年、皇太子徳仁《なるひと》親王と小和田雅子《おわだまさこ》（のちの天皇・皇后）の婚姻が決定し、細川護熙《もりひろ》を首班とする連立内閣が発足して自民党が下野し、日本代表が土壇場《どたんば》でワールドカップ初出場を逃した「ドーハの悲劇」もあった。

そんな1993年の5月15日に、Jリーグは華々しく開幕。当時、社会人2年目だった私は、国立競技場での開幕戦を自宅でTV観戦していた。

それから4年後、私はフリーランスの「写真家・ノンフィクションライター」となり、国内外のフットボールを取材しては、写真と文章で表現する活動を続けてきた。

そんな私が今回、テーマに選んだのが「Jリーグ」。ただし「ゲームとしての」ではなく「ガバナンスとしての」Jリーグである。よって、試合の描写は最小限にとどめ、自分にとって未知の領域だった組織論や経営論へのアプローチを試みている。

Jリーグのガバナンスは、村井チェアマン時代の8年間で劇的に強化された。結果として組織内のみならず、Jリーグのパブリックイメージそのものが大きく変わることとなった。そのプロセスに着目するようになったのが、そもそもの執筆のきっかけである。

村井がチェアマンに就任する以前、Jリーグのパブリックイメージはどのようなものだったのか。開幕直後のJリーグは、このようなものであった。

・アマチュアだった国内リーグがプロ化されたことで競技レベルが向上した
・メディア露出が増え、競技人口増加につながった
・プロ野球の寡占状態にあった日本のスポーツ界に新しい風を起こした
・それまでプロスポーツがなかった地域に、新たなエンターテイメントが生まれた

ところが夢のような時代は、わずか2年ほどで終焉《しゅうえん》を迎える。

開幕5年目の1997年には、トップリーグの平均入場者数が過去最低となり、TV中継の数も目に見えて減少。さらに翌98年には、景気後退の影響を受けて、横浜マリノスと横浜フリューゲルスの合併が発表される。新たに「横浜F・マリノス」というクラブが生まれるが、それは「オリジナル10（Jリーグ開幕時に名を連ねた10クラブ）」だったフリューゲルスの消滅と同義であり、まさにJリーグの危機を象徴する「悲劇」であった。

その後、日本代表を中心とするサッカーブームが到来。Jリーグも持ち直しに成功したが、かつての社会現象的な注目を集めるには至らなかった。開幕から20周年を迎えた、2013年当時のJリーグのパブリックイメージは、およそこんな感じであった。

・**地上波での中継がなくなり、ニュースバリューが極端に低下**
・**日本代表が結果を残しても、入場者数アップにつながらない**
・**ファン・サポーターの新陳代謝が進まず、その平均年齢は年々上昇**
・**スター選手が誕生しても、国内で知名度を得る前に海外流出**

開幕時の勢いはとうに失われ、エンターテイメントとしての話題性にも乏しく、さらには深刻な経営危機にも直面。まさに八方塞《ふさ》がりの状態で2ステージ制を選択せざるを得なかったのが、当時のJリーグをめぐる状況であった。

そこに「異端のチェアマン」が登場する。

Jリーグのファン・サポーターの多くは、村井を見た当初「この人、何者?」と思ったはずだ。かくいう私も、そのひとり。選手としても、指導者としても、そして経営者としても、サッカー界に何ら功績が見当たらない。そんな人物が、Jリーグチェアマンに任ぜられることに、少なからぬ違和感を拭《ぬぐ》えずにいた。

ところが村井チェアマン時代の8年間で、Jリーグのパブリックイメージは大きく変容してゆく。しかも、ポジティブに。

・**いくつもの子会社をひとつに集約して、意思決定が劇的にスピーディになった**
・**スポーツビジネス界に資する人材育成の仕組みを作った**
・**DAZN《ダゾーン》との大型契約などにより経営環境を劇的に改善した**
・**社会連携(シャレン!)を打ち出すことで新たな価値を付与した**

・デジタル戦略を重視した結果、過去最高の入場者数と収益を達成した

これらはいずれも、2014年から22年までの村井チェアマン時代に、Jリーグで起こった変化だ。一方で20年から22年までは、新型コロナウイルス感染拡大の影響を受けて、Jリーグは経営面でも競技面でも深刻なダメージを被っている。

しかし、されどJリーグは生き残った。

ではなぜ、Jリーグは30年の歴史をつなぐことができたのか。その答えは、村井チェアマン時代の8年間にあるのではないか――。

そんな確信めいた仮説が、本書執筆の原動力となった。

奇《く》しくもこの8年間は、私にとり、Jリーグに関して最も旺盛《おうせい》に取材できた時代でもある。チェアマンをはじめ、当時の理事やさまざまなステークホルダーへのインタビュー。あるいは、J1からJ3に至る、全国津々浦々での現場取材。それらを通して、この8年間でのJリーグの劇的な変化を、折に触れ実感してきた。

村井チェアマン時代の8年間は、ガバナンス面やビジネス面において評価されることが多い。もちろん、それらも重要だが、より注目すべきは村井の「異端性」である。

それまで「当然」とされてきた、サッカー界のさまざまな常識。それらに大胆なメスを入れ、一気呵成《かせい》で改革を進めることができたのは、村井が「サッカー村」の外側の人間だったことが大きい。ただし彼は敵対的、あるいは外圧的な改革者ではなかった。むしろ逆だ。

選手として、あるいは経営者として、プロサッカークラブでの経験こそなかったものの、村井

は純粋に「サッカーを愛する人」であった。

高校時代はGK（ゴールキーパー）としてサッカーに熱中。リクルート時代は、熱狂的な浦和サポーターとして、アジアでのアウェイ戦にも駆けつけている。そうしたバックグラウンドを持っていたからこそ、ガバナンスやビジネスに軸足を置きながらも、村井は競技としてのサッカーの魅力を広く知らしめることに情熱を傾けてきた。と同時に、ファン・サポーターの心情に寄り添う施策も、次々と実行している。

この8年間を描くことは、同時代を生きるノンフィクションライターとしての責務であると感じていた。とはいえ、簡単な話ではなかったのも事実。果たして、読者を納得させるだけの取材が、どれだけできるだろうか。しかも、組織論や経営論に明るくない自分が、最後まで書き切ることができるだろうか。

これらの問題を解決に導いたのが、村井自身が最も重視していた経営観。すなわち「組織と魚は天日にさらすと日持ちが良くなる」である。

その意味するところは、情報公開の重要性。ミハイル・ゴルバチョフのペレストロイカ（立て直し）が、グラスノスチ（情報公開）と両輪を成していたように、村井のJリーグ改革にも情報の「天日干し」が不可欠であった。

情報統制や隠蔽《いんぺい》を繰り返す組織は、必ず腐敗してゆく。だからこそ村井は、あらゆる情報を組織内に、メディアに、そしてステークホルダーに開示することを徹底させてきた。

本書の取材にあたっても、村井は20時間にも及ぶインタビューで一度も言葉を濁すことはなかった。そして、守秘義務に抵触するものを除く、あらゆる質問に真摯《しんし》に答えてくれたのである。のみならず、私が希望する取材対象者への聞き取りも、村井の仲介ですべて実現。本書の重厚な取材と執筆は、まさに「天日干し」という、村井の信念によって支えられている。

本書は、村井チェアマン時代の8年間を3つのパートに分けて描いてゆく。

まず、村井のチェアマン就任後、さまざまな困難や抵抗に遭いながらも改革を進めた時代（2014年〜16年）。次に、DAZNマネーやデジタル戦略などにより、Jリーグが奇跡のV字回復を果たした時代（2017年〜19年）。そして、新型コロナウイルス感染拡大による危機に、Jリーグが全精力を傾けて対応した時代（2020年〜22年）。

この3つのパートの間に、2つのインターミッション（幕間《まくあい》）を設けた。埼玉県川越市出身の元サッカー少年が、リクルートという企業と出会い、ビジネスパーソンとして成長してゆく。そんなチェアマン就任以前の半生を、村井本人の言葉で振り返ってゆく。

今後もJリーグと共に歩んでいくであろう、ファン・サポーターやステークホルダーは、本書が想定する第一の読者層である。けれども著者である私は、サッカーとは距離のあった人たちにも、本書を手に取ってもらえることを願っている。

直近30年のわが国を振り返った時、数少ない成長分野のひとつが「サッカー」であった。それは、日本代表の歩みを見れば、わかりやすい。

1992年のアジアカップ初優勝を皮切りに、28年ぶりのオリンピック出場（96年）、初のワールドカップ出場（98年）、そしてアジア初となる２００２年のワールドカップ開催（韓国との共催）。オリンピックとワールドカップには、以後すべての大会に連続出場しており、１９９９年にはワールドユース選手権（現・U－20ワールドカップ）で準優勝、２０１１年の女子ワールドカップでは優勝を果たしている。

そんな日本代表の華々しい躍進に比べると、同じ日本サッカーのジャンルでも、Ｊリーグはいささか地味に映るかもしれない。

けれども、4年に一度のビッグイベントに依拠することなく、全国津々浦々のホームタウンで活動を続けるＪリーグは、日本人にとって日本代表以上に身近な「伴走者」であり続けた。

Ｊリーグ30年の歩みは、世にいう「失われた30年」と、ほぼ重なる。

やりきれないこと、残念なことの多い30年であった。就職氷河期に派遣切り、格差社会に無縁社会、相次ぐ震災に気候変動の影響、度重なる増税に物価高騰、そして安全神話の崩壊にパンデミック。景気は全般的に低迷し、イノベーションは起こらず、少子化と人口減少に歯止めはかからず、給与所得は伸び悩み、国際競争力は目に見えて低下した。

そんな、閉塞感に覆われてきた30年。それでもこの間、ささやかな救いと誇りを私たちサッカーファンに与えてくれたのが、Ｊリーグであった。

もちろん、ずっと右肩上がりだったわけではなく、むしろ迷える時代のほうが長かった。それでもこの30年、日本という国が見失いつつあるものが、今でもＪリーグには息づいている。

公共性と透明性、スピードとダイナミズム、地域貢献と国際交流、リスペクトの推奨とハラスメントの排除、そして理念の遵守と現状維持の打破。

その多くは、とりわけ村井チェアマン時代の8年間で顕著であった。

激動の時代を生き抜いてきた、Jリーグの物語。

それは安寧《あんねい》や安定とは程遠い現代において、組織や地域や社会の一員として生きるわれわれに、何かしらの教訓と幾ばくかの勇気を与えるのではないか——。

実はそれこそが、私を本書の執筆に向かわせた、一番の理由なのかもしれない。

第1部
試練

史上初の無観客試合となった浦和vs清水。会場からまったく熱量が感じられない光景は、もう目にすることはないだろう——。当時は誰もがそう考えていた。(2014年3月23日/著者撮影)

01 「JAPANESE ONLY」事件の試練(2014年)

私が村井満《みつる》に初めてインタビュー取材をしたのは、2014年4月7日のこと。チェアマンに就任して、3カ月後のことである。

場所は、東京・御茶ノ水にあったJFAハウス。約束の時間から寸秒違わず、広報部部長の萩《はぎ》原和之《わらかずゆき》に伴われて、第5代Jリーグチェアマンが私の目の前に登場した。

当時の私は、写真家・ノンフィクションライターを名乗るようになって18年目の48歳。これまで川淵三郎《かわぶちさぶろう》以降、歴代チェアマン全員にインタビューする機会を得てきた。果たして第5代チェアマン、村井満とは、いかなる人物なのだろうか。

名刺交換のタイミングで、相手の印象をさりげなく把握する。それが、われわれ取材者の習いである。

豪腕、老獪《ろうかい》、強面《こわもて》、泰然《たいぜん》――。過去の取材で、歴代チェアマンと向き合った時に感じた、これらの形容とは、いずれも合致しない。限られた取材時間の中、どこまでこの人の本質を引き出せるだろうか。

1時間の予定だったインタビューは、気がつけば村井のプレゼンテーションの場となっていた。

今後のJリーグが目指すべき方向性について、チェアマンはホワイトボードを用いながら熱っぽく解説する。

まず「3つのFair Play(フェアプレー)」。その下に「Pitch(ピッチ)」「Financial(ファイナンシャル)」「Social(ソーシャル)」と書き込まれる。私が「おや?」と思ったのは、この時のチェアマンと萩原との何気ないやりとり。横文字を書くたびに「綴《つづ》り、これで合っているよね?」と確認しているのである。

村井の前職は、リクルートの香港法人の会長。てっきり語学堪能だと思っていたのだが、こちらの勝手な思い込みでしかなかったようだ。

「何しろ50歳になってから、初めての海外赴任でしたからね。息子の中学時代の教科書を借りて、必死で英語を学び直したんです。向こうでスピーチや商談する時も、なるべく通訳を使わず、自分の言葉で話すようにしていました」

つい先日も、Jリーグのアジア戦略について、ASEAN(東南アジア諸国連合)の要人たちを前に英語でスピーチする機会があったそうだ。

「そりゃあ、逃げ出したくもなります(苦笑)。でも、どんなに厳しい状況に直面しても『逃げちゃダメだ』というのが私の信条。チェアマンという重責を引き受けたのも、その一念からでした」

この時の村井へのインタビューは、当初の予定を20分ほどオーバーして終了。8000文字に及ぶインタビュー記事の最後を、私はこのように締めくくっている。

《取材前、私は村井に対して「スーパービジネスパーソン」というイメージを勝手に膨らませていた。だが実際に会ってみると、どんな困難や苦難に対しても常に「逃げちゃダメだ」という毅然《きぜん》とした態度を崩さない、勇気と気骨の人であった。ちなみに、埼玉県立浦和高校時代の村井のポジションは、GKだったそうである。》

村井がチェアマンに就任した2014年は「ワールドカップイヤー」。この年、アルベルト・ザッケローニ率いる日本代表は、ブラジルで開催される本大会で、前回の南アフリカ大会でのベスト16を上回る成績を期待されていた。

わが国における、ワールドカップ。それは、サッカーがナンバーワンスポーツでない国民性ゆえに、サッカー関係者にとっては4年に一度の慈雨《じう》のような存在である。

日本代表がグループステージを突破すれば、その後の3年間の見通しは明るい。逆に敗退となれば、業界全体が逆風に見舞われる。日本代表はJFA（日本サッカー協会）の管轄だが、その動向はJリーグにとっても、極めて重要な意味を持っていた。

そんな中で、開幕を迎えることとなった2014年のJリーグ。

J1が3月1日、J2が3月2日、この年に新設されたJ3は3月9日に、それぞれ開幕することとなっていた。チェアマン就任間もない村井は、J1の第2節が行われた3月8日、いきなり大きな試練に見舞われることとなる。

ひとつは埼玉スタジアム2002で行われた、浦和レッズ対サガン鳥栖《とす》での「JAPANES

ＥＯＮＬＹ」事件。もうひとつは、エディオンスタジアム広島で行われた、サンフレッチェ広島対川崎フロンターレでの「八百長疑惑」事件――。

サッカーファンには、前者の記憶ばかりが鮮烈に残っているだろう。が、実は後者についてもＪリーグは、極めて慎重な対応を強《し》いられることとなる。

「まさか同じ日に、これほど重大な事象が立て続けに起こるとは思いませんでしたよ」

当時を振り返りながら、苦笑交じりに村井はこう続ける。

「その日は13時キックオフのアルビレックス新潟のホームゲーム（対ガンバ大阪戦）を見て、それから19時の鹿島アントラーズの試合（対ベガルタ仙台戦）をハシゴしたんです。翌9日には沖縄に飛んで、Ｊ３の開幕戦（ＦＣ琉球対Ｊリーグ・アンダー22選抜）を視察。浦和の事件については、スタジアムに向かう道中で事実関係を確認して、試合後にメディアの囲み取材を受けています」

ところが、東京に戻った3月10日、今度は八百長疑惑の報告を受ける。

「何しろチェアマンに就任したばかりでしたからね。あの時は本当に大変でした」

果たして、3月8日に何が起こったのか？

このうち埼スタでの「ＪＡＰＡＮＥＳＥ ＯＮＬＹ」事件については、最初にＳＮＳ上で告発した人物に対して、私は事件のおよそ1カ月後に取材をしている。

20年来の浦和サポーター、海《うみ》野《の》隆《りゅう》太《た》は当時34歳。以下、彼の証言に基づきながら、当日の出来事を再現することにしたい。

「あの日は、キックオフから少し経ったタイミングで、スタジアムに入りました。前半15分を過ぎたくらいでしたか。ゴール裏コンコースを歩いていた時、あの垂れ幕の存在に気づいたんです。試合中でしたから、周りには僕以外、誰もいない状況でした」

「JAPANESE ONLY」――。

乱暴なレタリングだったが、そこには確かに、そう書かれてあった。「日本語限定」と取れなくもないが、海野はすぐに「日本人以外お断り」と理解した。

「僕もゴール裏（での応援歴）は長いので、やや過激だったり、辛辣《しんらつ》だったりするメッセージは、わりとよく見てきました。けれども、あれくらいストレートな人種差別的メッセージというのは、初めてだったんです。『うわっ。何でこんなものがここにあるんだ？　誰が貼ったんだ？』っていうのが、最初に考えたことでした」

浦和を熱烈に応援する一方で、海野はプレミアリーグのマンチェスター・ユナイテッドのファンでもあった。ヨーロッパの応援文化を知悉《ちしつ》していたため、人種差別的なメッセージに対しては、他の浦和サポーター以上に鋭敏に反応したのである。

ではなぜ、問題の垂れ幕の画像をネット上に拡散させたのだろうか。

「きちんと画像に残しておかないと、噂レベルで終わってしまう危険性があると思っていました。ツイッター（現・X）にアップしたのは、ある種の『悲鳴』みたいなものでしたね。事故なんかを目撃すると、誰でも『うわっ！』とか声が出てしまうじゃないですか。まさに、そういう感じでした」

今から振り返ると「もう少し配慮すべき点もあったかもしれません」。それでも「アップしないという選択肢はなかった」と海野は言い切る。

「なぜなら、ああいう内容のメッセージを許容してしまう空気というものが、当時の埼スタには間違いなくあったからです。なのでツイートしたこと自体、まったく後悔はありませんでした」

海野はその後、問題の垂れ幕を撤去してもらおうと警備員に働きかけ、ハーフタイムにはクラブの担当者とも話し合いをしている。そのまま放置されれば、クラブが不利益を被《こうむ》ることは必至。それゆえ、海野は試合観戦そっちのけで交渉に当たった。

一連の行動を振り返れば、彼の目的が騒ぎを起こすことではなく、むしろ愛するクラブを守ろうとしていたのは明らかである。逆に事実の隠蔽《いんぺい》を考えるようでは、およそ真の意味でのサポーターとは言えまい。

「人種差別に関しては、Ｊリーグでも罰則規定が明確になっているし、4年前（2010年）にもアウェイのベガルタ仙台戦で、ウチは人種差別的な野次でやらかしているんです。ですから『このまま垂れ幕を放置していれば、処罰の対象になりますよ』って、担当の人に訴えました」

海野だけでなく、何人かのサポーターも「確かにあれはまずいよ」と同調してくれた。

「そうしたら、担当の人は『わかりました。では、サポーターの代表者の方と話してきます』と言ってくれたので、あとはお任せすることにしたんです」

しかし結果として、問題の垂れ幕は、試合後まで撤去されることはなかった。

海野のツイートにより、すでに試合中から炎上案件となっていた「ＪＡＰＡＮＥＳＥ ＯＮＬ

Y」の垂れ幕。クラブ側の対応が後手に回る中、この問題についていち早く「否《いな》」を表明した選手がいた。当時、浦和に所属していた日本代表の槙野智章《まきのともあき》である。

《今日の試合負けた以上にもっと残念な事があった…。／浦和という看板を背負い、袖を通して一生懸命闘い、誇りをもってこのチームで闘う選手に対してこれはない。／こういう事をしているようでは、選手とサポーターが一つになれないし、結果も出ない…》

0対1で終わった試合直後の21時53分。槙野によって発せられたこのツイートは、最終的に1万7000回以上リツイートされている。海野は埼スタからの帰宅後、ツイッターを覗《のぞ》き込んで、自分が「渦中の人」となってしまったことを痛感することとなった。

あらためて、時系列を整理しておこう。

埼スタでの浦和対鳥栖のキックオフが16時4分。問題の垂れ幕の写真を海野がツイッターにアップしたのが16時40分。そして槙野のツイートが21時53分。以降、サッカーファンのタイムラインは、この話題で一色になってゆく。

Jリーグ広報部部長の萩原は、この日、チェアマンの村井と共に新幹線で新潟から東京へ移動していた。ここで鹿島に向かう村井と別れ、羽田から空路で沖縄に向かっている。翌9日、当地で開幕するJ3リーグを村井が視察するため、先乗りすることとなっていた。

移動のさなか、萩原はツイッターでの炎上を認識している。しかし村井への報告は、当人が沖縄入りするタイミングとなってしまった。

「なぜ、昨日のうちに報告しないんだ！」

普段は温厚そうに見える村井だが、この時ばかりは萩原を厳しく叱責《しっせき》している。どうやら両者の間に、「JAPANESE ONLY」というメッセージに対して、明らかな認識のズレがあったようだ。

まず、萩原の当時の認識。

「当初、これが差別問題に結び付くという感覚は、私の中ではありませんでした。それに対して村井さんは、いろいろなことが瞬時に脳裏を駆けめぐったんでしょうね。だからこそ、すぐに報告がなかったことを問題視したんだと思います」

実際、村井の認識は「あり得ない話」というものであった。チェアマン就任から1カ月が過ぎていたが、香港で働いていた頃の感覚が鮮明に残っていたことが大きかった。

「チェアマンに正式に就任するまでの間、私は香港で最後の挨拶回りをしていたんです。前職ではアジア26都市で、ゼロからオフィスを作って、従業員ものべ1000人くらいいました。ほとんどが現地採用です。その感覚が残っていたから『JAPANESE ONLY』なんて、あり得ない話だと。ましてやサッカーは、グローバルなスポーツです。そんな思いがあったからこそ、あの時は萩原を叱りつけました」

萩原はJリーグに入社する以前、日本マクドナルドや国内の大手携帯電話会社などで、ずっと広報畑を歩んできた。その後、広報部部長からコンプライアンス室室長となり、さまざまな差別やハラスメントの問題と真摯《しんし》に向き合ってきた。

そんな彼でさえ、当時は「JAPANESE ONLY」が差別問題に結び付くという認識は希薄だった。萩原だけではなく、おそらくJリーグの職員の多くが、その程度の認識だったと思う。かくいう私自身、あの垂れ幕を見た瞬間に「これは差別だ!」と察知できただろうか? 少なくとも2014年の時点であれば、いささか心許《こころもと》ない、というのが実際のところだ。

沖縄から戻った村井は、すぐさま御茶ノ水のJFAハウスにて、事件の対応の陣頭指揮を執る心積もりであった。ところが――。

「村井さん、実はもう1件ありまして」

申し訳なさそうに声をかけてきたのは、フットボール統括本部本部長と競技・運営部部長を兼任していた、窪田慎二《くぼたしんじ》。窪田によれば「JAPANESE ONLY」事件が起こった同日、八百長の疑いがあるとの連絡が入ったという。カードは、エディオンスタジアム広島で行われた、サンフレッチェ広島対川崎フロンターレ。

「ちょっと待ってよ。日本では、賭けなんかできないんじゃないのか?」

人種差別のメッセージには、すぐに反応できた村井であったが、Jリーグの試合での八百長疑惑というのは、まさに青天の霹靂《へきれき》。しかし窪田から「村井さん、海外ではJリーグも賭けの対象となっているんですよ。世界中に400以上の胴元があるようです」と教えられ、初めて「スポーツ・ベッティング」の存在を知ることとなる。

スポーツ・ベッティングとは、スポーツの試合を対象にした賭けのこと。サッカーのみならず、野球やバスケットボールやテニスなど、あらゆるスポーツが対象となっており、賭けのメニューも豊富。サッカーであれば、試合中のイエローカードの数や最初の得点者など、試合中に起こり得るすべての事象を賭けの対象としていた。

欧州では、早くから合法化されていたスポーツ・ベッティングだが、当然ながら八百長が起こるリスクを完全に排除するのは難しい。そこでFIFA（国際サッカー連盟）は、サッカー界の公平性を遵守するために、EWS（アーリー・ワーニング・システム）社を2005年に設立。EWS社は独自のシステムにより、スポーツ賭博《とばく》市場でのサッカーの試合の賭け率を監視しながら、検知や分析などを行っていた。

そのEWS社から、広島と川崎の試合で「小さな異常値が見られた」という連絡が入る。八百長が事実となれば、ことはピッチ上の公平性の問題にとどまらない。2001年からスタートしたスポーツ振興くじ「toto」の信用をも揺るがしかねないからだ。

サッカーのみならず、さまざまな競技の環境整備や国際的な活動への支援、さらにはアスリートや指導者などの育成の原資となっているtoto。もし本当に八百長が行われていたなら、これまでJリーグが築き上げてきた信用もまた一気に瓦解《がかい》する。

一方で、世間はJリーグ、とりわけ新チェアマンの「JAPANESE ONLY」事件への対応を注視していた。この問題に対して明確な方向性を示しながら、水面下ではEWS社からのアラートについて調査を進める。どちらも、少しでも対応を間違えれば、Jリーグにとって致命傷になりかねない。

こうした困難な状況に、就任からわずか1カ月の「異端のチェアマン」は、真正面から対峙《たいじ》することとなったのである。

「まだチェアマンになって、間もないタイミングでしたからね。浦和の社長が淵田敬三《ふちたけいぞう》さんというのは知っていましたが、当時は『広島と川崎の社長って誰だっけ?』という状況でした。そこから川崎の武田信平《しんぺい》さん、広島の小谷野薫《こやのかおる》さん、ふたりのクラブ社長を呼んで事実確認をしようということになったんです」

そう振り返る村井。今となっては笑い話だが、当時はとにかく必死だった。

すぐさま両者の携帯電話にコールすると、まず川崎の武田とつながった。「今すぐ来られますか?」という村井の言葉に、武田の声は明らかに不機嫌の色が滲《にじ》んでいる。

「村井さん、さすがに失礼じゃないですか? われわれは今、ACLで日本にいないんですよ。ご存じないんですか?」

ACLとは、アジアのナンバーワンクラブを決める大会、AFCチャンピオンズリーグのことである。川崎も広島も、このACLに出場中で、しかもアウェイ戦。武田は韓国、小谷野はオーストラリアだった。

聞けば、木曜日(3月13日)には成田に戻ってくるという。「帰国後、すぐにJFAハウスに来てくれますか?」と打診するも、やはり武田の声は苛立《いらだ》ちを含んでいる。

「村井さん、人を呼び出すんだったら、まずは要件を言いましょうよ」

もちろん村井とて、非礼は重々承知している。しかし八百長疑惑の場合、口裏合わせをされるリスクは絶対に避けなければならない。何とか要件を明らかにしないまま、武田と小谷野を3月13日に呼び出す同意を取り付けた。

実は同日、村井はJFAハウスにて、「JAPANESE ONLY」のお詫び会見を行っている。浦和に対する制裁として、3月23日に行われるホームゲーム（対清水エスパルス戦）を、Jリーグ史上初となる無観客試合とすることを発表。無観客試合のインパクトにメディアは騒然となったが、その直前に八百長疑惑の極秘調査が行われていたことは、ごく限られた内部の人間以外は知る由《よし》もなかった。

その無観客試合を発表した会見で、村井は「こういうことを放置したら、香港みたいになってしまうんですよ」と口走り、記者団のぽかんとした顔を見て、これはまずいと取り繕っている。

「あの時に『香港』と言ってしまったのは、もちろん人種差別のことではなく、EWSの件だったんです。私がいた香港でも、スポーツ・ベッティングは盛んで、八百長の噂はわりと見聞きしていました。あの会見の直前まで、私は武田さんと小谷野さんに事情聴取しているんです。ですから、どうも頭の中でごっちゃになっていたみたいで（苦笑）」

そんな村井の心情をつゆ知らず、メディアも世間もJリーグ史上初となる「無観客試合」ばかりを話題にしていた。当代きってのコラムニストで、自身も浦和ファンだった小田嶋隆《おだじまたかし》は、TBSのラジオ番組『たまむすび』で、Jリーグの決断を珍しく評価するコメントを残している。

「私はとてもJリーグを見直しましたよ。そういう決断ができる組織だとは、あまり思っていなかったので。だいたい日本のどの競技団体でも、財団法人でも、功成り名遂げた人たちが上に立っている組織って、決断できないことが多いじゃないですか。Ｊリーグは方向性を明快に打ち出して、それをちゃんと説明できた。なかなか日本の組織には、なかったことだと思いますよ」

無観客試合実施の発表後も、ＥＷＳ案件の調査は極秘に進められた。

会見翌日の3月14日、ＪＦＡの技術委員会と審判委員会から「試合映像を分析した結果、まったく異常はない」との報告を受領。17日には、緊急調査チームによる事情聴取が完了し、当該試合に関しての不正行為や働きかけの形跡が一切認められなかったことが確定される。そして18日、Ｊリーグによって本件は初めてリリースされた。

3月9日に沖縄でチェアマンに叱責されてから、18日にＥＷＳに関するリリースを出すまでは、広報部部長の萩原にとっても激動の10日間であった。その間、彼はずっと村井の傍《かたわ》らで、決断の一部始終を目《ま》の当たりにしている。

「もちろん大変でしたけれど、村井さんのそばにいた僕自身、すごく熱量が上がっていくのを感じました」

言葉にこそ出さなかったが、前チェアマンの大東和美《おおひがしかずみ》との違いに、萩原自身が大いに刺激を受けていたのは間違いない。何より驚かされたのが、村井の決断力とスピード。その理由について、村井はこう語っていたという。

「一定の情報が集まれば、それ以上は同じ情報しか入ってこない。余計な情報がありすぎると、判断できなくなってしまうこともある。だから速く決断するんだよ」

これまで、さまざまな業界で広報業務に携わってきた経験から、不祥事が発生した時の指示の傾向というものを、萩原は熟知していた。その多くが「もっと情報を集めろ」というもの。しかし、Jリーグは（というより村井は）明らかに違っていた。再び、萩原。

「村井さんが優先させたのは、情報の数よりも決断のスピードでした。もちろん、相当な勇気が必要だったと思いますよ。とりわけ無観客試合については、それまでのJリーグの制裁では一度もなかったわけですから」

Jリーグで最初に、村井の決断力とスピードを目の当たりにしたのが萩原だった。その驚きは、やがてJリーグという組織全体に広がっていくこととなる。

もっとも、この時に決断した無観客試合が、どれほどの痛みを伴うのか。実は当の村井自身、まだ明確にはイメージできていなかった節が窺《うかが》える。


Jリーグ史上初となる無観客試合は、3月23日15時4分、埼玉スタジアム2002にて開催された。当日の公式記録には《［天候］晴、無風、気温16・2℃、湿度23％［ピッチ］全面良芝、乾燥［試合時間］90分》とある。そしてひときわ目を引くのが《［入場者数］0人》という記載。

このような奇妙な公式記録は、少なくとも今後20年くらいは、お目にかかることはないだろう――。

それが、当時の私が考えたことであった。

試合会場の最寄りである、浦和美園《うらわみその》駅に到着したのは、キックオフ2時間前。いつものホームゲーム開催日なら、駅から埼スタにかけての道は、浦和サポーターの赤いユニフォームで埋め尽くされるはずであった。ところがこの日は、試合のない平日さながらに閑散としている。途中、すれ違うのはサッカーとは縁遠そうな地元住民ばかり。なるほど、これが無観客試合というものなのか。

この試合で、私が確認したかったのは、ただひとつ。それは「無観客試合」という、Jリーグによる制裁の妥当性である。

この裁定について、サッカーファンの間では「妥当」とする意見がある一方、「勝ち点剝奪《はくだつ》のほうが効果はあったのではないか」とか「なぜ清水までとばっちりを受けなければならないのか」など、さまざまな反論もあった。

当時のJリーグ規約第142条「制裁の種類」には**《Jクラブに対する制裁の種類は次のとおりとし、これらの制裁を併科《へいか》することができる》**とあり、軽い順から列挙されている。すなわち、①けん責、②制裁金、③中立地での試合の開催、④無観客試合の開催、⑤試合の没収、⑥勝点減、⑦出場権剝奪、⑧下位ディビジョンへの降格、⑨除名。

実はJリーグの規約は、この年の1月21日に改定されたばかり。③④⑤⑧が、新たに付加されている。規約はたびたび改定されており、2020年からは「制裁」という表現が「懲罰」に変更されている。

当時の村井の発言を読み返すと、浦和への制裁を「勝点減」ではなく「無観客試合の開催」としたのには、単なる落としどころではなかったことが窺える。

「(勝ち点を)剝奪するというよりは、直接的にサポーターが影響を受ける無観客試合のほうが、今回の本質をすべてのサポーターに伝えられると考えました」

Jリーグ開幕以来、最も重く、誰も経験したことのない「無観客試合の開催」というペナルティ。しかも、圧倒的な集客力と応援の熱さで知られる浦和のホームゲームが、観客も声援もない中で行われるのである。計り知れないインパクトゆえに、この問題を浦和という当該クラブのみならず、Jリーグ全体で受け止めようとする意図が、この時の村井にあったのは間違いない。

いつもの派手な演出やMCもないまま、浦和と清水の一戦はキックオフを迎える。19分に、アウェイの清水が先制。決めた長沢駿《ながさわしゅん》は、これがJ1初ゴールだった。しかし当然のことながら、サポーターの歓声もなければ、得点者のアナウンスもない。

この無観客試合で、猛烈な居心地の悪さを覚えたのは、スタンドに観客がいないことよりも、むしろ「いつもは聞こえる音が聞こえないこと」に対してであった。

歓声、チャント(応援歌)、ブーイング、拍手、BGM、そしてスタジアムDJ。サッカーのゲームを構成する、それらのサウンドが排除されてしまうことの、何と味気ないことか。代わって耳に入ってくるのは、選手やベンチからのコーチングと、上空を旋回する報道ヘリのプロペラ音ばかり。

再び視線をピッチに戻す。清水の3倍近いシュートを放つものの、なかなかゴールに結び付けられない浦和。しかし76分、原口元気《げんき》が右足で押し込んで、ついに同点とする。

結局、試合は1対1のドローで終了。タイムアップとなった時、ピッチ上の22人の表情から、晴れがましさや充実感といったものは微塵《みじん》も感じられなかった。試合後の握手を終えると、全員が足早にロッカールームへと駆け込んでいく。

「一刻も早く、この場から立ち去りたい」

そんな思いで、彼らの胸中は一致していた。

試合後の会見では、清水のアフシン・ゴトビ監督、そして浦和のミハイロ・ペトロヴィッチ監督から、それぞれ人種差別についての言及があった。

まず、イラン出身でアメリカ国籍のゴトビ。彼は1964年にテヘランで生まれたが、78年のイスラム革命により家族と共にアメリカへ亡命している。そこでサッカーに出会い、アメリカ、韓国、イランでの指導を経て日本にやって来た。

「サッカー界から、こうした差別をなくしていかなければならない。清水エスパルスには、私以外にもさまざまな国籍の選手やスタッフがいる。カナダ、韓国、オランダ、スロベニア、ドイツ、そしてブラジル。人と人の違いがあるからこそ、世界は美しい」

続いて、セルビアとオーストリアの国籍を持つペトロヴィッチ。1957年に旧ユーゴスラビアのベオグラードで生まれ、セルビア、スロベニア、クロアチアのクラブでプレーした後、オーストリアのクラブへの移籍に伴い同国に移住。2006年に来日して、サンフレッチェ広島を経て12年から浦和で指揮を執っている。

「私は37年間、ほぼ外国で生活しているが、残念ながらどの国にも差別は存在する。それでも私は、どの国でも差別に勝利することができた。なぜか？　私は差別を受けながらも、差別した人間に対してのリスペクトと愛情を忘れなかったからだ。浦和レッズは今、厳しい状況に立たされている。それでも他者を愛し、リスペクトすることを忘れるべきではない」

無観客試合の当事者となった両クラブの監督が、いずれも複雑な出自を持った外国籍監督だったのは、もちろん偶然である。しかしその偶然が、示唆《しさ》に富んだ日本人へのメッセージにつながったとすれば、それは不幸中の幸いだったのかもしれない。


あらためて「無観客試合での開催」という制裁の妥当性について、考えてみたい。

この制裁で、最もダメージを受けたのは、もちろん浦和の関係者である。無観客となったことで、およそ1億円の損失があったと言われているが、ことは入場料収入だけの話では済まされない。スタジアム周辺での飲食やグッズ販売まで含めれば、さらに損失額は膨れ上がるはずだ。

そして、これだけ多くのメディアに大々的に報じられたことで、制裁を科した側のＪリーグもまた、痛みを分かち合うこととなった。

村井はこの日、埼スタには赴《おもむ》かずに、スカパー！で観戦していた。そして試合後に広報を通じて、このようなコメントを発表している。

《Ｊリーグ20年の成長を支えてくださったのは、クラブを愛するファン・サポーター、ホームタウンの皆様です。クラブにとって一番の財産であるファン・サポーターの姿がないスタジアムでの試合は、Ｊリーグ百年構想の理想とする姿とは最も遠いところにある試合というしかなく、大変寂しく悔しい思いで試合を見ました。》

観客のいないスタジアム。それは試合を行った浦和と清水のみならず、Ｊリーグにとっても悪夢そのものでしかなかった。

事件を「一部の人間によるもの」と矮小化《わいしょう》させず、当該クラブ以外のファン・サポーターや関係者にも、当事者意識を持たせる。

その意味において「無観客試合での開催」というJリーグの決断が、極めて効果的なメッセージとなったのは事実である。ただし、想像していた以上の痛みを伴ったという理由だけで、果たして妥当だったと言えるだろうか。あとに残ったのは「誰にとっても苦い思い出でしかない」という現実。村井の決断は、必要以上に苛烈《かれつ》なものでもあった。

「それにしても」と、私は思う。

「JAPANESE ONLY」事件が、村井のチェアマン就任以前に起こっていたら、Jリーグはこれほど迅速かつ毅然とした決断を下すことができただろうか。「良きに計らえ」タイプのチェアマンだったら、誰も何も決断できないまま、いたずらに時間が経過していた可能性は、十分にあり得ただろう。

そうならなかったのは、当時の村井にサッカー界へのしがらみがなく、良い意味で怖いもの知らずであったこと。そして何より、ビジネスの修羅場をくぐってきた経験を持っていたことが大きかった。

「危機管理で何が大事かというと、やっぱりスピードなんですよ。何か起こってしまった時に、何よりも優先すべきはスピード。その意味で今回のJリーグの対応は、本当に素晴らしかったと思います」

事件を告発した、浦和サポーターの海野は、勤務先で広報業務に携わっている観点から、当時のJリーグの一連の動きを手放しで評価する。

「おそらく処分決定までの間で、村井さんはいくつかの手続きをすっ飛ばしていたはずなんです。でもそれは、今回の問題の深刻さを、しっかり認識していたからでしょうね。しかも、前例のないことに対して、毅然とした対応をしてくれました。僕は村井チェアマンに『Jリーグを救ってくれて、ありがとうございます』と申し上げたいです」

もっとも村井に対して、このような感情を抱く浦和のファン・サポーターは、それほど多くはないはずだ。その後、クラブに何かしらの懲罰が科されるたびに、浦和サポーターは、この時の無観客試合を想起するようになる。中には「村井は浦和を目の敵にしている」と考える者さえ、決して珍しくない。

前述のとおり、Jリーグチェアマンに就任する以前の村井は、自他共に認める熱狂的な浦和サポーターであった。2007年にはイランのペルセポリスでのACL決勝に駆けつけているし、J2に降格した2000年には40試合すべてを現地観戦している。

そこまで愛して止まないクラブのサポーターから、時に憎まれ、時に激しいブーイングさえ浴びせられている。つらくはないのだろうか？

「チェアマン就任の際、私は『命を賭《と》して』と言っています。その瞬間から、サポーターとしての個人的感情は完全に払拭しました。すべてはJリーグのために。その思いだけです」

淡々としながらも、毅然とした口調。そして村井は、こう続ける。

「Jリーグにとっての浦和レッズは、ホームもアウェイも関係なく、リーグ全体の平均入場者数を押し上げてくれる貴重な存在です。逆に浦和が絡む試合で、入場者数が落ちていくようなことになったら、それはリーグ全体の活力を削《そ》いでいくことになりかねません。だからこそ、一部の心無い行為によって、ネガティブなイメージを持たれてしまうことは、絶対に避けなければならない。その思いは、当時も今も変わりません」

Jリーグ史上初となる、そして「誰にとっても苦い思い出でしかない」２０１４年3月23日の無観客試合は、このようにして終わった。

無観客試合という決断は、結果として「村井満」の名前を良くも悪くも広めることとなった。そして、歴代いずれのチェアマンとも異なるリーダー像を、周囲に強く印象付けることとなったのである。

一方、われわれサッカーファンは、より差別に対する鋭敏さを身につけることとなった。と同時に「スタジアムにファン・サポーターがいてこそのJリーグ」という、それまで当然視されてきたことの大切さも、再認識させられることとなった。

Jリーグの公式記録に「[入場者数] ０人」と記載されることは、今後しばらくはないだろう――。私だけでなく、関係者の誰もがあの時、そう思ったはずだ。

しかし、それからわずか6年後の２０２０年。誰も予想しなかった形で、無観客試合という悪夢は、再現されることとなる。

02 「5つの重要戦略」と禁断の組織改革（2014年）

「Jリーグ30年の歴史を振り返ると、3つの波があったことが確認できます。第1の波は、開幕した1993年から95年の前半くらい。その後は下り坂になるんだけど、ワールドカップ開催で各地にスタジアムができて、それが2007年から08年の第2の波につながっていきます。その後は再び低迷期に入りましたが、DAZN《ダゾーン》マネーの流入によって2017年から19年にかけて第3の波が生まれています。それを生み出したのは、間違いなく村井さんの功績でしたね」

何やら大学の講義を受けているような気分になる。それもそのはず、声の主はびわこ成蹊《せいけい》スポーツ大学の学長、大河《おおかわ》正明。たまたま都内に出張中とのことで、わざわざ私の仕事場まで訪ねてきてくれたので、恐縮しながらのインタビュー取材となった。

現在、大学でスポーツビジネスの教鞭《きょうべん》を執っている大河の前職は、Bリーグチェアマン（2015~20年）。その前はJリーグで、2010年から15年まで主に財務を担当してきた。2012年から理事、14年から常務理事となり、J3設立やJリーグクラブライセンス制度の設計を主導している。

ちなみにクラブライセンス制度とは、リーグの参加資格要件を定めたもので、2013年から施行。競技基準、施設基準、人事体制・組織運営基準、法務基準、財務基準が厳格に設けられている。このクラブライセンスについては、当初は「厳しすぎる」という指摘もあった。それでも制度ができたことで、破綻《はたん》寸前の放漫経営をするJクラブは激減した。

その制度設計を担った大河は、同じく常務理事だった中西大介と共に、大東和美《おおひがしかずみ》チェアマンの2期目を支え、後任チェアマンの村井満を迎える下地を作ったことでも知られる。

ずっとスポーツ畑を歩んできたように見える大河だが、キャリアの原点は銀行にあった。京都大学卒業後、1981年に三菱銀行（現・三菱UFJ銀行）に入行。以降、バンカーとしての人生を歩んできた彼が、なぜJリーグで働くようになったのか。

転機となったのが95年。当時のチェアマンは川淵三郎《かわぶちさぶろう》だった。

「当時の頭取と川淵さんが、とある結婚式でテーブルが一緒になったらしいんです。そこで『財務や総務や人事の仕事を誰かにお願いしたい』というリクエストがあって、僕が出向することになったんですよ。最初は総務部長という肩書きで、管理部門全般を見ながらJ2を立ち上げるための議論にも参加して、97年には銀行に戻りました」

大河が出向した95年といえば、Jリーグが開幕して3年目。開幕直後の爆発的な人気に陰りが見え始めた頃だ。それまで組織内に、管理部門のプロフェッショナルがいなかったという事実に、まず驚かされる。特に何もしなくても、メディア露出があったし、チケットも関連グッズも飛ぶように売れていた。まさに、勢いだけでやってきたツケが回ってきたタイミングで、大河とJリーグとの最初の接点が生まれた。

銀行に戻った大河は、その後は支店長などを務めていたが、たびたびＪリーグから「こっちで働かないか？」という打診があったという。そのオファーが、より切迫感を帯びるようになったのが、大東がチェアマンに就任する２０１０年であった。

「この時は川淵さんではなく、Ｊリーグの再興を願っていた元専務理事の木之本《きのもと》（興三《こうぞう》）さん、そして当時の常務理事の佐々木（一樹《かずき》）さんからでしたね。クラブライセンス制度導入にあたって、非常勤の集まりである経営諮問《しもん》委員会ではなく、常勤のマネージャーを置く必要がありました。僕自身も50歳を過ぎて、関連会社の役員になる将来像は描けていたんだけど、それよりスポーツに関わる人生のほうがハッピーなんじゃないかと」

大河が復帰した２０１０年は、2年前のリーマン・ショックの影響でＪリーグの経営が悪化し始めたタイミング。そしてこの年は、第3代チェアマンの鬼武《おにたけ》健二が２００７年にぶち上げた「Ｊリーグイレブンミリオンプロジェクト」の達成目標年でもあった。

これは、Ｊリーグが主催するすべての公式試合（ＡＣＬ＝ＡＦＣチャンピオンズリーグでのＪリーグ勢のホームゲームを含む）で「年間１１００万人の入場者数を達成する」としたプロジェクト。しかし、２０１０年の結果は８６４万５７６２人で、目標の8割にも届かなかった。

それでも大河の証言を聞く限り、こうした状況に危機感を抱く人間は、当時のＪリーグにはそれほど多くはなかったようだ。

「僕が最初にお世話になった１９９５年、Ｊリーグのプロパーの人たちからは『うかうかしていたら潰れてしまうかも』という危機感が伝わってきました。ところが２０１０年というと、すでに開幕から17年が過ぎているわけです。『さすがに潰れることはないだろう』という空気が支配的でしたね」

実際、当時のJリーグはそんな空気感だったと、私自身も記憶している。

それから4年後、状況が好転するどころか、むしろ悪化する中で、村井が新チェアマンに就任する。さながら火中の栗を拾うかのような村井の決断に、同じくサッカー界の外側から飛び込んだ大河は、少なからぬ共感を覚えたという。

「サッカーのため、Jリーグのためだったら、おそらく命を懸けるくらいの覚悟があったと思います。のちに僕自身、Bリーグのチェアマンを拝命する時には、当時の村井さんの覚悟を見習おうと思いましたよ。ただ村井さんの場合、すでに僕なり中西なりがいたので、ご自身だけでは決断を下しにくい状況があったかもしれないですね」

大河のこの発言については、若干の補足が必要だろう。村井がチェアマンに就任する以前から、財務面は大河が、事業面は中西が、それぞれ取り仕切っていた。もちろん、最終ジャッジを下すのはチェアマン。しかし前任の大東が、自ら陣頭指揮を執ったり、トップダウンで物事を進めたりすることは、ほとんどなかった。

それに対し、新チェアマンの村井は、前任者とは180度異なるタイプのリーダー。それゆえに「ご自身だけでは決断を下しにくい状況があったのかもしれない」という、大河の見立てには大いに頷《うなず》ける。加えて、Jリーグの社外理事を6年務めていたとはいえ、当時の村井は完全なアウトサイダー。それゆえの心労も、当然あったはずだ。

＊

村井満が第5代Jリーグチェアマンに就任したのは、2014年1月31日である。

当時の理事・監事・特任理事の一覧を見ると、筆頭が新任チェアマンの村井、次に専務理事の中野幸夫、そして理事から常務理事に昇任した大河と中西という序列となっている。それぞれの年齢は、村井54歳、中野58歳、大河55歳、中西48歳。

「中西はアイデアマンでしたね。スポーツだけじゃなく、映画とか小説とかエンターテイメントも勉強していて、その知識の豊富さは私なんか足元にも及ばなかったです。それと国内外に幅広い人脈を持っていて、情報収集能力もすごかった。一方の大河さんは銀行出身らしく、経理や財務や人事や総務といった、管理部門に関しての仕事の完成度は素晴らしかった。ふたりは良い意味で、補完関係にあったと思います」

それぞれの常務理事についての村井の評価である。では、専務理事の中野については？

「中野さんは、基本的に実務は部下に任せていたけれど、私を含めた4人の中で最も職員に愛されていたんですよね。ですので、職員からの本音が最も集まりやすい立場にありました。ある意味、Jリーグという組織がよく見えていた人だったと思います」

サッカー界の外部からチェアマンを招いたものの、当初は上層部の力関係も社内の雰囲気も前政権時代のまま。それが、チェアマン就任時の村井を取り巻く状況であった。

まずはひとつひとつ、できることから始めるしかない。チェアマン就任直後、村井が採ったアクションは3つ。すなわち、理事を集めての集中合宿、全51クラブの訪問、そしてJリーグ全職員を対象とした「ワン・オン・ワン」と呼ばれる面談である。

この3つのアクション、のちの村井の改革を考える上で、非常に興味深い。まず、理事たちと組織の方向性を確認し、続いて各クラブを視察しながら自身のパーソナリティを知ってもらい、面談で職員の特性を見極めながら組織の強みと弱みを把握する。いかにも人事のプロフェッショナルらしい、手順の踏み方である。

Jリーグチェアマンとして、実質的に始動したのは2月3日。さっそく村井は、3人の理事を招集して、東京ドームホテルで4人だけの合宿を行っている。ここで策定されたのが、以後8年間続く政権の指針となった「5つの重要戦略」だ。

①「魅力的なフットボール」
②「スタジアム整備」
③「デジタル技術の活用」
④「国際戦略」
⑤「経営人材の育成」

「まず『魅力的なフットボール』は、われわれの本業ですからね。『スタジアム整備』は、屋根のあるスタジアムが増えれば、お客さんも増えるだろうという程度のものでした。『デジタル技術の活用』は、4人とも素人でしたが、これから絶対に必要になると。『国際戦略』は、ヨーロッパの放映権料を下支えしているのが東南アジアでしたから、今後のアプローチを考える必要がありました。『経営人材の育成』は、これから10年かけてスポーツビジネスがわかる経営者を人育てれば、Jリーグは安泰という発想が原点でした」
それぞれの戦略の意図について、村井はこのように語っている。すぐに着手できるものもあれば、この時点では雲をつかむようなものもあった。この「5つの重要戦略」については、のちほどあらためて触れることにしたい。

理事を集めての合宿を終えた村井は、さっそく次のアクションに移る。2月9日から始まった、全51クラブの訪問である。

2014年の時点でJクラブは、北は北海道から南は沖縄まで、まんべんなく点在していた。週末の試合と併せて視察したとしても、1週間で回れるのは2クラブが限界。25週と考えて半年弱かかる計算だ。

実際、51クラブの代表者（Jリーグでいうところの「実行委員」）全員との面談を終えるまでには、半年を要することになった。51人の実行委員と話をして、村井が痛感したのは「Jリーグの多様性」。それは、良い面と難しい面が表裏一体になっていたという。

「実行委員の皆さんは、いろんなバックグランドを持っているんですよ。親会社から出向している人もいれば、行政筋から来ている人もいれば、地元の名士や元選手もいる。大切にしているものも微妙に違っていて、出向元のことを本能的に考える人もいれば、地域のことを第一に考える人もいれば、札幌の野々村《ののむら》（芳和《よしかず》）さんのようにフットボールを重視する人もいる。こうした多様性こそが、Jリーグの価値とも言えるんだけど、目線を合わせてひとつの方向に持っていく難しさというものも、直感的に感じました」

もっとも村井の視察は、単にクラブのトップと対話することだけではなかった。クラブハウスやトレーニング施設、さらには選手寮や食堂にも足を運び、スタッフや選手、サポーターとも積極的に語り合っている。

フットワークが軽く、好奇心も旺盛《おうせい》。村井を迎えたJクラブは、その型破りな姿勢に面食らいながらも「今度のチェアマンは、今までとは違う」と感じていたのではないか。

それまでのJリーグとJクラブの関係性は、典型的な中央集権型であった。クラブ社長は月に一度、実行委員会に出席するためにJFAハウスを詣《もう》でる。チェアマンが自ら望んで、各クラブを訪問することは極めて稀《まれ》。ましてや、51クラブすべてを訪問するなどというのは、前代未聞であった。もっとも、現場取材を重んじる私は、こうした村井の行動を十分に理解できた。

新しいチェアマンも、どうやら「答えは現場にある」という考えの持ち主らしい。私が村井に、最初にシンパシーを感じる契機となったのが、この全51クラブ訪問であった。

全国行脚《あんぎゃ》を終えると、いよいよJリーグ全職員へのワン・オン・ワンがスタートする。

2014年のJリーグの事業報告書によれば、この年の職員の数は理事を除いて53名（うち非常勤は4名）。これだけの人数を、ひとりひとり面談するというのも、実に骨が折れる作業である。しかし、リクルートで人事畑を歩んできた村井にとっては、むしろ当然の職務。そこで気になるのが、人事のプロフェッショナルによる、面談の内容だ。

当時の広報部部長で、のちにコンプライアンス室室長となる、萩原和之《はぎわらかずゆき》の場合。

「どういう家庭で育ったのか、あるいは小中高はどういう生活をしていたのか。人生の初期、育ち方のようなところを聞かれましたね。そこの部分で、人間性の土台が形づくられるという、村井さんならではの見方があるんだと思いました」

当時は非常勤で、のちに正社員として公益財団法人スポーツヒューマンキャピタル（SHC＝後述）の業務全般を担当することになる、田窪範子《たくぼのりこ》の場合。

「自分のキャリアについてとか、仕事で大切にしていることとか、そういったことを聞かれました。村井さんからのフィードバックは『すごく正義感が強いんだね』。そう言われて思い出したのが、面談の前に『この組織は腐ってます！』と村井さんに訴えたことでした。当時は派遣社員でしたけれど、私よりもサッカーに対する思いがありながら、組織内の問題や仕事の進め方に疑問を感じて、Jリーグから離れられた方を何人か見てきたんです。ですから新チェアマンには、そのことをどうしても伝えたいと思っていました」

大宮アルディージャから転職し、のちにフットボール本部本部長となる、黒田卓志《たかし》の場合。

「村井さんから『昼飯でも食いながら話そうよ』って言われてのワン・オン・ワンでしたね。子供の頃の話から、筑波大蹴球部時代の話から、大宮時代の話まで。ひたすら僕がしゃべって、それを村井さんが猛烈な勢いでメモするんですよ。チェアマンを退任される時に、当時のメモを村井さんからいただいたんですが、レポート用紙で9枚もあったんです。そこには僕の半生とキャリア、そして長所や短所といったものが、びっしりと書かれてありました」

51クラブの訪問と53名の職員への面談。それは村井にとり、Jリーグの課題がどこにあるのかを見極める上で、重要かつ不可欠なプロセスであった。

こうした作業を終えた上で、いよいよ村井は本格的な組織改革に乗り出してゆく。


Jリーグの組織改革。それは過去20年、歴代チェアマンの誰もが手を付けてこなかった、ある意味「禁断の領域」であった。

「Jリーグの正式名称は『公益社団法人日本プロサッカーリーグ』です。その公益社団法人を事業面で支えるべく、6つの事業会社があったのですが、それぞれ社長は別。プロパー社員も人事制度も別でした。そうなると、Jリーグが一丸となって改革を進めようとしても『ウチはマーチャンダイズの会社なので、デジタルマーケティングは関係ありません』とか『私はプロモーション担当なので、チケッティングサービスのことは知りません』といったことに、どうしても陥ってしまうんですね」

村井が語った、6つの事業会社とは、以下の通り。Jリーグメディアプロモーション、ジェイリーグエンタープライズ、Jリーグデジタルエンタテインメント、ジェイリーグフォト、そしてJリーグの看板設置や管理を行うJ ADVANCEと損害保険会社のジェイ・セイフティ。

これら関連会社を、最終的に1社に統合する——。

それが、村井がまず考えたことであった。Jリーグを改革していくには、その前提として、縦割り組織の壁を容赦なく打ち破る必要があったからだ。

しかし、ことはそう簡単には運ばない。関連各社の社風や領域の違いに加えて、株主構成も持ちつ持たれつ、実に複雑なものとなっていたからだ。

たとえば、Ｊリーグメディアプロモーションの場合。Ｊリーグが34％、それ以外の56％はＮＨＫを含む放送事業者８社となっている。

これがジェイリーグエンタープライズになると、さらに複雑だ。Ｊリーグが38％、ＪＦＡ（日本サッカー協会）が17％、そして42％を10のＪクラブが保有している。

Ｊクラブの内訳は、鹿島アントラーズ、浦和レッズ、ジェフユナイテッド千葉、東京ヴェルディ、横浜Ｆ・マリノス、清水エスパルス、ジュビロ磐田、名古屋グランパス、ガンバ大阪、そしてサンフレッチェ広島。Ｊリーグのオリジナル10のうち、９クラブと磐田が半ば既得権益のような形で、ジェイリーグエンタープライズの株を保有していた。

「オリジナル10にしても、ＮＨＫや民放各局にしても、Ｊリーグの20年間を支えてくれたわけですから、もちろん恩義と感謝の念はあります。けれども、それ以上に重視しなければならないものがありました」

村井が最も重視したのが、Ｊリーグが設立当初に掲げてきた「理念」であった。Ｊリーグの設立趣旨には、第一にこう書かれてある。

《「スポーツ文化」としてのサッカーの振興。日本のサッカーをより広く愛されるスポーツとして普及させることにより、国民の心身の健全な発達を図るとともに、豊かなスポーツ文化を醸成。わが国の国際社会における交流・親善に寄与する。》

「ここで『国民』と謳《うた》っているからには、限られた数のクラブに株式が独占されている状況は、やっぱり理念に反する。ですから10クラブに対しては、決しておもねることなく、覚悟を決めて臨みました。それと『豊かなスポーツ文化を醸成』するのであれば、インターネットやデジタル化といった時代の環境変化に応じて、スピーディに対応していかなければならない。誰が上司で、どちらが株主かわからないような組織が、スピードを阻害することになるのは明らかでした」

株式は私有財産なので、同意が得られるまでには、粘り強い交渉が求められた。ジェイリーグエンタープライズの株を保有する10クラブに、村井は「すべてのJクラブが、共同で取り組める体裁にしなければ、リーグとしての発展はあり得ないんです」と訴える。

Jクラブ以外の株主もいたため、ジェイリーグエンタープライズの株式買い戻しには、膨大な時間と作業を要した。もちろん、Jリーグメディアプロモーションについても、状況は同じ。こちらは、外部の放送事業者が株主となっているだけに、さらにタフな交渉が予想された。そこで村井が頼りにしたのが、Jリーグデジタルエンタテインメント代表取締役社長で、放映権ビジネスを知悉《ちしつ》していた、小西孝生《たかお》である。

「私には欠けているものが多いんですよ。その中のひとつに『歴史』がありました。小西は設立当初からJリーグにジョインしていて、さまざまな歴史を見てきているので、何を聞いても答えが返ってくる。しかも私と同い年で、一貫して事業会社側に身を置いてきました。この大規模再編を行う上で、小西が一番の適任者だと思ったわけです」

小西をカウンターパートナーに選んだ理由について、村井はこのように語っている。とはいえ、放映権ビジネスのプロフェッショナルを擁しても、交渉は一筋縄ではいかなかった。今度は小西に語ってもらおう。

「Jリーグメディアプロモーションに関しては、NHKと民放各局が株主に入っていたので、交渉が難航するのは必至でした。それなりに収益が上がっていたし、一定の影響力も保持したいから、株の売却にプレミアを付ける提案をしても、なかなか首を縦に振らないわけですよ。各局との交渉が、完全に決着するまで、1年半はかかりましたね」

難しい交渉を重ねる一方で、小西には、組織統合を見据えたミッションも与えられていた。村井のチェアマン就任以降、小西の所属は目まぐるしく変わっている。

Jリーグデジタルエンタテインメント代表取締役社長となったのは2015年。翌16年には、ジェイリーグエンタープライズ、ジェイリーグフォト、JADVANCEの代表取締役社長に就任している。この人事の狙いについて、小西はこう語る。

「関連会社を統合するためには、それぞれの株主構成や人事評価や福利厚生などを整理する必要がありました。それで僕が、各社の社長になったんです。次のプロセスが、ホールディングスカンパニーを作って、各社を100%子会社にする。そして最終的には、ホールディングスカンパニーと子会社を一緒にして、僕が社長に就任する流れでした」

やや先走りとなるが、その後のプロセスについても触れておこう。

2017年4月1日、ジェイリーグエンタープライズが、株式会社Jリーグホールディングスに社名変更。株主構成は、Jリーグが47・8%、JFAが17・4%、そして政府系ベンチャーキャピタルが34・8%となった。代表取締役社長は、もちろん小西である。

その傘下には、Jリーグメディアプロモーション、Jリーグデジタル、Jリーグマーケティング、J ADVANCE、そしてジェイ・セイフティ。いずれも、Jリーグホールディングスの100%子会社となった。このうちJリーグデジタルは、2017年1月4日に新会社として設立。Jリーグマーケティングは、ジェイリーグフォトがJリーグデジタルエンタテインメントを吸収合併して、同年4月1日に社名変更している。

そして、改革の総仕上げとなったのが、2020年1月1日。Jリーグホールディングスが、Jリーグメディアプロモーション、Jリーグデジタル、Jリーグマーケティングの3社を合併して、株式会社Jリーグに改称する。保険会社ゆえに統合できなかったジェイ・セイフティは100%子会社となり、J ADVANCEは資本関係を解消してグループから離れた。

チェアマン就任から、実に6年を費やしての大規模な組織改革。村井の決断力と剛腕ぶりもさることながら、小西という心強い相棒がいたことも見逃せない。一方の小西は、村井の揺るぎない経営方針には敬意を払いながらも、相容《あいい》れない部分もあったと語る。

「僕と村井が唯一、意見がぶつかったのが、社員の待遇に関すること。僕は、社員のモチベーションを上げるために、福利厚生は充実させたかった。けれども村井は、終身雇用がいいとは思っていない。いかにもリクルート的な発想なんですよね。同い年で同じ時代に就職しているのに、この部分での価値観が、僕と村井とではまったく違いました」

実際、村井はリクルート時代、さまざまな改革を行っている。寮や社宅など法定外の福利厚生を全廃にしたのも村井なら、リクルートエイブリックからリクルートエージェントに社名変更し

2016年1月時点でのJリーグ組織構成

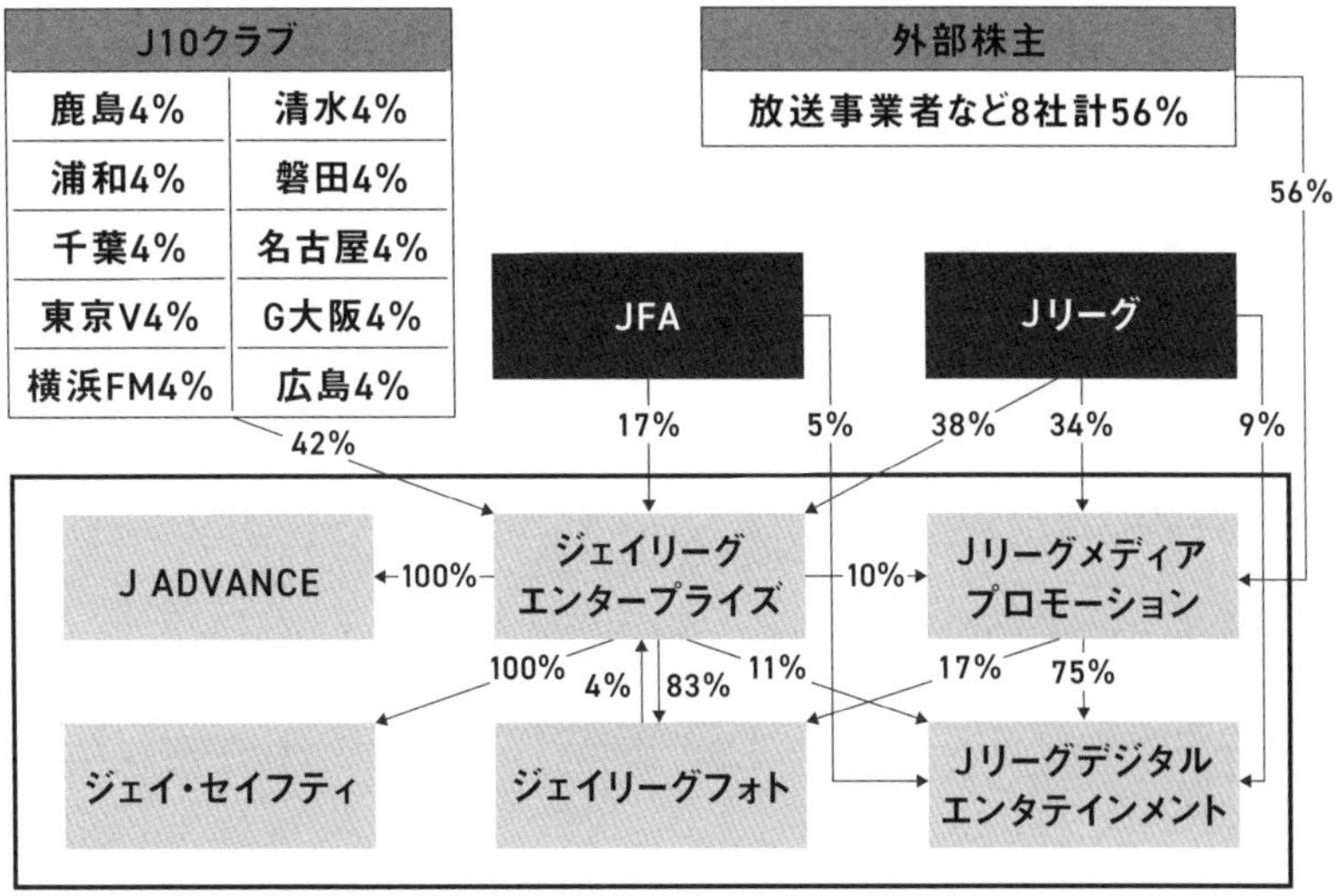

2020年1月以降のJリーグ組織構成

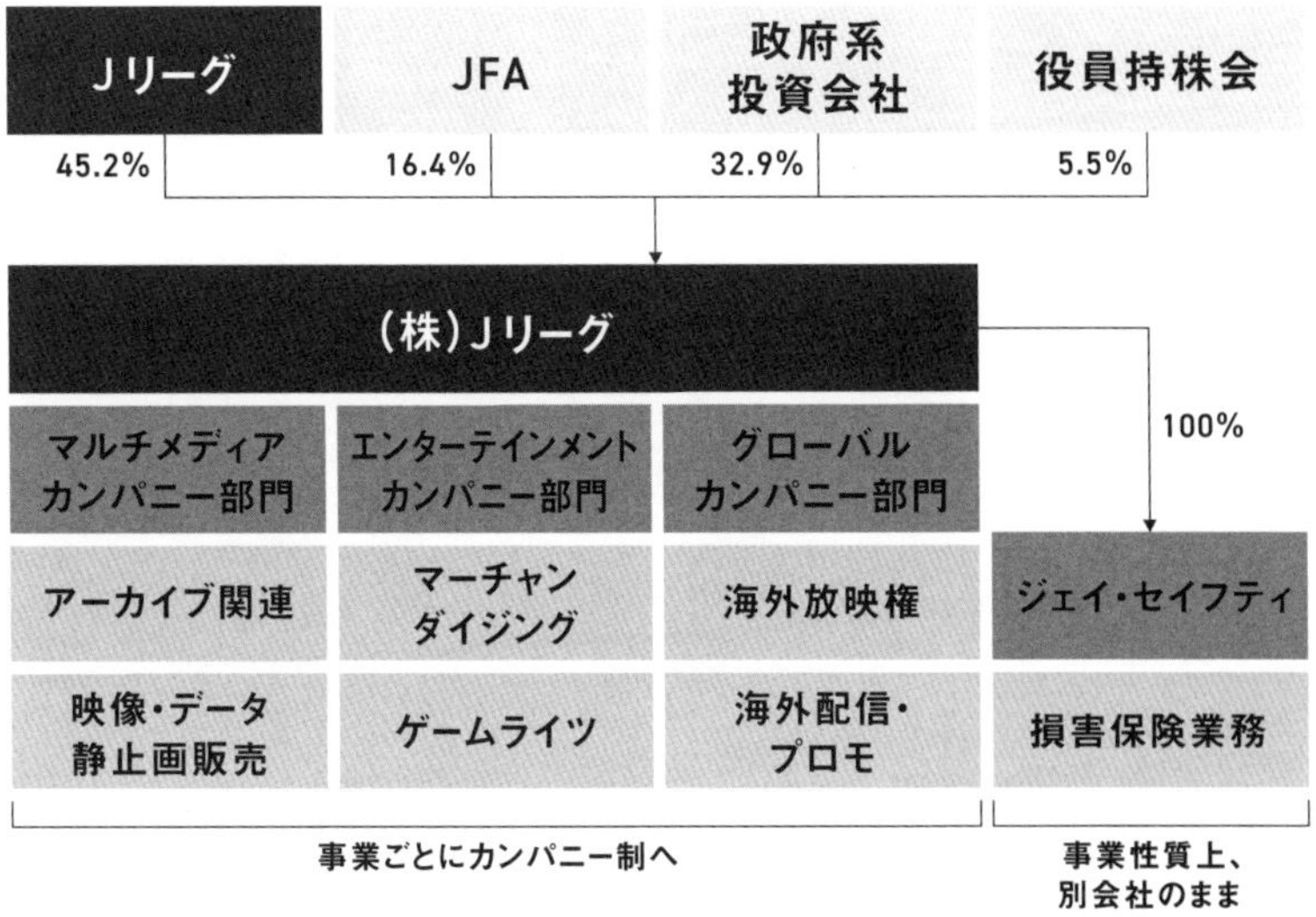

たのも村井。このあたりの話は、いずれ当人に語ってもらうことにしよう。

＊

ここで、3人の理事との合宿で策定された「5つの重要戦略」に立ち戻ることにしたい。

①「魅力的なフットボール」

②「スタジアム整備」

③「デジタル技術の活用」

④「国際戦略」

⑤「経営人材の育成」

新体制としての方向性を確かめるべく、策定されたこれらの戦略のうち、真っ先に着手したのが①の「魅力的なフットボール」。とはいえ、いきなり競技レベルが上がるわけでもなく、アンドレス・イニエスタのようなスター選手を呼べる状況でもない。そこで、よりJリーグを魅力的にするべく提唱されたのが「チェアマン3つの約束」である。

・「笛が鳴るまで全力プレー」

・「リスタートを早く」

・「選手交代などの際の見苦しい時間の使い方はやめる」

翌2015年には、さらに「異議・遅延はゼロを目指そう」を追加。「チェアマン4つの約束」として、すべてのJクラブに対して周知・徹底を求めている。

当初、この「チェアマン3つの約束」については、コアなサポーターからの批判も少なくなかった。いわく「素人くさい」、いわく「少年サッカーか?」などなど。しかし発案者は、実は村井ではない。その原典は、2012年にJリーグがスタートさせた「+Quality(プラスクオリティー)プロジェクト」である。

+Qualityプロジェクトの目的は、試合中の異議行為や遅延行為など、観客にとって不快となり得るプレーをなくすことで、フェアでスピーディ、そしてタフな試合を実現することであった。この考えを各クラブの監督や選手に周知させるために、あえて「チェアマン」名義としたのである。

実際にプレーするJリーガーは、これをどう受け止めたのだろうか。

「僕自身は違和感なく、むしろ『なるほど』と思いましたね」と語るのは、当時サンフレッチェ広島所属で選手会長だった佐藤寿人《ひさと》である。

「なぜなら、発想のベースにあったのが『どうしたらJリーグが魅力的になるか』だったからです。もちろん、ゲーム展開によっては、時間を上手く使うことも必要になります。けれども試合の本質は、90分の間にどれだけお互いが全力を出し切って、最後までぶつかり合うかですよね。そうした思いがあっての『チェアマン3つの約束』。ですから、僕らもマインドを変えていかなければならない、という話は選手間でもしていました」

余談ながら、サッカーは動きの激しいスポーツであるが、試合時間の3分の1(つまり30分)以上はプレーが止まっている。この時間をなるべく圧縮すれば、アクチュアルプレーイングタイム(実際にプレーが動いている時間)を60分以上に延ばすこともできる。その延長線上に、村井たちが考える「魅力的なフットボール」があった。

続いて村井が着手したのが、⑤の「経営人材の育成」。長年、人事畑にいた強みが、ここで活かされることになる。

2014年当時、すでに「スポーツビジネス」という言葉は一般化していたものの、プロのクラブ経営者は決して多くはなかった。それをJリーグが自前で育成していこう、というのが村井の発想。もっとも、彼が考えるプロのクラブ経営者像は、かなりユニークだ。

「経営者の資質を因数分解すると、たいていはスキルの話に収まってしまいます。英語ができるとか、財務知識があるとか、マーケティングに強いとか。でも、クラブ経営者に求められるものって、それだけではないんですよ。むしろ『2万人のサポーターがいる前で、クラブのビジョンや自分の夢を語ることができるか』という話なんです」

そうした新たな人材要件を定義し、受講生を集めてクラブ経営者に育て上げていく。それが、Jリーグヒューマンキャピタル（JHC）であった。事務局を担当することになった田窪によれば、決定から開講までのスピードは尋常でなかったそうだ。

「JHCの話が降りてきたのは、2014年の夏から秋にかけて。それから（2015年）3月に選考会をして、5月に開講式という、ものすごいスピードでした」

選考会についても、普通の筆記試験や面接ではなかったという。

「いきなりカメラの前で自己紹介するとか、ホワイトボードを使ってJリーグのグランドデザインをプレゼンするとか、村井さんのこだわりが随所に感じられるものでした。また、不合格になった方へのメールについては、今後もＪリーグのファンでいていただけるよう、とても練られた文面になっていました」

ＪＨＣは1期生43名を迎えて、２０１5年5月9日に開講。1年後の２０１6年には、一般財団法人スポーツヒューマンキャピタル（ＳＨＣ）が設立され、カリキュラムと講師陣は、さらに充実したものとなってゆく。

ＪＨＣやＳＨＣの卒業生は、全員がＪリーグやＪクラブ、あるいは他競技の団体で活躍しているわけではない（現に修了した1期生のうち、そのままＪクラブをはじめスポーツ業界に転職したのは、43名中8名だった）。

ＪＨＣを立ち上げた際、村井がイメージしていたのは、単なる「プロのスポーツクラブ経営者の育成機関」ではなかった。それは、設立間もない頃の発言からも明らかである。

「スポーツに携わる人にとって、最も大事なのは『どれだけ大きな志や夢を抱けるか』ということだと思います。スポーツの普及振興が進めば、教育や健康寿命を変えることができます。スタジアムができれば、地域や街づくり、さらには地域の産業を変えることもできます。スポーツというツールを使いながら、どうやって社会を変革していくか。そういった志こそが重要なのだと思います」

ＪＨＣやＳＨＣでは、ビジネス全般からスポーツビジネス概論、さらに現役のクラブ社長やＧＭによる実践論などを学ぶ。しかし、単なるメソッドだけを体得するのではない。村井が企図したのは、受講生が「何のためにＪリーグはあるのか」を考え、最終的には「スポーツで社会を豊かにする」ための人材へと育ってゆくことであった。

すぐにスポーツ業界で働けるわけでもなければ、何かしらの資格が得られるわけでもない。それでも、今も多くの受講者がSHCに集まるのは「スポーツというツールを使いながら、どうやって社会を変革していくか」という考え方に、共感を覚える人が一定数いるからであろう。

この考え方は、企業や行政といったフィールドに置き換えても、志や夢さえあれば十分に応用が可能だ。こうした種蒔きが、村井のチェアマン就任2年目から始まったことは、のちのち大きな意味を持つこととなる。

③の「デジタル技術の活用」については、JHCがスタートした2015年に布石が打たれている。この年、デジタル化の責任者として村井が新たに採用したのが、のちにデジタルプラットフォーム戦略部部長となる、笹田賢吾《ささだけんご》。村井がチェアマンとなって、初めて社外から招き入れた人材だった。以下、笹田の証言。

「確か日経新聞で、Jリーグがデジタルに注力しようとしていることが報じられていたんです。そうしたら、登録していたエグゼクティブサーチから、たまたま求人の案内が来たんですよ。驚いたのは、面接が5回もあったこと。すべて別の日で、いずれも違う役員だったのには、ちょっと驚きましたね」

ちなみに笹田を面接したのは、事業マーケティング本部本部長の出井宏明《でいひろあき》、常務理事の中西と大河、専務理事の中野、そして最後が村井だった。村井によれば、当時のJリーグにおけるデジタル周りは、今では考えられないくらい、実にお粗末なものであったという。

「当時は、ファンの個人情報の管理も有効活用も、ほとんどできていませんでした。セキュリティも脆弱《ぜいじゃく》だし、検索順位を上げる技術もない。各クラブも似たような状況で、デジタルに力を入れる余裕もなかったんですね。だったら、Jリーグがデジタル周りを全部引き受けて、顧客管理もチケットセールスも物販も、全部が収まるプラットフォームを作ろうと。そのための最初のアクションが、笹田に来てもらうことでした」

かように、チェアマンの期待を一身に受けていた笹田だったが、新天地では面食らうことの連続だった。当人に語ってもらおう。

「前職では、プロバイダーの事業本部長でしたので、200人くらい部下がいたんですよ。こっちに来てからは、基本的に何をするのもひとり。しかも稟議《りんぎ》書とかFAXとかの紙文化が、けっこう残っていました。えらいところに来たなと思いましたが、覚悟を決めて入社したわけだから『やってやるぞ!』という気持ちのほうが勝っていましたね」

この笹田の加入は、のちにデジタルによる豊穣をJリーグにもたらすこととなる。

村井のチェアマン就任時、Jリーグが掲げた「5つの重要戦略」は、ネーミングの凡庸さもあり、Jリーグのファンや取材者も、やがてその存在を忘れてしまう。

再び脚光を浴びるのは、策定から5年後の2019年。ここでは触れなかった「スタジアム整備」や「国際戦略」も含め、それぞれの答え合わせは、稿を改めて言及する。

話を2014年に戻す。

チェアマン就任1年目は、村井にとり、激務に次ぐ激務の年となった。51クラブの訪問と全社員とのワン・オン・ワン、そして関連会社統合に向けての説得とＪＨＣの立ち上げ。この間には「ＪＡＰＡＮＥＳＥ ＯＮＬＹ」事件と八百長疑惑への対応があり、さらにはＦＩＦＡワールドカップ・ブラジル大会の視察もあった。

8月12日から14日にかけて、村井は初めての休暇を取り、妻と北海道の根室《ねむろ》を旅している。根室を選んだ理由は、当人いわく「サッカーの話題が出てこないから」。激務が重なった反動から か、少しだけサッカーから距離を置きたいという思惑が働いた。

地元の理髪店で頭をさっぱりさせて、宿に戻る帰り道、ふと「明治安田生命根室営業所」という看板が視界に入る。国内の生命保険会社の老舗であり、最大手のひとつでもある明治安田生命は、この年に創設されたＪ３リーグのタイトルパートナーでもあった。

Ｊリーグの匂いがまったくしない根室でも、明治安田生命の営業所があり、しっかりと地域に根差している。そのことに、村井はまず感銘を受けた。そして、こうも思った。

「なぜ、日本を代表するような大企業が、Ｊ１やＪ２ではなくＪ３のタイトルパートナーとなったのだろう？」

休暇を終えた村井は、明治安田生命の社長（のち会長）、根岸秋男《ねぎしあきお》との面会を取り付け、根室で感じた疑問をぶつける。根岸の答えは、至ってシンプルなものだった。

「もともと明治安田生命は、地域に生かされている会社です。ですから、Ｊ３を立ち上げるというお話を聞いた時、ぜひとも応援させていただきたいと思いました」

「地域を元気にしたい」という、Ｊリーグと共通した理念を持つ明治安田生命。そして、その社長である根岸。この人たちとなら、末永くパートナーシップを組むことができるのではないか——。そう、村井は直感する。

Ｊリーグが、明治安田生命との「Ｊリーグタイトルパートナー契約」締結を発表したのは、街中にクリスマスソングが流れていた、この年の12月16日のこと。翌２０１５年からは、Ｊ１・Ｊ２・Ｊ３の各リーグが「明治安田生命」の名を冠することとなった。

同社との契約は、村井がチェアマンを退任する２０２２年以降も継続。さらに２０２３年６月には、Ｊリーグのオフィスが東京・丸の内の明治安田生命ビルへ移転している。

Ｊリーグと明治安田生命。その理想的なパートナーシップの原点が、村井夫妻が旅行で訪れた根室にあったことは、実に興味深いトリビアである。

03 水面下で進められたDAZNとの交渉劇(2016年)

「オンラインで会議をやっている最中に、僕、いきなり倒れたんですよ。相手は大阪だったんだけど、すぐに救急車を呼んでくれたんです。その時、僕は1階の仕事部屋にいて、3階にいた妻は最初、ぜんぜん気づきませんでした。幸い、近所の医療センターの執刀医が空いていて、すぐに緊急手術を受けることができたんです」

東京・港区にある、高級ホテルのカフェ。私の向かい側に座っているのは、2017年6月までJリーグの「ナンバー3」だった男である。

元常務理事の中西大介。サッカーファンの間では「2ステージ制導入の必要性を説《と》いて回っていた人物」という印象が強いだろう。

その中西が、クモ膜下出血で倒れたのは、東京オリンピックの聖火リレーがスタートした、2021年3月25日のこと。幸い一命はとりとめたものの、退院後のリハビリテーション施設でもコロナ対策のため、医療スタッフ以外は誰にも会えない日々が半年間も続いた。

必死のリハビリの結果、杖をついて歩けるようになったものの、今も半身に麻痺は残っている。だがそれ以上に衝撃的だったのが、最後に会った5年前と比べて、すっかり相貌《そうぼう》が変わっていたこと。体格も一回り小さくなり（15キログラム痩《や》せたそうだ）、ギラギラした内なる野心がまるで感じられない。

人は生死の境をさまようと、こうも変わるものなのか。

中西は1965年生まれ。神戸商船大学（現・神戸大学海事科学部）卒業後、進学塾で知られる東進ハイスクールで衛星事業を担当していた。

「子供の頃からサッカー少年で、大人になってもサッカーの仕事に就きたいと思っていた」という中西は、Jリーグが一般募集をしていることを知り、97年に応募。一般募集でJリーグに入社した、第1世代となった。

その後、企画部や事業部でマネージャーなどを務め、2010年に事業戦略室室長、11年に競技・事業統括本部本部長、12年からはJリーグ理事に就任する。この年、10月25日から9回にわたって開催されたJリーグ戦略会議の中で、のちにファン・サポーターを巻き込んでの大論争に発展する2ステージ制の検討がスタート。やがて中西は「Jリーグのスポークスマン」として、メディア露出を増やしていくことになる。

意外に思われるかもしれないが、中西は当時も今も「1ステージ制がベスト」と考えている。さらに言えば、野球やバスケットボールなどと比べて「サッカーほどポストシーズン制が似合わない競技はない」とも認識している。

しかし、十分な資金が確保できなかった当時の状況では、Jリーグが発展していくストーリーが描けない。だからこそ、経営基盤の安定した体制を築くために、一度「迂回《うかい》する」必要があった――。

それが、当時の中西の確固たる主張。かくして２０１３年9月17日、2年後の15年からのＪ１リーグでの2ステージ＋ポストシーズン制導入が、理事会で承認される。

2ステージ制反対論者たちの目には、これを押し切った（ように見える）中西は、まさにラスボス感満載の人物に映ったはずだ。しかし彼は、単なる悪役では終わらなかった。なぜなら、ＪリーグのＤＡＺＮ《ダゾーン》導入においても、決定的な役割を果たすことになるからだ。

「11年ぶりのＣＳ（チャンピオンシップ）では、地上波の視聴率が2桁に届きました。それはひとつの成果なんだけど『今後はＴＶだけでなく、インターネットと絡ませていかないと、僕らの価値は上がっていかない』とも考えていました。そんな時、向き合うこととなったのが、パフォーム（現・ＤＡＺＮ）との契約交渉だったんです」

今では日本でも高い知名度を持つＤＡＺＮだが、もともとはパフォーム・グループが提供するサービス名であった。２０１９年4月、パフォーム・グループの事業再編に伴い、一般消費者向けの事業をＤＡＺＮグループとして独立、社名変更している。

つまり、当初Ｊリーグが放映権契約の交渉相手として向き合っていたのはパフォーム・グループだったわけだが、本書では以後「ＤＡＺＮ」で統一する。

話をＪリーグの元ナンバー3に戻す。2ステージ制導入以降、中西はＩＴ業界の著名人と毎晩のように会食を繰り返していた。そして、彼らとのディスカッションから「Ｊリーグ×インターネット」によって何が可能なのか、自問自答を繰り返してきたという。

果たして、地上波での露出の必要性を主張していた中西は、なぜネット配信の方向に舵を切ったのか。私のこの疑問に対して、当人は「自分の中では矛盾はまったくないです」と語り、こう続ける。

「元ライブドア社長のホリエモン（堀江貴文《ほりえたかふみ》）や楽天会長の三木谷《みきたに》（浩史《ひろし》）さんが、なぜニッポン放送やTBSの株を買いに行ったかというと、リーチを取るためにTVが必要だったからですよ。サッカーも同じで、まずは地上波でのリーチ、そしてネットでの深掘り、両方欲しかったわけです。加えて言えば、Jリーグのように同時進行で何試合も行われている場合、やっぱりネット中継のほうが相性はいいわけですよ」

DAZNとの交渉に際し、Jリーグを代表して直接向き合うことになったのが、機密保持のために厳選された5人のメンバーによる、通称「チーム5」。その筆頭であった中西には、スポーツ中継のOTT（オーバー・ザ・トップ＝インターネット配信）が、日本でも主流になるという読みがあった。

Jリーグの苦しい時代を支えてくれた、スカパー！には深い恩義を感じていた。しかし一方で、「日本では地上波から衛星放送のステップを踏まず、一気にOTTが普及する」という、揺るぎない確信が中西にはあったのである。

確信の背景にあったのは2点。ちょうどネットフリックス（Netflix）が日本に上陸して人気を集めていたこと。そして日本とヨーロッパとの間に、放送環境をめぐる違いがあったことである。

「なぜヨーロッパでは、サッカーの衛星中継でカネが取れるようになったかというと、もともと地上波のチャンネルが少なかったから。たとえば英国だとBBCを含めて4社しかない。そこにルパート・マードックによる多チャンネルの概念が注入されたら、みんなそっちに流れていったわけですよ」

ルパート・マードックとは、アメリカでフォックス放送を立ち上げた、世界的メディア王のことである。

「でも日本の場合、地上波が多チャンネルだったので、WOWOWやスカパー!が広まるよりも早く、インターネットのほうに向かっていくだろう、というのが当時の僕の読み。村井さんも、僕の考えに同意してくれました」

DAZNとの大型契約については「10年間で2100億円」という数字ばかりに、つい目を奪われがちだ。確かにDAZNマネーが、Jリーグに豊穣な潤いを与えることとなったのは事実。それは、Jリーグの経常収益にも表れている。

村井がチェアマンに就任した2014年が122億6700万円。2ステージ制導入後は、2015年が133億3410万円で16年が135億6000万円と、10%ほど増加している。ところが、DAZNマネーの流入が始まった2017年には、273億3100万円。前年から実に倍増である。

ただし、Jリーグの経営改善と同じくらい重要なのが、これからのスポーツ放送が「インターネットのほうに向かっていく」と、2016年の時点で中西が予見し、村井もそれに同意していたという証言である。

日本でOTTが普及し、視聴環境が劇的に変化する――。

その発想の源は、どこにあったのだろうか。私の問いに、中西は「シナリオプランニングです」と答えてから、紙ナプキンに縦横のマトリクス図を描き始めた。

「シナリオプランニングというのは、縦横の軸で考えると理解しやすいです。縦軸は、それが起こる可能性。横軸は、それが起きた時のインパクト。『右上』だと、起きる可能性が高くてインパクトが大きい。たとえば大地震の備えなんかは、ここですよね。シリコンバレーでは『右下』、つまり可能性は低いけれど、起こった時のインパクトが大きいものに開発投資していく傾向がある。DAZNをはじめとするOTTサービスって、まさに『右下』のシナリオプランニングだったんですよ」

「可能性は低いけれど、起こった時のインパクトが大きい」とは、具体的にどういうことか。あえてサッカーにたとえると、守備の選手がゴール前までオーバーラップしたら、フリーの状態でラストパスを受けた、というシチュエーションが近いのかもしれない。

つまり多くの人にとっては、起こる可能性が低いと考えられるものに対して、中西は「必ず起こる」という確信があった。ここでの確信とは「日本でOTTが普及する未来」。多くの日本のスポーツ団体に足りていない、このようなベンチャー気質というものが、当時のJリーグには間違いなく存在していた。

そして、それこそが、DAZNとの交渉の大前提だったのである。

Jリーグとの DAZNとの交渉が行われたのは、2016年の4月から7月にかけて。その伏線となった、ふたつのエピソードについて、まずは言及しておく必要がある。

すなわち「反動蹴速迅砲《はんどうしゅうそくじんほう》」の再現動画、そして「ミャンマーでのファーストコンタクト」である。どちらも交渉の2年前、2014年の出来事であった。

まずは「反動蹴速迅砲」について。これは世界的な人気を誇るサッカー漫画『キャプテン翼』とJリーグによるコラボレーション企画で、作品に登場する必殺シュートを現役Jリーガーがリアルに再現して、その動画をYouTube上に公開するという動画企画である。

3月12日に第1弾として公開された「カミソリシュート」がファンの間で大きな話題となったため、その第2弾として「反動蹴速迅砲」が、5月1日に公開された。

再現を試みたのは、川崎フロンターレ所属の中村憲剛《けんご》と大久保嘉人《よしと》。相手が蹴ったボールを正面から蹴り返すことで、威力を倍増させた必殺シュートが生まれる、というものだ。

雨の麻生《あさお》グラウンドで撮影された1分間の動画では、中村憲剛が蹴ったボールを大久保嘉人が即座に蹴り返し、そのままゴールに吸い込まれていく。一発で成功させたように見えるが、実は何度もテイクを重ねていたと、のちに中村憲剛が明らかにしている。

「あの日は、土砂降りだったんですよ（笑）。撮影日がそこしかなくて、台風みたいな大雨の中で嘉人と30分以上、ボールを蹴っていましたね」

そうした苦労の甲斐あって、この「反動蹴速迅砲」の動画は、1週間で400万再生を記録。反響は国内のみならず、海外にまで及んだ。さらに5月26日には、第3弾として「ツインシュート」も公開。3本合わせて、あっさり1000万再生をクリアしてしまう。

これに驚いたのが、チェアマンの村井だった。多くの予算や手間をかけず、ある意味「遊び感覚」で撮影した自分たちの映像に、これだけの反響が寄せられる。この時の経験が、村井にある決断を促すこととなる。

「この頃のJリーグは、地上波で取り上げられる機会は、ほとんどありませんでした。ネットで発信しようにも、中継映像はスカパー！に著作権があったので、彼らの許諾がなければ試合映像を使えない。ところが、何気なく作った動画があれだけバズった。『なんだ、自分たちで作って、著作権も持てばいいんだ』と思ったわけです（笑）」

もし「反動蹴速迅砲」の成功体験がなかったら、DAZNとの契約の際、映像の制作や著作権は、慣例に従って手放してしまったかもしれない――。

そう、村井は実感を込めて回想する。歴史的なイノベーションというものは、往々にして、こうした遊び心から生まれるものである。

続いて「ミャンマーでのファーストコンタクト」。こちらは、ブラジルでワールドカップが開催されていた時の出来事である。

クイアバで行われた対コロンビア戦で、日本のグループステージ敗退が決したのが、6月24日のこと。現地での視察を切り上げた村井は、サンパウロまで移動して、そこからアメリカのダラス、成田、シンガポールと飛行機を乗り継ぎ、ミャンマーの首都・ヤンゴンにたどり着いた。

「この時のミャンマー出張には、ふたつの目的がありました。まず、Jリーグのアジア貢献活動として、サポーターの皆様から寄付していただいたユニフォームを、現地の子供たちに寄付すること。もうひとつは、日本とミャンマーの外交関係樹立60周年を記念して行われたチャリティマッチ。ミャンマー代表とセレッソ大阪による『ヤンマーカップ』の視察でした」

そんな村井を現地で待ち伏せていたのが、のちにDAZNのアカウント・ディレクターとなる、ディーン・サドラーである。

サドラーは、ニュージーランド出身の元ラガーマン。東芝の社員選手としてプレーしていたこともあり、日本語が堪能であった。自分たちのビジネスを知ってもらうべく、サドラーはヤンゴンまで飛んで、村井に面会を求めたのである。

その熱意と行動力に驚きつつも、村井は当初、相手の真意を測りかねていたという。

「というのも、彼らがOTTのサービスを開始するのは、それから2年後の話です。もちろん、DAZNというブランド名もありませんでした。当時の彼らは、サッカーを中心としたコンテンツサービスの『ゴール・ドットコム(Goal.com)』や、スポーツのデータを扱う『オプタ・スポーツ(Opta Sports)』を買収していて、ディーンは『いずれJリーグと一緒に仕事がしたい』とは言っていました」

DAZNは当時、プレミアリーグ(イングランド)やラ・リーガ(スペイン)やセリエA(イタリア)といった巨大マーケットを避けて、ブンデスリーガをはじめとするドイツ語圏をターゲットとしていた。そして早い段階から、日本にも目を向けていたため、東京のオフィスにいたサドラーの出番となったのである。

ミャンマーでの元ラガーマンとのファーストコンタクトから2年後、10年間でおよそ2100億円という大型契約に発展することなど、当時の村井は予想もしなかったはずだ。

＊

ＤＡＺＮをめぐる物語からいったん離れて、2016年のＪリーグの状況を確認しておきたい。村井体制2期目のスタートとなるこの年、役員人事で大きな動きがあった。

2月23日の理事会で、専務理事の中野幸夫と非常勤理事の大河《おおかわ》正明の退任が発表された。中野は前チェアマンの大東和美《おおひがしかずみ》と共に、村井に次期チェアマン就任を要請した人物。大河は、村井のチェアマン就任時は常務理事だったが、2015年に公益財団法人日本バスケットボール協会に転じ、専務理事と事務総長を兼任していたため、この時点では非常勤理事となっていた（この年の9月15日には、Ｂリーグチェアマンに選任）。

そして、新たに創設された副理事長に就任したのが、ＪＦＡ（日本サッカー協会）専務理事だった原博実《はらひろみ》。原は、常務理事の中西大介よりも上位のナンバー2として、遇されることとなった。

この人事を促したのが、2016年1月31日に行われた、史上初となるＪＦＡ会長選挙。当時、副会長だった田嶋幸三《たしまこうぞう》の対抗馬として、原はこの選挙に出馬している。

もっとも、原自身は「日本サッカー界を良くしたい」という思いはあったものの、ＪＦＡのトップに成り上がりたいという野心があったわけではない。原が出馬した、唯一にして最大の理由。それは「選挙を成立させたいから」。当人の説明はこうだ。

「田嶋さんのほかに、誰も立候補しないとなると『ＪＦＡは開かれた組織じゃない』って、世界から思われるじゃないですか。だったら『自分が出るほかないかな』って。別に田嶋さんに対抗するのが目的ではなくて、正々堂々と意見を戦わせるのが大事だなと思ったんです。誰にも相談しなかったですよ、ウチの奥さん以外はね」

会長選挙の大きな争点のひとつが、シーズン移行問題。「日本もヨーロッパと同じ秋春制にシーズンを合わせるべき」という田嶋の主張に、原は真っ向から異を唱えた。

「シーズン移行については、技術委員長時代に、何度もカレンダーの見直しを試みました。だけど、日本の学校制度のことや降雪地域のことを考えたら、やっぱり現状のほうがいいというのが結論。それに秋春制といっても、夏にも試合を入れないと絶対に収まらない。であれば、現状のままのほうがいい。もちろん、日本代表やACLの日程も大事だけど、それでも僕の立場は『反対』でした」

結果は、有効投票数74票のうち40票を得て田嶋が当選。敗れた原の降格人事が噂される中、真っ先に連絡してきたのが村井だった。

「選挙に負けたその日に、村井さんから『これからどうするの?』って電話がありましたね。その時は『まずは田嶋さんと話をして、それから考えます』って答えたと思います」

だが、それから2週間、次期会長からの沙汰はなかった。

「そうこうしているうちに、また村井さんから電話があって、今度は『Jリーグに来ていただけますか?』って。しかも『田嶋さんには今度会うから、僕から直接聞いてもいい?』って――。そこまで言われたら、嫌です、なんて言えないよね(苦笑)」

なぜチェアマンは、原の「入閣」を切望していたのだろうか。今度は村井の証言。

「日本代表クラスの視点で、フットボール界を牽引してきた人って、そんなに多くはないじゃないですか。しかも原さんは、浦和レッズやFC東京での監督経験もありました。当時の私が知り得る範囲で、自分のブラインドサイドであるフットボールの部分をカバーしてくれる、唯一無二の存在。それが原さんだったんですよね」

一方の原は、JFA時代について「技術委員長や専務理事として、いろいろな仕事をやらせていただきました」としながらも、Jリーグに転じることについては「未練はなかった」と語り、その理由をこう語る。

「両方をやってみて感じたのが、Jリーグのほうがやりやすかった、ということ。なんだかんだ言ってもJFAって潰れないじゃないですか。でも、プロクラブというのは、常に潰れるかもしれない危機感の中でやっています。そういう感覚を共有できていたという意味でも、Jリーグでの仕事のほうが、僕にはやりやすかったんでしょうね」

Jリーグ副理事長となった原が、最初にメディアの注目を集めたのが、4月14日に発生した熊本地震での対応であった。

関連死も含む犠牲者の数は273人。被災地の熊本には、J2のロアッソ熊本がある。東日本大震災以来となる、甚大な被害をもたらした自然災害発生を受けて、Jリーグのアクションは素早かった。

村井から指令を受けた原は、地震発生から4日後の18日に福岡経由で熊本入り。現地で不足している物資をヒアリングした上で、道中で飲料水やトイレットペーパー、さらに紙おむつや粉ミルクなどを購入して、ロアッソ熊本のクラブハウスに送り届けた。

さらに翌19日には、熊本の選手たちと共に、被災した子供たちを集めてのフットサルに参加。その日の理事会にも、オンラインで出席して現地の状況を報告している。

ＪＦＡハウスにどっしり収まるのではなく、積極的に現場に出向いて自ら汗を流す。まさに村井政権に相応しい、ナンバー２の誕生であった。

ＤＡＺＮとの放映権交渉に話を戻そう。

２００７年から16年まで、10年（2回の5年契約）にわたって放映権を獲得していたのは、スカパー！である。これまでの実績と恩義を考えるなら「引き続きスカパー！で」という可能性は十分にあった──。

そう教えてくれたのは、当時Ｊリーグメディアプロモーションの代表取締役社長だった、小西孝生《たかお》である。ではなぜ、そうはならなかったのか？

「具体的な数字は言えないですが、われわれは放映権収入の増額を望んでいたんです。その金額をクリアしていたら、スカパー！さんが２０１７年以降も放映権を継続されていたかもしれない。けれども彼らが提示した金額は、残念ながらわれわれが期待していた額との間に開きがあったんです。それで『スカパー！さんとは引き続き交渉させていただきますが、他の候補とも交渉させてください』ということで了承をいただきました」

実は小西は、2015年の12月、ロンドンのDAZN本社を視察している。「仕事ではなく、あくまで個人的な趣味で（笑）」とは本人の弁だが、OTTがビジネスとして成立するかどうか、見極める意図はあったようだ。

この時点では、DAZNがJリーグの次期放映権入札に加わる展開を「予想していなかった」と小西。それでも、スカパー！との単独交渉の線がなくなったことで、年明けからJリーグ内に、少数精鋭の特命チームが立ち上がる。

すなわち、小西と中西のツートップ、Jリーグメディアプロモーションから勝澤健《かつざわけん》と岩貞和明《いわさだかずあき》、そしてJリーグから樋口順也《ひぐちじゅんや》。のちにDAZNとの交渉に向き合うこととなる、チーム5の面々である。

メンバー構成と役割について、小西に解説してもらおう。

「勝澤はJクラブ（東京ヴェルディ）で働いていた経験があって、広報などのマネジメントもできる。岩貞はOTTなどのIT系ビジネスに強くて英語もできる。樋口はJリーグでも珍しい理数系で、資料作りや交渉の記録をまとめるのにうってつけの人材でした。対DAZNのフェイズでは、僕が向こうの要求を聞いてきて、それを中西が潰していくという役割分担。今にして思えば、いいチームでしたよ（笑）」

このチーム5の証言と樋口の記録から、入札に至るプロセスを整理してみよう。

- **3月8日、チーム5最初のミーティング。**
- **3月18日、入札候補の企業にチーム5からオリエンテーションのメールを送信。**

・4月4日、各社に入札の意思を確認。
・4月6〜7日、各社によるプレゼンテーション。

このあと、再度のオリエンテーションをメールベースで行い、各社の回答を得た4月13日以降から、今度は個別の交渉がスタートする。最終決定が7月19日なので、交渉期間は3カ月に及んだことになる。

この時点で、次期放映権獲得に名乗りを上げていたのは、スカパー！とDAZN、そしてもう1社あったとされる。この国内企業は、早々に撤退しているが、DAZNと同じくOTTでの提案だったという。

「プレゼンに臨んだ事業者の中で、明らかにDAZNは異質でした」と語るのは、チェアマンの村井。その理由について、こう続ける。

「まず、唯一の外資であったこと。そしてOTTによる配信を提案していたこと。ただし、この段階でDAZNは、まだOTTのサービスを始めていません。つまりオリエンの時点では、実績もなければ実体さえもなかったわけです」

実績もなければ実体もなく、しかも外資。にもかかわらず、なぜJリーグはDAZNを選んだのか？　DAZN側の提示した金額と契約期間が、最も魅力的だったことは想像に難くない。そのことは暗に認めつつ、しかし「それだけではなかった」として、村井はふたつの理由を挙げている。

まず「新しい視聴環境」。

「DAZN側がプレゼンで見せた動画が、実に衝撃的でした。ベッドから飛び起きたら視る、電車の通勤中に視る、休み時間にみんなで視る。家族がTVの前に座って、番組が始まるのを待つという、それまでの視聴環境とは明らかに違う。いつでもどこでも、好きな時に好きな場所で、デバイスを通してスポーツ中継が楽しめるわけです」

今となっては、当たり前の光景に思えるかもしれない。しかし、DAZNのプレゼンテーションを見た村井は「これが次の時代の視聴環境なのか!」と感銘を受けたという。

もうひとつ、Jリーグの心を動かしたのが「フットボールへの理解度」。

「動画を見て、フットボールの理解度が高いことが伝わってきたんです。カメラワークしかり、スイッチングしかり、アングルや切り取り方しかり。もともとゴール・ドットコムで各国リーグのクリップ動画を集めたり、オプタ・スポーツでの膨大なスタッツデータを持っていたり、というのがDAZNでした。そうした彼らの知見やノウハウといったものも、われわれには魅力的に感じられたんですね」

当時のJリーグが目指していたのは、実績よりも放映権の増額。その意味で、DAZNが提示した条件は、確かに魅力的だった。しかし、それとは別の期待感も村井たちにはあった。それは、DAZNであれば「Jリーグが世界に追いつくための道標《みちしるべ》になるかもしれない」というものであった。

実績で言えば、スカパー!は申し分ないし、スカパー!を選べば10年間にわたってJリーグを支えてくれた恩義を反故《ほご》にすることもない。放映権料の増額は限定的となるが、外資との契約はリスクが高そうだから、これまでどおりの粛々とした運営を続けていこう――。

以前のJリーグであれば、このような決着を見た可能性は高かっただろう。わが国のスポーツ団体は保守的かつ排他的で、しかもベンチャー気質に乏しい。革新的に見えるJリーグでさえ、村井がチェアマンに就任する以前は、そうした傾向を色濃く残していた。

しかし2016年のJリーグには、海外とのハードな交渉経験を持つ村井、そして「タフネゴシエーター」の中西がいた。しかも、両者ともベンチャーマインドにあふれ、視聴環境の未来像も共有できていた。

こうした条件が揃っていたからこそ、これまでJリーグが（というよりも日本スポーツ界が）経験したことのない、外資企業との大規模な放映権交渉を決断できたのである。

「ここから先の交渉は、完全にリーガル（法律）マターとなります。ですので、国際弁護士が入らないと交渉にならなかった。そこで依頼したのが、業界では最も信頼できる、TMI総合法律事務所でした」

村井が語るように、DAZNとの交渉ではリーガル面での完全武装が求められた。何しろ相手は、資本主義の権化とも言える、アングロ・サクソン系の企業。幸い村井には、香港時代、こうした相手との実戦経験があった。

そこで彼がオファーしたのが、海外とのビジネス交渉において豊富な経験と知見を持つ、TMI総合法律事務所。同所に勤務し、のちにパートナーとなった升本喜郎《ますもとよしろう》という敏腕弁護士が、間を取り持つこととなった。

「実はリクルート事件で、顧問弁護団をお願いしていたのがTMIだったんです。そして、私が管理部門で人事と法務を担当していた時、ずっと向き合っていただいていたのが升本さん。スポーツ法務にも詳しい方だったんですが、残念ながら2021年、59歳の若さでお亡くなりになっています」

その升本を筆頭とするTMIのメンバーとチーム5がタッグを組んで、ロンドンのDAZN本社との交渉がスタート。その概要と様子については、チーム5の面々がこのように証言している。

「下交渉のところは、岩貞、樋口、そして私。基本的には、この3人で動いて、リーガル部分に関してはTMIの皆さんと詰めていくという感じでした。もう少し上のレイヤーでのジャッジが必要な時には、中西さんや小西さんに相談して、最後の経営マターの部分では村井さんが判断するという体制でしたね」(勝澤)

「DAZN本社との交渉は、基本的にTMIのオフィスでの電話会議でした。声だけのやりとりでしたが、そんなに難しさは感じませんでしたね。むしろ、時差がキツかったです(苦笑)。Jリーグ側は、われわれ3人とTMIの皆さん。DAZNの日本オフィスからは、社長の中村俊《たかし》さん、サドラーさん、そして弁護士の方が同席されていました」(岩貞)

「最終的にDAZNに決まったのが、7月19日の理事会。入札に参加いただいた、他の会社に正式なお断りを入れたのも、この日です。形式的には、その間はどの会社とも交渉をしていた、ということになります。ただ、その中でも最も長く交渉していたのが、DAZNだったのは事実で

す」(樋口)

当初チーム5は、5月中には交渉がまとまると考えていたようだ。しかし、乗り越えなければならない課題は山積していた。村井は語る。

「実はリリースするまでの間に、何度もディールブレイク(取引失敗)になりかけたんです。契約の金額や期間以外にも、われわれが映像の著作権を持ち、二次利用の自由度を高めることも重視していました。ところが相手は外資ですから、保証問題やリーガルのプロテクト、そして映像著作権の二次利用についても最後まで決まらなかった。DAZN以外になる可能性も、最後まで残っていましたね」

当事者たちは明言していないが、交渉を難しくさせた理由のひとつに「ヨーロッパと日本の放送事情の違い」があったことも推察される。

日本の場合、地上波はNHKのほかに全国ネットの民放が5局。それぞれがBSを持ち、さらに47都道府県に地方のローカル局もある。全国のJクラブは、これら地元ローカル局と強く結び付き、共に発展してきた。こうした日本独自のシステムを、Jリーグとしては崩したくはない、という思いはあったはずだ。

一方のDAZN側としては、公共放送に民放2~3局というヨーロッパの環境がスタンダード。だからこそ、衛星放送がすぐにビッグビジネスとなった歴史があり、契約についても「独占放送が当然」という発想であった。商習慣のみならず、放送環境の仕組みや歴史も異なるとなれば、交渉が難航するのも必然である。

そうこうするうちに「Jに500億円放送権料」というヘッドラインが、日本サッカー界を駆けめぐる。以下、6月9日の「日刊スポーツ」からの引用。

《Jリーグが、年間100億円の放送権料契約を結ぶことが8日、分かった。英国に本社を置く、メディアコンテンツ売買会社パフォーム・グループを中心にNTT、スカパー!を加えて、100億円×5年の総額500億円の大型契約を結ぶ見込みとなった。今季の放送権料収入は50億円。増額分は、世界のスター選手や名監督の獲得資金に充て、J全体の活性化とレベルアップを図る。（金額は推定）》

数字や座組にかなりの乖離《かいり》があるものの、それでも「パフォーム」の名前が初めて出てきた。チーム5に、動揺はなかったのか。

「それはなかったですね」と答えたのは、樋口である。

「というのも、数字がまったく違っていましたから。むしろ、われわれの機密情報は守られているなって、安心した記憶があります」

その後、6月21日の理事会後の会見で、村井は「（次期放映権の）結論には至っていないですし、途中でお伝えすることはありません」と報道を否定。その一方で「決まったら、すぐに皆さんにご報告します」とも語っている。

その様子を現場で見ていた私は、「これは契約が近いんだな」と直感した。

村井がロンドンに飛び立ったのは、7月3日の夜。同行したのはチーム5から中西と樋口、そして国際弁護士の升本であった。

「DAZNとの交渉については『村井がロンドンに乗り込んでまとまった』みたいに思っている人が少なくないみたいですね（苦笑）。現地に行ったのは間違いないですが、それは最終段階のことであり、放映権に関する交渉とは性質の異なるものでした」

村井自身が語るとおり、この時の渡英の主たる目的は、保証問題の解決だった。

もし、何かの理由でDAZNが経営破綻《はたん》した場合、2000億円以上あった契約の債務保証がなければJリーグも共倒れになってしまう。通常、広告代理店やTV局が債務保証を担うのが慣例だが、金額が金額だけに国内では引き受け手がなかった。そのため、DAZN側の最上位の階層の人間に、直談判することになったという。それは、誰か？

「申し訳ないですが、先方との守秘義務があるので、こればかりは『天日干し』にできません（苦笑）」と村井。いずれにせよ、ここから事態が急展開を見せて、両者の懸念事項をすべて払拭する形での妥結となった。ロンドン滞在は、わずか2日間。すぐさま一行は帰国の途に就いて、7月19日の理事会で決定後、翌20日にリリースされている。文字どおりの一気呵成《かせい》であった。

10年間でおよそ2100億円という、DAZNとの大型契約については、数字ばかりがフォーカスされているように感じる。しかし、それ以外にも評価すべき点が、いくつかあった。

まず、商習慣も放送事情もまったく異なる、外資との初めての交渉に挑んだこと。次に、OTTという、国内ではまだ馴染みのなかったサービスに舵を切る決断をしたこと。そして、これだけ大きな案件を、水面下で進めることができたこと。これらを、日本のいちスポーツ興行団体が成し遂げたことにも、計り知れない意義が感じられる。

思えば東京オリンピック・パラリンピックでは、大会組織委員会もJOC（日本オリンピック委員会）も、IOC（国際オリンピック委員会）に終始、主導権を握られていた印象しかない。もちろん、IOCにとって絶対的に有利な契約だったことについては、同情の余地もある。しかしながら、JリーグによるDAZNとのタフな交渉を振り返ると「もう少し何とかならなかったのか」という、強い憤りがふつふつと蘇《よみがえ》ってくる。

ともあれ、人知れず水面下で進められた3カ月の交渉を経て、Jリーグは「DAZNマネー」による新時代を迎えることとなった。

ここからJリーグの風景は、一挙に激変していく。

04 悪夢でしかなかった2ステージ制（2014〜16年）

「Jリーグの仕事を終えたら、本当は孫たちと一緒に家族旅行したいと思っていたんですよ。在任中は海外含め、いろんなところに行かせていただきました。行く先々でサッカーを観るのは、もちろん楽しかったんですけれど、仕事が終わったらすぐにとんぼ返りでした。ですからまずは、ゆっくり温泉にでもつかって、そのうち奥さんと海外旅行に行こうかと思っていたんです。そうしたら、大宮アルディージャから手伝ってほしいって連絡があって『じゃあ、明日から行きます！』って（笑）」

大宮アルディージャのフットボール本部長、原博実《はらひろみ》はクラブハウスの会議室で苦笑交じりに、このように語った。

原は2016年から6年間、Jリーグのナンバー2である副理事長の地位にあった。その仕事は多岐にわたるが、主な領域はJリーグで最も重要なコンテンツであるフットボール。その統括的な立場にあった原が、チェアマンの村井満と共に任期を終えたのは、2022年3月15日のことであった。

それからひと月も経たない4月12日、J2の下位に沈む大宮アルディージャからのオファーを受けて、再びJリーグの現場に戻っていた。

「僕のいた三菱重工が、ホームタウンを浦和にして浦和レッズになったじゃないですか。（同じさいたま市の）大宮からオファーをいただいたことに、ある種の巡り合わせを感じましたね。僕の仕事の原点は、やっぱりクラブにあるんですよ。ですから、これまでJリーグでやってきた仕事を、このクラブに少しでも還元できればと思っています」

原は1958年生まれで栃木県出身。早稲田大学在学中に日本代表に選出され、国際Aマッチ75試合に出場して37得点を記録している。大学卒業後は三菱重工業（のち三菱自動車工業）サッカー部でプレー。Jリーグ開幕前に現役を引退し、浦和レッズで一度、FC東京で二度、トップチームの監督に就任している。

2009年からは活躍の場をJFA（日本サッカー協会）に移し、技術委員長と専務理事を歴任（当初は兼任）するも、16年のJFA会長選挙に立候補して田嶋幸三《たしまこうぞう》に敗れてしまう。その後、村井の熱心なオファーにより、三顧の礼でJリーグに迎えられたことは先に述べたとおりだ。

陽性かつオープンなパーソナリティ、そしてサッカー愛あふれる独特の語り口（解説者時代のファンも多かった）。そんな原の存在は、村井と見事な補完関係を形成していた。

村井がチェアマンとしての公式なステートメントを発表すると、その日のうちに原はYouTubeのJリーグ公式チャンネルで内容をわかりやすく解説し、それがファンへの共通理解となっていく。原のYouTube出演は、ある酒席で原が村井に相談した際に「やっちゃえば？」「やりましょう！」というやりとりが発端だったという。

原と村井は同世代であり、出身大学も同じ早稲田（村井は1浪したので2学年下）。浦和を指揮していた時代（１９９8年~99年）、サポーターだった村井は駒場スタジアムのゴール裏で、原監督の一挙手一投足に熱い視線を注いでいたのだろう。

そんな両者の距離感が、一気に縮まる契機となったのが、２ステージ＋ポストシーズン制。議論の場となった２０１3年のＪリーグ戦略会議で、原はＪＦＡの技術委員長として、村井はＪリーグの社外理事として、それぞれ「２ステージ制」に異議を唱えていた。

「Ｊリーグ戦略会議の中で、真っ向から反対していたのが、僕と村井さんだったんです。僕自身は、導入の理由を『成長戦略』と言いながら、実はカネのことしか考えていないのが気に入らなかった。だったら『カネがないからこうします』って、最初から言えばいいのに。それをごまかしているのが、おかしいと思ったわけです。村井さんは村井さんで、議論の進め方そのものに反対していました」

ここで言う「成長戦略」とは、のちに常務理事となる中西大介の発言であろう。Ｊリーグのメディア価値と収入を確保し、そこで得られた収益を育成環境の原資に充てる。それが、中西が主張する2ステージ制導入のロジックであった。

しかし、ＪＦＡから参加していた原には、そのロジックが欺瞞《ぎまん》に思えてならなかったようだ。社外理事だった村井もまた「結論ありき」の会議の進め方に、違和感を覚えていたことをのちに明かしている。この両者が、反対の論陣を張っていたため「会議が進まないこともしょっちゅうでしたね」と原。

都の西北のキャンパスを出てから、原はフットボールを、そして村井はビジネスを、それぞれ極める道に進んだ。まったく異なる人生が引き合う契機となったのが、多くのサッカーファンから忌み嫌われた2ステージ制だったのは、何という皮肉だろうか。

＊

2015年と16年の2シーズンだけ実施された2ステージ制について、今でもサッカーファンの間で大きく誤解されていることが2点あるように感じている。

ひとつは2ステージ制がDAZN《ダゾーン》との契約が決まったから廃止された、というもの。そしてもうひとつは2ステージ制導入を村井が決定した、というものである。

第1の誤解について、村井は「2ステージ制の廃止とDAZNは、実は異なるレイヤーの話なんです」と語っている。ここで言う「異なるレイヤー」とは、日程問題、とりわけACL（AFCチャンピオンズリーグ）との兼ね合いである。

2015年、ACLに出場するJクラブが決勝に進出した場合、J1のセカンドステージ最終節の開催日が揃わないという課題があった。そこで2016年は、ACLを勝ち抜くための日程調整に加え、最終節の開催日を揃えることを前提にスケジュールが組まれることとなった。理由はもちろん、競技の公平性を確保するためだが「そこで新たな問題が生じました」と村井は語る。

「最終節の日程を揃えるとなると、J1のレギュラーシーズンを11月3日で終えなければならなくなったんです。その場合、CS（チャンピオンシップ）に出場できなかったクラブのサポーターは11月上旬から2月の下旬まで、ずっとサッカーを楽しむことができなくなってしまう。4カ月間ですから、1年の3分の1ですよ」

そもそもは、10億円の増収を目的としてスタートした2ステージ制。極論すれば、それは「Jリーグの都合」でしかなかった。Jクラブ代表者による実行委員会で「このレギュレーションを続けることは、日本サッカーのためにならないのではないか」という疑義が出るのも当然である。

第2の誤解についてはは2ステージ制導入が決まったタイミングが、村井のチェアマン就任以前であることで説明がつく。それ以前に、村井は原と共に2ステージ制反対の意向を持っていたことは、あらためて強調しておきたい。

プロローグで触れたように、この2ステージ制に真っ先に異議を唱えたのは、浦和レッズのサポーター。村井自身の内心もまた、実は彼らとまったく変わるところはなかった。その根底にあったのが、浦和がJ2を戦った、2000年の記憶である。

前年の1999年、浦和は年間総合順位で16クラブ中15位となり、初めてJ2に降格する。当時のJ2は、4回戦総当たりのレギュレーション。40試合を戦い抜いた浦和は、2位でフィニッシュし、1年でのJ1復帰を果たしている。

「もちろん、選手は大変だったと思いますが、サポーターも大変でした。だって、北海道だったら厚別《あつべつ》と室蘭《むろらん》に、九州だったら大分と鳥栖《とす》に2回ずつでしたから」

ふと、少し懐かしむような表情を見せてから、村井はこう続ける。

「私は当時、リクルートの人事担当役員でしたが、ホームはもちろんアウェイも全部行きました。当然、お金もかかるし、家庭もおかしくなる（苦笑）。そういう犠牲を払ってまで、こっちは1

年かけて戦っていたわけですよ。それをCSと称して、最後の数日で優勝が決まってしまったら、サポーターはどう思うでしょうか。『俺のこの1年、何だったんだ?』ってなりますよね」

とはいえ、チェアマンとなったからには、もはや第三者的な反対意見は許されない。決定事項としての2ステージ制を、村井は受け入れるほかなかった。

「あの決定がなければ、Jリーグの経営が立ち行かなくなる可能性もあったと思います。良いか悪いかは別として、Jリーグとして次善の策を模索していたわけじゃないですか。首の皮一枚、何とかつながっているところに『もうやめようよ』って、当時の私には言えなかったですね」

先に述べたとおり、2ステージ制導入によって、Jリーグの経常収益はわずかに増加している。2014年で122億6700万円だったのが、2ステージ制導入後の15年で133億3410万円、16年で135億6000万円。多少の息継ぎはできたJリーグであったが、さりとて安泰という状況でもなかった。

「ですから、財務的な問題がベースにあるならば、そこは絶対に回復していこうと。10億とか20億であれば、何とかなると思っていました」

「10億とか20億であれば」という言葉に、あるいは眉をひそめる向きもあるかもしれない。村井が根拠としていたのは、リクルート時代の強烈な体験であった。

自社が起こした、空前の疑獄事件で生じた有利子負債は、何と1兆4000億円。これをバブル崩壊後の10年で当時のリクルートは完済したのである。あの壮絶な苦しみを思えば、村井の中に「何とでもなる」という確信が生じていたとしても、違和感はない。

サッカーを愛する者としては断固反対。しかしJリーグのトップとしては、ファン・サポーターに2ステージ制を受け入れてもらわなければならない。

チェアマン就任当時の村井は、文字どおりの面従腹背の状況であった。そんな中、痛恨といえるアクシデントが発生する。２０１４年10月19日、ＮＨＫのスポーツ情報番組『サンデースポーツ』に出演した時のことだ。

この日のテーマは「日本サッカーの明日を考える会議・Jリーグ編」。珍しくJリーグの特集が組まれることとなり、競技レベルやレフェリング、さらには2ステージ制について、ゲストが語り合うという内容だった。

出演者は村井のほかに、解説者で元日本代表の福西崇史《ふくにしたかし》、プロフェッショナルレフェリーの西村雄一《ゆういち》、そしてジャーナリストの大住良之《おおすみよしゆき》という顔ぶれ。とりわけファン・サポーターが注目したのが、新チェアマンが2ステージ制に関して、どのような見解を示すか、であった。

「あれは『やられた!』っていう感じでしたね……」

当日の模様について質問すると、村井は珍しく苦虫を噛《か》み潰したような表情を見せた。普段から「天日干し」をモットーとしているものの、この話題については触れてほしくないという本音が、言葉の節々から伝わってくる。

「こっちはＮＨＫの生放送なんて、まったく経験なかったわけですよ。それでも、ある程度の時間をもらえていたら、なぜ2ステージ制を実施するのか、きちんと説明できたと思います。でも、あの時はゲストの皆さん全員が反対意見を言って、最後に『村井さん、反論は？』という感じになったんです。理論立てて説明する時間も与えられず、最後はオタオタしている様子だけ撮られて終わってしまいました。自宅でＴＶを見ていた家内も、かなりショックだったようです」

ちょうど海外取材中だったため、私はこの番組を見ていない。それでも、当日のツイッター（現・Ｘ）の反応を見れば、おおよその見当はつく。

《ＮＨＫのサンデースポーツでＪリーグの未来について語っていたが、２ステージ制についての視聴者の意見で賛成・肯定する意見が一つも無かったのには、笑いを通り越して怒りが湧いてきた。大住氏が『カネのため』と一刀両断にしたが、それに対して村井チェアマンの説明は何も無し。一体何しに来たのか？》（2014.10.19 23:45／@genuine_keiba）

《村井さんがチェアマンに就任したとき、浦和サポだと聞いてわたしはとても期待した。／お役所仕事じゃなくて、本当にＪリーグやサポーターの目線でがんばってくれるもんだと勝手に思ってた。／それがコレだよｗ／自己保身ばっか考えててＪリーグをぶっ壊そうとしてることに気付いてない。》（2014.10.20 0:10／@asmxxtsy）

《もしかしたら村井チェアマンって日本サッカーを潰す為にリクルートが送りこんだ工作員なんじゃないのかとすら思えてくる》（2014.10.20 0:19／@soccerugfilez）

「ＮＨＫの番組に出た時も、私の中では２ステージ制に正当性はないと思っていました。けれども――」

当時の心境について、村井は再び重い口を開く。

「けれども、私の立場としては『とにかくやってみないとわからない』『何かを変えないと駄目なんだ』ということを言わなければならなかった。頭ではわかっているんだけど、信念とは違う言葉を口にしているから、自分でも何を言っているのかわからなくなってしまったんです。与えられた時間も限られていましたしね。自分の信念を言葉にするんだったら、10秒でも5秒でも問題なかったんですが」

この年の3月、村井は「JAPANESE ONLY」事件と八百長疑惑事件をスピード優先で解決し、リーダーとしての評価を一気に高めることに成功している。だが10月19日の『サンデースポーツ』出演は、その評価を限りなくゼロベースにするだけでなく、番組を見た多くのファン・サポーターに、あらぬ敵意を抱かせることとなった。

2015年からスタートした、J1リーグの2ステージ+ポストシーズン制について、あらためてレギュレーションを確認しておきたい。

ポストシーズンに出場するのは、最大5クラブ。ファースト&セカンドステージの優勝クラブ、および年間勝ち点で2位・3位クラブが一発勝負のトーナメントを戦う。その勝者がCS決勝に進出して年間1位クラブとホーム&アウェイで対戦。その勝者がシーズンのチャンピオンとなる。

最大5試合となるポストシーズンだが、当然ながらステージ優勝クラブと年間3位以内のクラブが同一となる可能性は高い。その場合の繰り上げ出場はなく、2015年も16年も、出場したのは3クラブ、試合数も3試合のみであった。

2015年の優勝候補は、連覇を狙うガンバ大阪、最多タイトル数を誇る鹿島アントラーズ、そして2シーズンぶり3回目の優勝を目指すサンフレッチェ広島であった。

実際にプレーする選手たちは2ステージ制に、どんな思いを抱いていたのだろうか。答えてくれたのは、当時の選手会会長にして広島のエースストライカー、佐藤寿人《ひさと》である。

「CSそのものは、Jリーグがスタートした時からありましたし、僕がプロになった時も続いていました。その後、シーズンで最も勝ち点を取ったクラブが優勝ということになって、広島も2回チャンピオンになっています。それがスタンダードになったのに、2015年からは2ステージ制で勝たなければ優勝できない。正直『なぜ、このタイミング?』って思いましたね」

シーズンが開幕すると、浦和レッズが首位に躍り出た。昨シーズンは2位ながら、前評判は決して高くはなかった浦和。それが大方の予想を覆し、無敗のまま首位を独走する。6月20日の第16節、ヴィッセル神戸とのアウェイ戦に1対1で引き分け、1節を残してファーストステージ優勝とCS出場を決めた。

試合後、ノエビアスタジアム神戸での表彰式では、ちょっとしたアクシデントが発生していた。およそセレモニーには似つかわしくないブーイングが、浦和のサポーター席から発せられたのである。そのベクトルは、プレゼンターであるチェアマンの村井に、はっきりと向けられていた。

「あの時のブーイングは、すごかったですね。会場のアナウンスがかき消されるくらいで、現場にいたJリーグの職員はみんな凍りついていましたよ」

先の「JAPANESE ONLY」事件での制裁に加えて、NHKでのネガティブなイメージもブーイングに拍車をかけた。

普通の感覚であれば、耐えきれずに逃げ出したくなる状況である。だが、この時の村井は「もっとブーイングしてくれ！」と、心の中で訴えていたという。

「だって私自身、2ステージ制がいいなんて、内心では思っていませんでしたから。これは長く続けられないという確信もできたので、財政的な問題を絶対に解決しよう。そう、ブーイングを浴び続けながら、心に誓いましたね」

浦和の無敗記録は7月19日、埼玉スタジアム2002で行われたセカンドステージ第3節で止まった。2対1で競り勝ったのは、広島。ファーストステージは3位に終わったが、セカンドステージは鹿島とのデッドヒートを制し、最終節にはステージ優勝と年間勝ち点1位を確定させた。2015年シーズンの上位3クラブの年間成績は、左記のとおり（カッコ内は勝ち点／得失点差）。
1位：サンフレッチェ広島（74／+43）
2位：浦和レッズ（72／+29）
3位：ガンバ大阪（63／+19）。
これまでのレギュレーションであれば、文句なしで広島の優勝であった。しかし2ステージ制では、ファーストステージ優勝の浦和と年間3位のガンバがまず戦い、その勝者が広島とCS決勝を戦ってJ1チャンピオンが決まる。
このCSのレギュレーションが、プレーヤーにとって「半端《はんぱ》ない重圧だった」と、佐藤寿人は振り返る。

「CSの何が怖いかっていえば、自分たちが34試合で積み重ねたものが、わずか2試合でゼロになってしまうリスクがあることですよ。年間の勝ち点が1位でも、CSの結果次第では3位のクラブがチャンピオンとして、歴史に残る可能性がある。『それがルール』と言われれば、そのとおりなんですけど、実際にプレーしている選手にとっては半端ない重圧ですよね。まさに2015年、僕たちがその当事者となりました」

4万696人を集めて、11月28日に埼スタで行われたCS準決勝は、1対1のスコアで延長戦となり、終了間際にガンバが2ゴールを挙げて勝利。浦和にとっては、ファーストステージ優勝が「何だったのか?」と思えてならない結果に終わった。

ガンバと広島によるCS決勝は、第1戦が12月2日に万博記念競技場、5日にエディオンスタジアム広島で開催。結果は第1戦を3対2、第2戦を1対1とした広島が、合計スコア4対3で2年ぶり3回目の優勝を果たした。

11年ぶりの開催となったCSについては、複雑なレギュレーションだけでなく、その過密日程ぶりにも疑問の声が上がった。

準決勝から決勝の第1戦まで、わずか中3日。短期間での告知やチケット販売に、関係者が忙殺されたのは想像に難くない。

一方、優勝した広島には、さらに過酷な日程が待っていた。優勝シャーレを掲げてから5日後の12月10日には、FIFAクラブワールドカップが日本で開幕。広島はJ1チャンピオンとして、慌ただしく参加することとなった。

オークランド・シティFC（ニュージーランド）との初戦から、広州恒大（中国）との3位決定戦まで、各大陸王者と4試合。これにCS決勝を含めれば、19日間で6試合を戦ったことになる。ワールドカップよりもハードなスケジュールだ。

「まずCSですが、1シーズンを勝ち抜いたあとの達成感よりも、何だかホッとしたというのが正直なところでした」

激動だった2015年の師走を、佐藤寿人はこう振り返る。ならば、クラブワールドカップについては、どうだったか？

「あの大会では、リーグ戦であまり出番がなかった選手も、スタメン出場する機会がありました。ですからハードな日程に、不満を漏らす選手はいなかったです。でも、それって（CSで）優勝できたからですよね。あのレギュレーションの犠牲にならなかったからこそだと思います。実際、犠牲になった人たちもいるわけですから、僕らはその事実を忘れるべきではないと思います」

＊

Ｊ1リーグが2017年から、大会方式を「ホーム&アウェイ方式の総当たり1ステージ制」に変更することを発表したのは、前年の2016年10月12日のこと。ルヴァンカップ決勝の3日前であった。

これに先立つ7月20日、DAZNとの10年間の放映権契約の締結が発表されており、誰からも愛されないレギュレーションは「そのうち廃止になるだろう」という目算は、私にもあった。それでも、さすがに次の年から「1シーズン制」に戻ることを想定していたファン・サポーターは、それほど多くはなかったはずだ。

「変えたほうがよければ、躊躇《ちゅうちょ》なく変える」——。

そんな村井の決断力は、2シーズンでの2ステージ制廃止だけでなく、2016年の「ヤマザキナビスコカップ」名称変更でも、いかんなく発揮された。

2ステージ制のストーリーからは逸脱するが、大会期間中での名称変更は、村井いわく「スポーツマネジメントの教材になるくらいの歴史的事件」。最後のCSが行われた、2016年のもうひとつのトピックスとして、言及しておきたい。

別名「Jリーグカップ」とも呼ばれるナビスコカップは、Jリーグ開幕前年の1992年からスタート。非開催となった1995年（リーグ戦の大幅な試合数増加のため）を除き、不変の冠スポンサーとして毎年開催されてきた。「同一企業の協賛で最も長く開催されたプロサッカーリーグの大会」として、ギネス世界記録にも認定されている。

ところが2016年、この「ナビスコ」が使用できなくなってしまう。

アメリカの食品会社、モンデリーズ・インターナショナルとのライセンス契約が8月31日をもって終了。9月1日から「ヤマザキビスケット」に社名変更することとなった。そして皮肉なことに、これまで同社が心血を注いで育ててきた「ナビスコ」ブランドは、同じく9月1日から競合商品として店頭に並ぶことになる。

これを受けて2016年のJリーグカップは、3月23日から6月5日までのグループステージは「2016 Jリーグヤマザキナビスコカップ」、8月31日から10月15日までのノックアウトステージは「2016 JリーグYBCルヴァンカップ」として開催。大会ロゴマークも、ナビスコの赤からルヴァンの青に変更された。

ちなみに「YBC」は、ヤマザキビスケットの英文標記（YAMAZAKI-BISCUITS Co., Ltd.）の略。そして「ルヴァン（Levain）」は、リッツに替えて同年9月より発売するクラッカーのブランド名で、フランス語で「発酵種」を意味する。

大会の名称変更について、Jリーグ理事会では当初「開催年度途中での大会名称変更はできない」としていた。また、ヤマザキナビスコからは「次の大会からで結構です」という打診もあったという。2016年の大会はすでに始まっており、途中での名称変更はさまざまなコストが生じるだろうという、同社なりのJリーグへの配慮であった。

しかしチェアマンの村井は、あえて大会途中での名称変更を決断する。これは世界的に見ても、極めて異例のケースであった。

村井の決断を促した理由は、大きくふたつあった。すなわち「競合ブランドでの大会継続の回避」という道義的な側面。そして「長年にわたり大会を支えてくれたことへの恩返し」という歴史的な側面である。

このうち後者については、少し補足説明が必要だろう。

1992年から始まったJリーグカップは、サッカー界やJリーグの都合で、これまで何度も日程やレギュレーション変更となり、前述のとおり95年には非開催にもなっている。にもかかわ

初の「ルヴァン」は浦和がタイトルを獲得(2016年10月15日/著者撮影)

らず、大会スポンサーを続けてくれたヤマザキナビスコ改めヤマザキビスケットの貢献に報いることは、Jリーグのみならずサッカー界にとっても責務であった。

大会期間中での名称変更については、大きな混乱もなく、ファン・サポーターの間でも消化されて現在に至っている。ちなみに、2016年のルヴァンカップで優勝したのは、村井が愛して止まない、浦和レッズであった。

2ステージ制の廃止は決まったものの、2016年のチャンピオンは、15年と同様にCSで決まることになっていた。

この年、ファーストステージは12勝3分2敗で鹿島が、セカンドステージは13勝2分2敗で浦和が、それぞれ優勝。浦和は残り1節を残してCS出場を決めている。

ただし、11月3日のセカンドステージ第17節（最終節）は、消化試合とはならなかった。この時点で、年間1位がまだ決まっていなかったからだ。

この年、ステージ優勝クラブ以外で注目を集めていたのが、川崎フロンターレである。ファーストステージは、優勝した鹿島にわずか1ポイント差の2位。セカンドステージは3位に甘んじたものの、年間順位では浦和とデッドヒートを続け、最終節で逆転する可能性を残していた。

これまで、ずっと「シルバーコレクター」というありがたくない称号がつきまとっていた川崎にとり、2016年はクラブ史上初となるタイトル獲得を、これまで以上に希求したシーズンとなった。そんな中、何とも言えぬもどかしさを抱えながらピッチに立ち続けていたのが、バンディエラの中村憲剛《けんご》である。

「たとえば『ファーストステージ優勝がタイトルなのか?』っていうと、違うじゃないですか。いちおう『優勝』なんだけど、タイトルじゃないという複雑さがあるんですよね。結局、ファーストも獲れなかったので、こんなこと言ってもダサいだけなんですけど（苦笑）。それでも年間の勝ち点数よりも、CSという短期決戦の結果でタイトルが決まるというところに、選手としては難しさを感じていました」

11月3日、等々力《とどろき》陸上競技場で開催された最終節。川崎は、ホームにガンバ大阪を迎えた。この時点で川崎は、年間順位で1位の浦和に1ポイント差の2位。川崎がガンバに勝利し、浦和が埼スタで横浜F・マリノスに引き分け以下に終われば、川崎が逆転でCS決勝進出となる。

開始早々の6分、川崎は長谷川竜也《たつや》のゴールで先制。さらに18分、三好康児《みよしこうじ》が追加点を挙げると、等々力のスタンドに楽観ムードが漂い始める。ところが、エンドが替わった65分と66分に相次いで失点。さらに76分、アデミウソンの逆転ゴールで川崎のリズムは完全に崩壊し、そのまま2対3で試合終了となってしまう。２０１６年のシーズンで、川崎が逆転負けを喫したのは、この試合が唯一であった。

一方、埼スタの試合は1対1のドローで終了。この結果、年間2位に終わった川崎は、浦和が待つCSファイナルの出場権を懸けて、鹿島との準決勝に挑むこととなった。

再び、中村憲剛の証言。

「CSって、年間勝ち点の1位が決勝に行けるから、1位か2位の差はすごくありました。2位になったウチが鹿島と準決勝を戦うのは、ルールとしてはわかるんだけど、この年の川崎と鹿島の勝ち点差はかなり開いていたんですよね。等々力での最終節は、1位か2位かという大事な試合でしたから、選手のやりくりも大変だったんです。それに比べて鹿島は、CSのことだけを考えながら戦えていたと思います」

川崎と鹿島によるCS準決勝は、最終節から20日後の11月23日、同じく等々力で開催された。ファーストステージを制覇した鹿島は、年間では3位ながら2位の川崎とは13ポイントも引き離されており、直接対決でも1分1敗と未勝利だった。

下馬評では、川崎有利と思われていた、この試合。しかし鹿島は、50分に金崎《かなざき》夢生《むう》が挙げた1点を死守して、そのまま逃げ切りに成功する。

何とも後味の悪い余韻の中、整列してサポーターに挨拶する川崎の選手たち。そんな中に、懸命に涙をこらえる、中村憲剛の姿があった。

「あの敗戦も、キツかったですね」

昨日のことのように悔しさを滲《にじ》ませながら、川崎のレジェンドは言葉を次ぐ。

「鹿島は短期戦の戦い方をよく知っていて、リーグ戦とはぜんぜん違っていました。今さら何を言ってもダサいだけですけど、俺たちが1年かけて積み上げてきた勝ち点。あれは何だったのかって話ですよね。本当はCSでちゃんと優勝してから『このレギュレーションはおかしい!』って胸を張って言えれば、カッコよかったんだけど……」

浦和が待つCS決勝の出場権を得た鹿島は、ホームでの第1戦（11月29日）には0対1で敗れたものの、埼スタでの第2戦は2対1で勝利。アウェイ・ゴールで上回った鹿島が、7シーズンぶり8回目のリーグ優勝を果たすこととなった。

CSで勢いを得た鹿島は、この年も日本で開催されたFIFAクラブワールドカップに出場。欧州中2日のトーナメント3試合を勝ち上がって、Jクラブとしては初となる決勝に進出する。欧州チャンピオンのレアル・マドリード（スペイン）には、ファイナルスコア2対4で敗れるも、延長にもつれ込む大接戦を演じて大いに注目を集めた。

クラブワールドカップにおける鹿島の快挙は、日本サッカー界、とりわけJリーグにとっても久々の慶事となった。4年に一度のワールドカップ以外で、これほどサッカーの話題が注目されるのは、本当に久しぶりだったからだ。

12月18日の決勝は、日本テレビ系でライブ中継され、関東地区で26・8%、関西地区でも19・9%の視聴率を記録。この年のCS決勝第2戦の視聴率、10・8%を大幅に上回った。地上波におけるJリーグの露出と視聴率アップが、当初の思惑とは違った形で達成されたことについて、3年前に2ステージ制導入を決定した人々は何を思っただろうか。

重ねて言えば、この試合の視聴者の何割が、JリーグのCSを視ていたのだろうか。さらに、もうひとつ。年間の勝ち点1位が浦和だったことを心に留めながら、鹿島とレアルの試合に熱狂していた人は、どれだけいたのだろうか。

この年の浦和は、J1が18クラブとなって最多となる、74ポイントを積み上げている。それでも、わずか2試合の結果で、鹿島にすべてを持っていかれてしまった。まさに浦和こそが、佐藤寿人が言うところの「CSの犠牲となった人たち」だったのである。

鹿島の優勝が決まった、埼スタでのCS決勝第2戦が12月3日だったことを、チェアマンの村井は鮮明に記憶している。なぜならこの日、さいたま市の産婦人科医院にて、初孫が生まれているからだ。鹿島のキャプテン、小笠原満男《みつお》に優勝シャーレを手渡す時も、村井は「そのことが脳裏をかすめていました」と苦笑する。

あらためて2ステージ制とは何だったのかを考えた時、それはJリーグと多くのステークホルダーにとって「悪夢でしかなかった」と断じざるを得ない。

もちろん決定にあたって、当時のJリーグが必死だったのは理解できる。けれども、当事者たちに当時の話を聞くと、誰もがとたんに口が重くなり、中には露骨に嫌な顔をする人さえいた。誰ひとりとして、このレギュレーションを歓迎していなかったのは明らかだ。

2013年当時のJリーグは「貧すれば鈍する」の言葉どおり、経営危機の回避を優先させるあまり、サッカーという競技の本質から外れることへの深刻さに、あえて無頓着を装っていたようにさえ感じられる。

その結果が、2シーズンにわたって実施された2ステージ制であり、当時を知る関係者にとって、ある種の黒歴史となってしまった感は否めない。それは、一連の経緯を取材してきた私にとっても同様で、発端から終焉に至るまでの何もかもが、ただただ残念に思えてならない。

「とはいえ、経営者として考えた場合『お金がないなら、まずはこれに懸けてみて、駄目だったらやめよう』という判断も理解できます」

さながら自身に言い聞かせるように、当時を振り返りながら村井は語る。

2ステージ制の2年で、確かに10億円以上の増益が続いた。そのことで、経営危機に苦しんだJリーグには、わずかながらの余裕も生まれた。もしもあの時、経営的に行き詰まっていたら、2016年のDAZNとの大型契約という光明を見出すことも難しかったのかもしれない。

この時代の村井には、常に難しい経営判断がつきまとっていた。

「チェアマン就任から3年は、ずっと真綿で首を絞められるような感覚が抜けなかったですね。自分がやろうとしていることが、本当に筋がいいかどうかもわからないし、自信のなさに起因する不安もたくさんありました。TVに出たら出たで、ネットでいろいろ叩かれるし（苦笑）」

それでも、DAZNとの交渉が成立した時は、高揚感や達成感があったのではないか？ そう私が水を向けると、村井は「そうでもないですよ」と否定する。

「なぜなら『10年間で2100億円の契約だ！』なんて、喜んでいられたのも数日でしたから。その後はまた、ものすごい重圧を背負い続けていたのが、実際のところです」

悲喜こもごもの末、2016年で2ステージ制を終わらせたJリーグ。翌2017年は「DAZN元年」として、新たな課題と重圧に向き合うこととなる。

インターミッション上篇

川越のサッカー少年、リクルートへ

「異端のチェアマン」村井満――。

村井政権時代のJリーグについて考える時、「化学変化」という視点を忘れるべきではない、と私は考えている。

なぜ村井が異端視されたかといえば、彼が純然たるアウトサイダーだったからだ。

それまで、ほぼサッカーの人脈だけで構成されていたJリーグ。そこに村井が招聘《しょうへい》され、自らの出自であるリクルートのカルチャーとメソッドを惜しみなく注ぎ込んだ。そこで起こった化学変化こそが、村井によるさまざまなJリーグ改革だったのである。

村井がチェアマンに就任する前夜、すなわち2013年におけるJリーグの状況については、プロローグで述べたとおり。現在の視点に立てば、当時のJリーグが非常にまずい状況であったことは、十分にご理解いただけたと思う。

そうした状況において、第5代チェアマンに就任した村井は、間違いなく「Jリーグの救世主」であったわけだが、ここで留意すべきことがある。

それは村井満という人間が、最初から完璧なリーダーだったわけでも、優れたビジネスパーソンだったわけでもなかった、ということだ。

むしろ彼の半生を振り返ると意外にも、挫折とコンプレックスにまみれたものであることがわかる。そして、その学びと成長の過程を観察していくと、のちのチェアマン時代の村井に通じる「伏線」が見えてくるはずだ。

以下、インターミッション（幕間《まくあい》）として、村井自身にチェアマンに就任するまでの半生を語ってもらう。上篇は、少年時代からリクルートに入社するまで。

私は1959年（昭和34年）8月2日に生まれました。出身は、埼玉県の川越市です。私が育ったのは、川越市でも少し外れのほうでした。駅でいうと、東武東上線の霞ケ関《かすみがせき》。何だか官庁街みたいですけど、まだベッドタウンになる前、本当に何もない街でした。

私には姉がふたりいて、私が小学1年の時に、上の姉が6年、下が4年でした。近所に小学校がなくて、片道4キロメートルを歩いて通ったのが、川越市立霞ケ関小学校。そこで出会ったのが、サッカーだったんですよ。

小学校には部活がありませんし、当時は少年団もなかった。それでも学校に行くと、なぜかサッカーボールはたくさんあったんですね。誰に教わるわけでもなく、サッカーに夢中になって、小学6年の女子に勝負を申し込んだこともありました（笑）。

そんな中、私の運命を決めるくらいの衝撃を与えたのが、小学5年の時に出会ったサッカー漫画『赤き血のイレブン』（原作：梶原一騎《かじわらいっき》 作画：園田光慶《そのだみつよし》・深大路昇介《じんだいじしょうすけ》）でした。あとで調べたら、

『少年キング』での連載が始まったのが1970年。大阪万博が開催された年ですね。日本テレビでアニメ放送がスタートしたのも、同じ年でした。

今の若い人はご存じないでしょうが、主人公の玉井真吾《たまいしんご》のモデルは、元日本代表の永井良和さん。舞台となる新生高校というのも、永井さんが活躍した浦和市立南高校だったんですよね。

実は私の父は当時、埼玉県庁の職員だったんです。合併してさいたま市になる以前、浦和市が県庁所在地でした。父の職場がある浦和。そして『赤き血のイレブン』の舞台となった浦和——。

子供心に、浦和は私の憧れの地となりました。

その後、地元の霞ケ関中学に進んだのですが、サッカー部がなかったので、バスケットボール部に入りました。それもあって、卒業したら浦和の高校に進学して、どうしてもサッカーをやりたかったんです。

当時、川越から通える公立高校といえば、県立川越高校がありました。伝統ある進学校です。『赤き血のイレブン』と出合ってなかったら、そっちのほうに行っていたと思います。けれども当時の私は、浦和でサッカーをすることしか考えていませんでした。

もっとも、浦和南は考えていませんでした。むしろ私にとって、憧れの対象は「浦和」という地名にあったんでしょうね。

当時の浦和市には、浦和南、浦和北、浦和西、浦和東という公立高校があり、さらに浦和市立と「浦高」こと(県立)浦和がありました。私が受験したのは、浦高。周りからは「川越から通うやつなんていないよ」とも言われましたけれど、周囲から反対されるとかえってファイトが湧くんですよね、昔から（笑）。

幸い、浦高には無事合格することができました。高校入学は1975年。当然のごとく、サッカー部の門を叩きます。

この時代、サッカーの花形ポジションといえば、センターフォワード。玉井真吾もそうでしたよね（笑）。『キャプテン翼』世代だったら攻撃的ミッドフィルダー、『アオアシ』世代だったらサイドバックかな？　でも『赤き血のイレブン』世代は、玉井真吾と同じセンターフォワードだったんです。

でも、私と同期で入部した連中は、サッカーが盛んな浦和出身で小中とサッカーを経験しているわけですよ。ですから、みんな私よりぜんぜん上手い。箸の上げ下ろしよりも、ボールを扱うのが得意という感じ。こっちはバスケ部出身で、サッカーは小学校の時に遊びでやっていた程度だから、当然ですよね。川越と浦和の差を思い知りました。

とはいえ、バスケ部出身というのもハンディばかりではなかった。「バスケをやっていたのなら、キャッチはお手のものだろう」ということで、気がつけばGK（ゴールキーパー）のポジションを与えられたんですね。『赤き血のイレブン』の主人公のように、センターフォワードにはなれなかったけれど、私は浦高サッカー部のGKとして、高校時代の3年間をサッカーに打ち込むこととなりました。

ここに、私が（高校）1年の時に静岡で開催された大会のプログラムがあります。「第7回全国サッカーフェスティバル」とあって、会期が「昭和51年3月24日〜4月4日」、会場が「藤枝《ふじえだ》東高・藤枝北高・焼津《やいづ》中央高」。浦高も出場していて、ここに私の名前も入っています。「1」というのは1年生という意味ですね。3年生はすでに引退しているので、1年と2年のチームでの参加でした。

この時の経験は、50年近く経った今でも、鮮烈に覚えています。

まず、このプログラム。高校サッカーのフェスティバルなのに、これだけ広告が入っているのがすごいですよ。われわれの試合会場は藤枝東だったんですが、高校のグラウンドに観戦スタンドがあって、たくさんの観客が来ていたのにも驚きました。さすがはサッカー王国・静岡だなと思いました。

参加していた高校は、名門や強豪ばかり。そうした県外の高校と試合ができたのも、刺激的な経験でした。それと同時に、こうした大会に出場できる浦高って、やっぱりすごいんだなと。そうなると、目指すは全国高校サッカー選手権ですよね。

浦高は1951年、そして54年と55年に全国優勝しています。その後は、浦和西、浦和市立、浦和南が優勝。ちょうど私の高校時代は、浦和南の全盛期でした。そして私が1年の年、3年でキャプテンだったのが、現在のJFA会長の田嶋幸三《たしまこうぞう》さん。それこそ、私が憧れていたセンターフォワードで大活躍していました。

この年の浦高は、県予選でベスト4だったんですが、準決勝で敗れた相手が田嶋さん擁する浦和南。浦和南はそのまま選手権に出場すると、見事に全国制覇を達成するんですよ。

田嶋さんが卒業した次の年も、浦和南は選手権を連覇。2年になっていた私は、正GKとして準々決勝で対戦しているんですが、前年の雪辱を果たすことはできませんでした。この時ばかりは、打ちのめされたような気分になりましたね。

追い打ちをかけるように、2年の終わりくらいに連続して大病を患《わずら》うことになります。尿に蛋《たん》白《ぱく》が出る腎臓病。それから紫の斑点が身体中に現れる紫斑病《しはんびょう》です。おそらく、自覚のないまま身体を酷使《こくし》していたんでしょうね。絶対安静の状態が続いたおかげで、3年の選手権予選はベンチで観戦することを余儀なくされました。

高校3年となれば、大学受験です。浦高は進学校ですから、多くの学生は3年の夏くらいには部活を引退して、予備校通いを始めます。ところがサッカー部は選手権予選があるので、3年の11月くらいまでずっとボールを蹴っているわけですよ。

受験勉強がスタートするのは、ようやく12月に入ってから。かくいう私も、そこからようやく受験モードに入るわけですが、結果は推して知るべし。私を含めて、サッカー部の同期は全員、浪人生活に入っていきます。

ところがラグビー部の連中は、ストレートで大学に受かっているやつもいるんですよね。中にはバリバリの国体選抜選手で、東北大の医学部に進学したのもいて。

サッカー部とラグビー部は、高校のグラウンドを半々にして、どちらも泥だらけになって練習していました。それなのにラグビーの連中は、勉強も一生懸命やるのが当たり前、という文化だったんですよね。サッカーばかりやっていた、われわれとは大違い。

同じフットボールでも、ラグビーとサッカーとでは、まったく違うDNAなんだなということは、高校時代から痛感していたことです。

そんなこんなで、サッカーに明け暮れた3年間が終わりました。その間、ずっとポジションはGK。なりたくてなったわけではなく、むしろ不本意ながら引き受けた感じではあったんですが（苦笑）、今にして思えば必然だったのかもしれないですね。

昔からの癖《くせ》で、私は全体が見渡せるポジションにいないと、何だか居心地が悪いんですよ。バスに乗車する時もそうだし、授業を受ける時もそう。今でもミーティングに出る時は、必ず会議室の後ろのほうに陣取るようにしています。予備校に通っていた時もそうでしたね。もっとも、その時は成績で席順が決まっていたので、それで後ろだったという話なんですけど（笑）。

1年の浪人生活を経て、早稲田と慶應《けいおう》に合格することができました。私が選んだのは、早稲田の法学部。この決断には、ふたりの身近な存在が影響していました。

まずは私の親戚のじいさん。二軒長屋の隣に住んでいたんですが、その人が早稲田を出ていて、大隈重信《おおくましげのぶ》翁と一緒に大隈庭園で一緒に撮影された卒業写真を見せてもらったことがあります。子供の頃、じいさんの膝の上に座って、早慶戦のTV中継をよく一緒に見ていました。気がついたら、早稲田の校歌を歌えるようになって、じいさんがずいぶんと喜んでくれたことを覚えています。幼い頃から「早稲田」が刷り込まれていたんでしょうね。

もうひとりは、当時の「彼女」。今の家内です（苦笑）。

高校1年の時からの付き合いですが、恥ずかしながら私のほうが一方的に熱を上げていました。サッカーに打ち込みながら、彼女と過ごす時間も大事にしていましたから、高校時代に勉強する暇なんかありません。浪人するのも当然ですよね。

交際するようになってからは、大宮や北浦和の駅で待ち合わせたりしていました。それ以来、くっついたり離れたり、もちろんケンカもしたり。それでも今日まで、ずっと一緒だったんです。

早稲田の話に戻すと、家内は同い年だったんですが、ストレートで日本女子大に入学していたんですね。「ポン女」があるのは目白で、隣が早稲田のある高田馬場。じゃあ、そっちがいいやと（笑）。これ、本当の話なんです。

私にとって家内は、常に人生の一歩先を行く存在でした。大学進学もそうだし、就職もそうだし、運転免許の取得も彼女のほうが先でした。私はずっと、追いかけている感じ。浪人中も、彼女がどんなキャンパスライフを送っているのか、想像するたびに身悶《みもだ》えしていました。受験勉強よりも、そっちのほうが苦しかったくらいです（苦笑）。

私が大学に入学した1979年は、日本で初めてFIFA（国際サッカー連盟）の国際大会が開催された年なんですよね。ワールドユース、現在のU－20ワールドカップです。それまで海外のサッカーといえばTV番組『三菱ダイヤモンドサッカー』くらいしか情報源がなかった時代でしたから、当時のサッカーファンにとっては夢のような機会でした。

試合会場には大宮公園サッカー場、今のNACK5《ナックファイブ》スタジアムも含まれていました。そこで仲間と一緒に、アルゼンチン代表の試合を観ています。この大会でMVPに輝いたのが、あのディエゴ・マラドーナ。とはいえ大会が始まった当初は、一部を除いてそれほど注目はされていなかったように思います。チケットも普通に買えましたし。

この頃の日本代表には、正直あまり思い入れはなかったんですが（苦笑）、私の1年下の水沼《みずぬま》貴史《たかし》がプレーしていたのは覚えています。私が2年の時の選手権予選で、彼は1年ながら浦和南のレギュラーでした。この時は確か、法政大学の1年でしたね。

私自身は、早稲田でサッカーを続けるつもりはまったくありませんでした。

もし大学でもサッカーを続けるなら、本当にトップを目指さなければ意味がないと思っていたからです。浦高時代に浦和南に勝てなくて、その時に「全国制覇するトップレベルというものが、どのようなものか」を思い知らされましたから。

全国で通用するGKには、どれくらいの技量が必要なのか。フィジカルやテクニックには、どれくらいのレベルが求められるのか。少なくとも自分は、どんなに努力しても、その域にまで到達できないということが明らかになったのが、浦高時代の3年間だったんです。

同好会レベルで、仲間とボールを蹴るという選択肢も、ないわけではなかった。でも「それは違うだろう」と。サッカーは「観るだけ」の趣味にしておいて、大学時代は別の何かに情熱を傾けることにしたんです。

私が大学に入った頃には、すでにテニスやスキーのサークルに人気が集まっていましたが、生来の天《あま》の邪鬼《じゃく》だった私は、そういうのが大嫌い（笑）。そこで最初は、ヨットサークルに入ることにしました。ずっと海のない埼玉で暮らしてきたので、真剣にヨットに打ち込んだら楽しいだろうと、その時は思ったんですね。

そうしたら、イメージとぜんぜん違った。夏は他大学の女子大生を集めて、ヨットの試乗体験とバーベキュー。そこで集めた資金で、葉山にある合宿所で過ごすんですが、BGMはいつもサザンオールスターズかオフコース。イメージしていたものとのギャップがすさまじかったので、即行で辞めました。

私の性格として、まず誰かと群れるのが苦手。流行に乗っかるのも大嫌い。とにかく周りとは違ったベクトルに行きたがる、というのがありました。ということは、よくある大学サークルなんかには、自然と背を向けることになりますよね。

いろいろ考えていくうちに、自分の中で「早稲田らしさってなんだろう?」という問いかけが生まれました。皆で群れてテニスやスキーをしたり、他大学の女子とバーベキューや合コンをしたりするのが、早稲田らしさなのだろうか?

そこで、早稲田らしさを体感できるサークルとは何か、考えたんです。

最も有名なのが、早稲田大学雄弁会。1902年の設立で、戦後の内閣総理大臣を5人も輩出していることから「政治家の登竜門」とも言われています。でも当時の私は、人前に立ってしゃべるのが大の苦手だったので却下。今では想像もできないと思いますが(笑)。

結果、私が入ったのが、早稲田精神昂揚《こうよう》会というサークルでした。ひと言でいうなら「バンカラ」。学ラン、角帽、高下駄という出で立ちで、一升酒を酌《く》み交わしながら天下国家を語るのが大好き、という集団です。テニスやスキーのサークルとは、完全に対極ですよね。
もうひとつ、このサークルの特徴が、とにかく歩くこと。

たとえば、埼玉県の本庄《ほんじょう》市から早稲田大学まで、およそ100キロメートルの道のりを延々と歩く。百キロハイク、通称「百ハイ」ですね。今でも続いているイベントですが、これを主催しているのが早稲田精神昂揚会なんです。

私も大学時代、このイベントの実行副委員長をやりました。それだけでなく、京都から山口県の萩市まで、あるいは新潟から石川県の輪島市までを踏破していました。その間、何かをするわけでもなく、本当にただ歩くだけです（笑）。

早稲田精神昂揚会というのは、バンカラで硬派を旨とする集団だったんですが、そんな中でも私は群れるのは嫌だったし、みんなと行動を合わせることにも強く反発していました。

ですから、昂揚会の活動でも、学生服ではなくTシャツを着ていることもありましたし、今の家内と普通にデートしていましたね。昂揚会では「女子と付き合うなんて、男子の風上にも置けない」みたいな雰囲気があったんですけど、私はそれに臆することなくデートしていました。相当な異端だったと思います（笑）。

そんな昂揚会に、なぜわざわざ入ったのか？　「早稲田らしさ」というのもあったんですが、一番の理由は「中国横断」でした。

もともと昂揚会は名前のとおり、早稲田精神を昂揚する会なのですが、国内のみならず海外でも「ひたすら歩く」ことを伝統的にやっていたんですよ。たとえばアメリカを横断したとか、メキシコを縦断したとか。

こうした、先輩たちが刻んできた歴史を知った同級生が「俺たちも中国を横断しよう!」と言い出したんですね。面白いと思って、私も乗っかったわけです。

なぜ、中国なのか? それには当時の日中関係について、説明する必要があります。

1966年から始まった文化大革命は、毛沢東《もうたくとう》の死によって10年後の76年に収束します。その間に日中国交正常化(1972年)があり、鄧小平《とうしょうへい》による改革開放政策が始まったのが、ちょうど私が大学に入る頃でした。

そうした時代の変化がありながら、まだまだ当時の中国は一般人が気軽に入国できるような国ではありませんでした。けれども、われわれの世代は、小田実《まこと》の『何でも見てやろう』とか、大江健三郎の『見るまえに跳べ』を読んでいたので、内なる冒険心を抑えきれなかったんですね。NHK特集の『シルクロード』が放送されていたのも、この頃でした。

当初の目標は、北京からウルムチまで3000キロメートルを徒歩で踏破すること。本気で「できる!」と思っていました。

メンバーは8人。準備に2年間近くかけました。それぞれ役割分担があって、中国当局との交渉とか、日中友好協会での情報収集とか。私の役割は「資金集め」。実はこれ、けっこうハードルが高かったんです。

当時は中国に入国するのに、外貨との両替可能な「兌換元《だかんげん》」を準備する必要があったんですが、これが非常に割高だったんです。学生ひとりが入国するのに、40万円くらいかかると言われていました。40万円というのは、その頃の中国の生涯賃金に匹敵するくらい。もちろん、日本の大学生が集めるのも大変な金額でした。

そこで私は、まず大学の就職部に行って、卒業生名簿の連絡先をすべてノートに書き写しました。そこから片っ端に連絡して、飛び込みで「寄付をお願いします！」とお願いして回ったんです。大企業だろうが、議員会館だろうが、まったく臆することなく（笑）。

その甲斐あって、けっこうな額を集めることができました。個人の寄付で10万円単位をいただくこともありましたし、企業から商品を無償でご提供いただくこともありました。ミズノからシューズをいただいたり、永谷園から即席味噌汁を大量にいただいたり。アウトドアのメーカーからも、テントを2張いただいたかな。最終的に500万円近い金額を集めて、ようやく中国に旅立つことができたのが、大学3年の時。1981年のことです。

当初は最低でも1年かけて、3000キロメートルを歩くつもりでいました。でも、さすがに無謀でしたね。当時は、中央政府のガバナンスが中国全土に行き渡っていなくて、地域ごとに自治をしている「人民公社」の名残があるような状態だったんです。ですから中央政府が許可を出していても、その地域の首長に「聞いてない」と言われれば、一歩も足を踏み入れることはできません。最終的には、行程を大幅に短縮せざるを得ない状況でした。

われわれの旅は、都市部を観光するのではなく、村から村を歩いてはテントで野営を繰り返していましたから「こっちはダメだ」と言われたらそれまで。そうかと思えば、当局と思《おぼ》しき人物が、夜な夜な私たちのテントに料理を運んできてくれたこともありました。おそらく、監視の役割も担っていたと思います。

北京大学や山東大学の学生と、交歓会をしたこともありました。中には流暢な日本語を話す学生もいて「村井くんは日本では、どんなバイトをやっているの？」なんて聞いてくるんです。バイトという言葉が、すんなりと出てくる。どこで日本語を覚えたのかと聞くと、独学だと言うんですね。しかも鉱石ラジオを自作して、日本からの短波放送を聴きながら勉強したそうです。「将来、私たちは国家指導者になります。早稲田大学は中国でも有名なので、ぜひ村井くんもがんばってください」なんて言われたのを覚えています。

中国人にとって、早稲田は有名なんですよね。中国共産党の設立メンバーである、陳独秀《ちんどくしゅう》と李《り》大釗《だいしょう》は早稲田で学んでいます。同じく日本に留学経験のある周恩来《しゅうおんらい》は、早稲田には入学していませんが、大学近くの鶴巻町に住んでいたそうです。そんな背景もあり、私たちのような飲んだくれの学生でも、早稲田というだけで、立派なエリートに見えたんでしょうね（笑）。

結局、われわれの冒険は1カ月くらいで終わりました。距離にして600キロメートルくらい。当初の目標の5分の1くらいで終えることになりました。

それでも、私にとっては初めての海外経験でしたし、企業やOBを訪ねて資金集めをするのも初めて。今にして思えば、その後の人生に大きな意味を持つ経験だったと思います。

中国から帰国後も、寄付をいただいた企業やOBに挨拶回りをしたり、帰国報告会をしたりしているうちに、気がつけば大学4年の半分が過ぎていました。就職活動の時期は、まさに終盤戦という状況です。

そんな中でも、当時の私はフラフラしていたんですよ。友人の下宿を転々としながら、腹が減ると川越の自宅に帰るという生活を続けていました。

「大学には最長8年在籍できるから、そのうち3年は中国を歩くことに費やしてもいい」なんてことを考えていた人間ですから、まともに就職なんて考えていないのは明らかですよね（笑）。

当時、僕らの中国行きに興味を持ってくれた、NHKの番組プロデューサーがいたんです。その方から「村井くん、NHKに入らない？　推薦してあげるよ」って言われたことがありました。それでマスコミ対策の問題集を読んでみたんですが、新聞なんかろくに読んでいないから、時事問題がまったくわからない。それで「すみません、僕には無理です」って、断ってしまいました。

そんな中、私の就活の悩みを聞いてくれたのが『就職ジャーナル』の編集長をしていた赤羽《あかばね》良剛《りょうごう》さんという方でした。『就職ジャーナル』というのは、当時の日本リクルートセンターが出していた就職情報誌です。

赤羽さんは、われわれの中国行きの時にも、いろいろお世話になっていたんです。お金ではなく「この企業に行けば、援助物資がもらえる」とか、「あそこは新商品のキャンペーン中だから、話を聞いてくれるかもしれない」とか、いろんな情報を教えてくれていたんですね。ですから帰国後も、よく赤羽さんのところに遊びに行っていました。お酒が大好きな人で、たまにバニーガールのお店にも連れて行ってくれましたね（笑）。

そうこうしているうちに、ひょんなことから銀行の最終面接を受けることになったんです。きっかけは、大学の先輩のリクルーティング活動の手伝いでした。同級生に声をかけて、先輩のところに連れて行くことを続けていたんですね。そんなことをしていたら、なぜか私も「最終候補に入っている」と言われたんですよ。

銀行の本店に呼ばれて、採用の最終権限を持つ偉い人から「これからビールでも飲もうか」と言われました。ほぼ決まり、という雰囲気です。これには慌てましたね。

思わず私は「すみません、どうしても相談したい人がいるので、お待ちいただけますか？」と席を立つと、大手町からリクルートがある新橋までダッシュして、赤羽さんに会いに行ったんです。赤羽さんは現職の部長だったから、その時もお忙しかったと思います。一瞬、顔を出してくれたんですが、話を聞いて私を一喝しました。

「銀行に入ったら、滅多に会えないような人を待たせてしまったことを、赤羽さんは怒っているんだろうな――」

その時の私は、そう直感しました。それから大手町にとって返す間、こんなことを考えたんです。組織の一員になったら滅多に会えなくなる人と、赤羽さんのように忙しくても会ってくれる人、自分はどちらと一緒に働きたいだろうか。

結局、その銀行には断りを入れることにしました。当時の彼女、今の家内からは「銀行にすればよかったのに！」と言われたことをよく覚えています（苦笑）。

それでも自分にとって、ようやく「ここで仕事をしたい！」と思える会社と、出会うことができたんですね。

こうして、リクルートの採用試験と面接を受けることになったのですが、面接がいかにもリクルートらしいものでした。

「村井さんが本当に弊社に入りたいのであれば、これから24時間以内にわれわれが内定を出したくなるような友人を連れてきてください」

理由を尋ねると「村井さんが連れてきた人を見れば、村井さんがリクルートの採用基準をどう理解しているかがわかりますから」という答えが返ってきました。

つまり、頭のいいやつを連れてくるか、行動力のあるやつを連れてくるか、愉快なやつを連れてくるかで、私がリクルートという会社をどう捉えているかがわかるというわけですね。また、「村井さんの志望動機が強くて、交友関係が広く、人に影響力を及ぼすことができれば、24時間もあれば十分でしょう」とも言われました。

志望動機なんて、口から出まかせでいくらでも言えます。交友関係や影響力についても同様です。リクルートの面接は、それらを具体的に測るための「友人を連れてきて」なんですね。これは面白い会社だなと思いました。

とはいえ、感心ばかりもしていられません。24時間しかないわけですから、キャンパス中を駆けずり回って、次の日に一緒にリクルート本社に行ってくれるやつを探しました。でも、就職活動も大詰めという時期。やれ銀行だ、商社だ、マスコミだ、とみんなが血眼《ちまなこ》になっているから、誰も相手にしてくれないわけですよ。

ようやく説得できたのが、金井尚史《しょうじ》という飲み仲間でした。「騙《だま》されたと思って、俺と一緒に来てくれ。本当に内定が出たら、辞退すりゃいいんだから」と（笑）。

ところが、この金井のほうに面接官がベタ惚れして、すぐ内定が出ました。その後「ついでに村井も」という感じで（笑）、無事にリクルートの入社が決まりました。

リクルートにとって本命だった金井は、内定を結局辞退して、1年留年してからニッポン放送に入りました。それから20年後、Jリーグが開幕した時には、彼も演出プロデュースのひとりに名を連ねていたんですよね。

その後、フジテレビのプロデューサーに転じて、タモリさんとも仲が良かったようです。残念なことに、50代の半ばで亡くなりましたが。

ちなみに最終局面での面接を断った銀行ですが、社会人になってすぐに口座を作りました。あれだけ失礼なことをしたわけですから。今でも40年来、個人としてのお付き合いのある銀行は、そこだけですね。

第2部 結実

10年間でおよそ2100億円――。空前の放映権契約をDAZNと結んだJリーグだったが、当初はインターネットによる全試合の中継配信を不安視する声も少なくなかった。(Shidu Murai/アフロ)

DAZN
J.LEAGUEを、

01 DAZN元年に起こった悲喜こもごも（2017年）

「DAZN《ダゾーン》の事業がスタートしたのは、2016年の8月でした。最初は、オーストリア、ドイツ、スイス。すぐに日本でもサービスを開始しています。OTT（オーバー・ザ・トップ＝インターネット配信）によるビジネスのアイデアは、その年の初めくらいには固まっていたんですが、当初から日本での市場には明確な関心がありました」

東京・港区にあるDAZNジャパン・インベストメント合同会社のオフィス。私たちの取材に応じてくれたのは、ニュージーランド出身の元ラガーマンで、日本語にも堪能なアカウント・ディレクターのディーン・サドラー。そしてDAZNの前CEO、ジェームズ・ラシュトンである。Zoomでの参加となったラシュトンは、DAZNを離れてからオーストラリアのメルボルンに移住。通訳を引き受けてくれたサドラーもまた、2022年12月に退職している。DAZN（当時はパフォーム・グループ）が、Jリーグの放映権入札に参加した2016年当時のことを知る両者に、同時に話を聞けたのは幸運であった。

DAZNの事業そのものがスタートしたのは、入札に参加してから4カ月後の2016年8月。実績どころかサービスすら始まっていない中で、同社のOTTに可能性を感じていたJリーグもさることながら、入札に手を挙げたDAZNの豪胆さにも驚かされる。

それにしても、ドイツ語圏でサービスを開始したDAZNは、なぜ次の市場に日本を選んだのだろうか？　ラシュトンの答えは明快だった。

「まず、市場そのものの大きさ。それに加えて、多くの日本人がスポーツ好きであること。ITスキルが総じて高く、インフラが整っていること。それでいて、有料放送の視聴環境が昔のままだったこと。これらの理由から、OTTサービスが一気に広まっていくという仮説は、十分に成り立つと考えました」

彼らの仮説が、概《おおむ》ね間違っていなかったことは、その後の歴史が証明している。とはいえ、そのスタートは実に波乱に満ちたものであった。再び、ラシュトン。

「2017年のシーズンが開幕して、土曜日の試合は上手くいったんです。そして日曜日、僕とディーンが視察したのが、ガンバ大阪のホームゲーム。スマートフォンでDAZNの映像をチェックしていたんですが、なかなか試合映像が始まらない。おかしいなと思っていたら、どんどんメッセージが入ってきて……。そこから激動の日々が始まりました」

2017年は、Jリーグの「DAZN元年」である。配信そのものは、宮崎、鹿児島、沖縄の3県で開催されたプレシーズンマッチ「JリーグDAZNニューイヤーカップ」（1月22日〜2月11日）全15試合からライブ中継されている。しかし、日本での実質的なサービス開始は、レギュラーシーズンが開幕する2月25日であった。

J1リーグでは、3年ぶりに「1シーズン制」となり、優勝賞金が3倍の3億円、均等配分金が3億5000万円と増額（前年までは、それぞれ1億円と1億8000万円）。さらに、この年から導入される理念強化配分金により、優勝クラブには2018年からの3年間で合計15億5000万円が入ることも話題になった。

ちなみに（第1部でも触れたとおり）2017年のJリーグの経常収益を見ると、273億3100万円。前年の2016年が135億6000万円だから、実に前年比201・6％である。これは言うまでもなく、DAZNマネーがもたらした恩恵。「異端のチェアマン」就任のきっかけとなった、2013年のJリーグの経営危機は、わずか4年で過去のものとなりつつあった。

こうした景気の良い話の一方で、肝心のOTTによる配信については未知数。J1で306試合、J2で462試合、J3で272試合。合計1040試合をすべて無事故で配信することができるのだろうか？

漠然《ばくぜん》とした危惧は、開幕早々に現実のものとなる。

2月26日に行われた、J1のガンバ大阪対ヴァンフォーレ甲府。そしてJ2の愛媛FC対ツエーゲン金沢。前者は最初から最後まで、後者は試合途中から視聴できない状況となり、JリーグとDAZNはいきなり試練に立たされることとなった。

＊

日本のサッカーファンにとっての2017年は、まさに「黒船来航」の緊張感と共に迎えるシーズンとなった。

スカパー！からDAZNに変わっても、快適な視聴環境は維持されるのだろうか？　実際、O

TTによる視聴に不安を覚えるファン・サポーターは少なくなかった。

漫画家の大武《おおたけ》ユキも、そのひとりだった。2009年より『ビッグコミックスペリオール』にて『フットボールネーション』を連載している彼女は、自他共に認めるサッカーマニア。スタジアムで観戦するだけでなく、国内外の中継映像も時間が許す限り、貪欲に摂取し続けていた。そんな大武は、DAZNをどう見ていたのだろうか。

「とりあえず、ネットだけになるのは困るなと思いましたね。それと録画ができないので、仕事の資料として使えなくなってしまうのも痛いし、大きい画面で視るには面倒な手続きが必要になりますよね」

シーズン開幕前に取材した際、大武はこのようなコメントを残している。一方で彼女は、OTTによる視聴方法が、広く受け入れられるかについても懸念していた。

「中高年のサッカーファンは、DAZNを視聴するまでが大変だと思いますよ。地方のJクラブだと、お年寄りのファンも多いじゃないですか。今までだったら、リモコンのスイッチひとつでスカパー！が見られたのに、これからはそうではなくなりますよね。スマホを持っていないお年寄りもいますから、ITリテラシー以前の問題だと思いますよ」

スカパー！からDAZNへ。CS放送からネット配信へ。そしてTVのみの視聴から、スマートフォンやタブレットでの視聴へ——。

現在ではすっかり定着した感のあるOTT。しかし2017年当時、この急激な変化をすんなり受容していたサッカーファンは、およそ多数派とは言い難い状況だった。

かくいう私もそのひとり。自宅のTVで視聴するべく、ファイヤーTVスティックを購入したものの、セッティングが非常に億劫《おっくう》に感じられ、開幕直前まで放置していた。こういう時、つくづく自分が老境に差し掛かったことを実感する。

「Jリーグ スタジアム観戦者調査2017 サマリーレポート」によれば、この年のJ1・J2・J3における入場者の平均年齢は41・7歳であった。

1993年の開幕時、爆発的なブームに熱狂した当時の若者たちは、そのまま40代から50代に突入。客層の新陳代謝は順調とは程遠く、多少の新規ファンの流入はあったとしても、平均年齢41・7歳という調査結果は十分に納得できるものであった。

そんな彼らにしてみれば、それまで馴染《なじ》んでいたスカパー！からDAZNに切り替わることに、何とも言えぬ不安を覚えるのも詮無き話であった。

「実は『タブレットやスマートフォンではなく、スカパー！の時のようにTVで視たい』という声が、開幕前には非常に多かったんですね」

そう語るのは、当時のJリーグチェアマン、村井満である。

「ですから、OTTによる視聴体験が浸透するまでには、一定以上の期間が必要になるだろうと考えながら開幕の準備をしていました。その一方で『DAZNが日本のサッカーファンをリードしてくれるのか』、さらには『日本のサッカーファンの共感が得られるのか』――そちらのほうに、むしろ注目していました」

このように、2017年シーズンの開幕を迎えるにあたり、Jリーグ側は「OTTによる新しい視聴体験」の拡大と「DAZNが導くサッカー文化」の浸透を目指していた。だが、一般のファン・サポーターは「スカパー！からDAZNへの移行」を不安視していた。

そうした意識の乖離《かいり》がある中、起こってはいけない事故が起こってしまう。

2017年シーズンは、J1が2月25日、J2が26日、そしてJ3が3月11日に、それぞれ開幕することになっていた。

視聴環境の変化に不安を抱くJリーグファンであったが、J3を含めた全試合がDAZNでライブ中継されることについては、好意的に受け止めていた。なぜならスカパー！時代、J1とJ2は全試合が放送されていたが、J3は重要な試合を年間10試合ほどチョイスして、あとはハイライトで紹介されるのみだったからだ。

DAZNとの交渉にあたり、著作権と同じくらいJリーグが重要視していたのが、全試合のライブ中継を視聴者に届けることであった。元チーム5の小西孝生《たかお》は語る。

「なぜなら、それが普及と視聴習慣につながるからです。J3に降格して試合が視られないとなると、サポーターにとっては死活問題ですし、露出が減ることでクラブもスポンサー営業がやりにくくなります。J3の中継も届けるためには、膨大な制作費がかかるわけで、その意味でもDAZNマネーは必須でした」

J2開幕日となる2月26日、村井は試合会場の視察ではなく、JFAハウスでDAZN中継のチェックに充てることにしていた。

チェックの対象となったのは、この日唯一のＪ１のカード、ガンバ大阪対ヴァンフォーレ甲府。キックオフは17時３分だった。ＴＶとタブレットとスマートフォン、大小さまざまな画面を並べて「さあ、視るぞ」となった時、黒い画面上に浮かび上がるのは、クルクル回る渦巻き状の円のみ。市立吹田《すいた》サッカースタジアムの熱狂が、映し出される気配はまったくない。その状態は、キックオフ時間が過ぎても続いた。

「ＪＦＡハウスのＷｉ-Ｆｉに問題があるのかと、最初は思ったんです。ところが、どうやらそうではないと。そのうち、各方面から『視聴できない』という連絡が入って、さーっと血の気が引くのを感じましたね」

ＪＦＡハウスで村井たちが情報収集を始めた同時刻、ラシュトンやサドラーと一緒に吹田スタジアムにいた小西も異変を察知していた。「日本人は放送事故に厳しいから、これは困ったことになったぞと思いましたね」とは当人の弁である。

さらに、ニンジニアスタジアムでキックオフした愛媛FC対ツエーゲン金沢でも、トラブルがあったことが判明。70分を過ぎてから、中継画像が止まったり、同じシーンが何度もループしたり、不安定な状態が続いたのちに視聴不能となってしまった。

この瞬間から、ＪリーグとＤＡＺＮにとっての苦悩の日々が始まる。

事故が起こった２月26日夕刻から翌27日にかけて、ツイッター（現・Ｘ）上のタイムラインは、ＤＡＺＮに対するＪリーグファンの怨嗟《えんさ》と憤懣《ふんまん》に満ちた声で埋め尽くされていた。

その中でも目立っていたのが「スカパー！時代のほうが良かった」という意見。いくつかピックアップしよう。

《もし去年同様の条件でスカパーがJリーグパック出してくれていたら／間違いなくDAZNよりスカパー！を選ぶ／ストレスフルな粗悪品より／多少高価でもノンストレスなモノを選びたい／残念なのはその選択肢がない事だ》（2017.2.26 8:24／@socio27022）

《開幕戦が日曜の17時アウェイ開催も腹立つし、DAZNマネーにつられて長年Jリーグに貢献してきて定着してたスカパー！からあっさりDAZNに切り替える無能さにめっちゃ腹立つ。ここ10年で1番腹立つ。》（2017.2.26 17:26／@kazuuu8）

《高額な放映権もJリーグとスカパー！やDAZNとのアレコレも日本サッカーの未来もネットの配信技術もサーバーやインフラ整備がどうこうも、そんな事はどーでもいい。／・ファンが試合を観る事が出来なかった／ただ一点、これだけが問題だ》（2017.2.27 1:07／@tonynoossan）

コアなファンやサポーターにとり、地上波での中継が減少する中、Jリーグを10年間にわたって支えてくれたスカパー！は、恩人であり戦友でもあった。それだけに「Jリーグは目先のカネに目が眩《くら》んで外資と手を組み、恩義あるスカパー！を捨てた」と考える層は、一定数存在した。また、そこまでいかなくとも「スカパー！のままでも良かったのに」と思いつつ、仕方なくDAZNに切り替えた層は多かったはずだ。

そこに、この配信事故である。

ここで対応を間違えれば、DAZNのみならずJリーグへの不信感にもつながりかねない。また、OTTの普及という計画にも、ネガティブな影響を与えるのは必至であった。

「ここは早急に謝罪会見を開催するほかない」

それが、村井の判断であった。問題は、DAZN側がどう反応するか——。

「欧米系の企業は、自分たちのミスを認めたがらない、あるいは法廷闘争に持ち込もうとする。そうした先入観は、私自身も持っていました。けれども、ここでDAZNがどういった態度を示すか、日本中が固唾《かたず》を飲んで注目しているわけです」

大阪から東京に戻ったラシュトンは、すぐさま村井とのミーティングの場を設けた。その時の村井の言葉を、彼は今でも鮮明に覚えている。

「村井さんから、こう言われました。『私たちのパートナーシップが今、試されている。同じ過ちを繰り返すことは許されない。この事態に対して、われわれは一緒に立ち向かっていく必要があある』とね」

その具体案が、早急な会見の開催。この考えにラシュトンも同意する。

「伝統的な日本企業であれば、まずはプレスリリースを出して、騒ぎが収まってから会見するのが常だと聞いていました。けれども、村井さんは『なるべく早くメディアの前に出て、オープンに話をしよう』と提案してくれたんです。われわれも、それに同意しました」

都内某所でDAZNの謝罪会見が行われたのは、事故から4日後の3月2日のこと。私が案内に気づいたのは当日だったので、すべての予定をキャンセルして現場に向かった。それほど広くない会場には、ぎっしりとメディアが詰めかけており、あらためて本件への関心の高さを痛感する。

登壇者は村井とラシュトンのほかに、DAZNから開発部長のウォーレン・レー、そしてコンテンツ制作本部長の水野重理《しげのり》。全員が黒いスーツとダーク系のネクタイという、まさに日本企業独特の謝罪会見スタイルである。

最初に登壇したのは、チェアマンの村井だった。

「JリーグとDAZNは、ひとつのチームとして連携しておりました。それぞれの役割に関しましては、スタジアムの中継と制作、そして制作データをDAZNにお渡しするところまでがJリーグの役割。それを配信用のデータに変換して、さまざまなデバイスに最適化する形で視聴者の皆さまへ配信するのがDAZNの役割でございました」

村井によれば、スタジアムでの制作とデータの受け渡しのところでは、トラブルはなかったという。問題が起こったのは、それ以降のプロセス。つまりDAZN側に、テクニカルな問題があったことを明らかにした。続いて、DAZN側からラシュトンとレーが登壇。村井の言葉を継ぐ形で、ラシュトンが語り始める。

「皆さま、本日はわれわれのメディアブリーフィングに来てくださり、ありがとうございました。先週末のDAZNプラットフォームの不具合によって、ご迷惑をおかけした、すべてのファン、ステークホルダー、そしてパートナーの皆さんに今一度、心より深くお詫び申し上げます」

そしてラシュトンとレーは、さながら日本人のように深々と頭を下げた。

頭を下げるDAZNのラシュトンCEO（左）とレー開発部長（いずれも当時／提供：朝日新聞社）

その間、およそ10秒。私は、これほど長く頭《こうべ》を垂れる外国人というものを、初めて見た。周囲にいたメディア関係者も、同じ思いだったはずだ。こうした潔《いさぎよ》い態度が、会見会場の雰囲気を一気に前向きなものへと変えていく。

さらに、コンテンツ制作本部長の水野が、具体的な事故原因を解説。今回の問題は、容量が十分にバックアップされていなかったことが原因ではなかったとして、こう続ける。

「エンコーディング・プラットフォームはミラーリング構成でしたが、オートスタート・ストップツールで発生したエラーが蓄積したことで、パッケージングツールが機能しなくなったのが原因と思われます」

それぞれの専門用語について補足すると、左記のとおり。

「エンコーディング・プラットフォーム」＝中継映像を配信用のデータに変換し、最終的に視聴者に届けるためのプラットフォーム。

「オートスタート・ストップツール」＝ライブ中継後の見逃し配信をする際、試合の開始と終了を自動的に切り取るソフトウェア。

「パッケージングツール」＝さまざまなデバイスに適したストリーミングを視聴者に届けるための最終的なツール。

試合の開始と終了を自動的に切り取るソフトウェアにエラーが生じ、それが中継映像を配信データに変換するプラットフォームに蓄積されたため、視聴者にストリーミングを届けるためのツールが機能しなくなった――。

水野の説明を私なりに解釈すると、このようになる。

この日の会見は、1時間25分の長丁場。すべての質問に対して、DAZN側が真摯《しんし》に答える姿は、出席したメディアに好印象を与えることとなった。

私の評価も「謝罪会見としては合格点」というもの。理由は以下のとおりだ。

まず、謝罪会見が事故から4日後という早期に開催されたこと。DAZNのCEOと開発部長、コンテンツ制作本部長が揃って出席し、メディアの質問に対して誠実に回答していたこと。そして何より、外資系企業の経営トップが、深々と頭を下げて反省の意を示したこと。

もっとも、ラシュトンが頭を下げたことについては、Jリーグ側からの強い働きかけもあった。

村井に確認すると、当日の様子を明かしてくれた。

「会見の直前、控室で『日本には独特の謝罪文化があって、10秒くらいはずっと頭を下げる必要がある』と教えてから、私が手本を見せました。それから事故原因の説明については、わからないことはわからないと正直に伝えて『誠実に調査中』を強調するように伝えました」

気になるのはラシュトンたちの反応だが、彼らはすぐに理解してくれたという。

「ジェームズは『それが日本のやり方なんだね？　だったら頭を下げるよ』と言ってくれました。実際には、途中で頭を上げそうになりましたが、それでも嘘偽《うそいつわ》りも駆け引きもなく、本当に日本でビジネスを成功させたいという思いが感じられました。事故調査についても、軽微な管理上のミスだったことがわかったので、その後の配信も含め、問題なくリカバリーできたと思います」

当のラシュトンも「あのタイミングで謝罪会見をしたのは、結果として正しい選択だったと思います」と、この時の謝罪会見をポジティブに受け止めていた。

「なぜなら、Jリーグとの信頼関係が強まったし、ファン・サポーターとの関係性も深まったからです。もちろん、起こってしまったことについては、弁解の余地もありません。それでも、われわれが見せた率直さと誠実さは、評価していただけたと思います」

かくして2017年シーズンは、ピッチ外でも波乱に満ちた幕開けとなった。

開幕節での配信事故は、DAZNにとってもJリーグにとっても、痛手となったのは間違いない。けれども、その後のファン・サポーターの受け止めは、私の予想とは異なる展開を見せた。謝罪会見以降、DAZNに対するファン・サポーターのリアクションが、非難から応援モードへと切り替わっていったのである。

これは、サッカーファン特有のメンタリティに起因するものと考えられよう。

情けない試合を観せられたら、その場ではブーイングするものの、マイクラブを見捨てたりはしない。むしろ結果を出せないからこそ「応援しよう」という気分にもなる。

これと関連していえば、Jリーグファンの多くが、開幕に合わせてDAZNに加入し、視聴のための準備を整えていたこともわかってきた。もちろん、準備に手間取った人もいただろう。それでも、SNSや周囲の反応を見る限り「何をしたらいいのかさっぱりわからない」という人は、極めて少数派だったように思われた。

Jリーグのファン・サポーターが、高齢化していることは間違いない。それでも、試合中継を楽しむための努力を厭《いと》わず、情報収集と創意工夫を怠《おこた》らない。そうした事実が明らかになったのは、個人的にも嬉しい発見であり、Jリーグにとっても安心材料となった。

Jリーグを愛する、ファン・サポーターの多くは、やがてDAZNという「黒船」を受け入れ、Jリーグを楽しむための「仲間」として、10年スパンで伴走していくこととなる。

それを促したのが、村井が重視する、スピードと「天日干し」の発想であったことは間違いない。配信事故の直後に会見開催を決定したこと。そこで真摯な謝罪と説明が行われ、すべてを明らかにしたこと。そして何より、事故直後での「絶対に逃げては駄目だ」という覚悟が、JリーグとDAZNの危機を救うこととなった。

＊

2017年のJ1リーグは、これまでになく優勝争いに注目が集まった。

前述したとおり、この年からDAZNマネーの影響により、優勝賞金が3倍の3億円、さらに、理念強化配分金により、優勝クラブには2018年からの3年間で合計15億5000万円が入る（1年目で10億円、2年目で4億円、3年目で1億5000万円）。

これらを獲得するべく、開幕前に積極的な補強を進めるJ1クラブもあった。しかし、最後まで優勝争いに絡んでいたのは、タイトルへの飽くなき渇望をたぎらせながらも、移籍市場で特段の動きを見せなかった2クラブであった。すなわち、前年のCS（チャンピオンシップ）に続く連覇と「20冠」を目前としていた、鹿島アントラーズ。そして、長年にわたる「シルバーコレクター」の汚名返上を目指す、川崎フロンターレ。

鹿島は第21節に首位を奪取すると、第22節に川崎とのアウェイ戦に敗れるも首位をキープ。対する川崎は、一度も首位には立てなかったものの、第20節からは14試合連続無敗を続け、第25節には2位にまで浮上した。しかし、残り7節となった第27節終了時で、首位の鹿島との勝ち点差は8。このまま「鹿（島）が逃げ切る」と、多くのJリーグファンは予期していた。

ところが第33節、勝てば優勝というプレッシャーからか、鹿島は柏レイソルとのホームゲームにスコアレスドロー。その3日後、ACLによる変則日程で浦和レッズとのアウェイ戦に臨んだ川崎は、小林悠《ゆう》の先制ゴールを守りきって1対0で勝利する。この結果、首位の鹿島と2位の川崎の勝ち点差は「2」にまで接近した。

鹿島が勝てば、文句なしの優勝。勝ち点1でも、川崎が引き分け以下なら順位は変わらず。しかし、鹿島が引き分け以下に終わり、川崎が勝利すれば、逆転で川崎の優勝となる。

DAZN元年のJ1リーグ最終節。それは、近年でも稀《まれ》に見る劇的な幕切れとなったことで、多くのJリーグファンに記憶されている。

運命の第34節は12月2日。首位の鹿島はヤマハスタジアムでジュビロ磐田と、2位の川崎は等々力陸上競技場で大宮アルディージャと、それぞれ対戦した。

この日、Jリーグファンの多くはTVとタブレットで同時視聴するか、スタジアム観戦しながら優勝の可能性がある会場の動きをスマートフォンでチェックしていた。

まさに「OTTによる新しい視聴体験」。このJ1最終節のストーリーについては、それぞれの会場で目撃した証言者の回想を交えながら、二元中継的に再現することにしたい。

まず、等々力の記者席から取材していた、フリーランスライターの江藤高志《えとうたかし》。川崎の番記者でもある彼は、試合前の様子をこう振り返る。

「あの日は、ヒリヒリする感じはなくて、スタンドの雰囲気も『とにかく勝ってシーズンを終えよう』という感じでしたね。記者席は、けっこう埋まっていました。鹿島は何度も優勝しているから、川崎の初タイトルに懸けていた記者もいたと思います」

一方、ヤマハの放送ブースでは、フリーアナウンサーの下田恒幸《しもだつねゆき》が、この日のDAZN中継の準備に没頭していた。

「優勝が決まった場合は、カップを掲げてからスタジアムを一周するところまでを実況します。鹿島が優勝すれば、20冠達成で3回目の連覇となりますから、事前にさまざまなデータや情報を集めて、いかようにも対応できるように準備していました」

この日のJ1は、全9会場が14時3分にキックオフ。最初に動きがあったのは、川崎対大宮が行われている等々力だった。
開始わずか1分、阿部浩之《ひろゆき》のゴールで川崎が先制。前半終了間際の45＋2分にも追加点が生まれる。決めたのは小林悠で、60分と81分にもゴールを重ねてハットトリックを達成。シーズン通算23ゴールとなった小林悠は、この年の得点王とMVPに輝いている。
「すでに降格が決まっていた大宮ですが、試合が膠着《こうちゃく》すると怖いなと思っていました。でも、開始早々の阿部のゴールで、そういった重荷がなくなりましたね。その後、小林のゴールが続いて、裏の試合をチェックしたら0対0のまま。『これはもしかしたら』と思いつつも、目の前の試合に集中していました」（江藤）
一方、ヤマハでの磐田対鹿島は、ジリジリとした試合展開。前半終了間際には、セットプレーから鹿島の植田直通《うえだなおみち》がヘディングでゴールネットを揺らすも、直前の味方のファウルでノーゴールの判定となってしまう。
「あの時間帯にゴールが取り消され、後半もなかなかスコアが動かなかった。時間の経過と共に、放送席にも鹿島の焦燥感が伝わってくるようになりました。鹿島といえば、最多タイトル数を誇る勝負強さ。まさにそれが、揺らいでいく感じでした」（下田）
ヤマハでの試合は、そのままスコアレスドローで終了する。220キロメートル離れた等々力では、90＋6分に長谷川竜也《たつや》によるダメ押しの5点目が入り、直後に試合終了。
この瞬間、川崎の劇的な逆転優勝が決まる。悲願の初タイトル獲得に、うずくまって泣き崩れる中村憲剛《けんご》の姿を、DAZNのカメラは捉えていた。そしてチームメイトが次々と、背番号14に駆け寄っていく――。

その様子を村井は、自身のスマートフォンで確認している。

複数会場で優勝の可能性がある場合、その時点で最も勝ち点が多いクラブの側にチェアマンが赴《おもむ》くのが慣例。村井はヤマハスタジアムにて、明治安田生命社長の根岸秋男《ねぎしあきお》と観戦しており、等々力での表彰式には副理事長の原博実《はらひろみ》が対応した。

どの試合会場にいても、優勝の感動を味わうことが初めて可能となった、2017年のJリーグ。この年に誕生した新チャンピオンについて、村井はこのようなメッセージを寄せている。

《川崎フロンターレは地域に根ざしたクラブ運営を掲げ、Jリーグが全クラブに行う調査でも高い地域貢献度を誇り、多くのクラブの手本となっています。クラブと苦楽を共にしピッチの内外でクラブを支え続けた川崎市民の皆様こそが優勝の立役者といえるでしょう。》

一方、14年にわたり川崎を追い続けてきた江藤もまた、2017年の初タイトルの意義について、チェアマンと同様の見解を示した。

「川崎がずっと優勝できなかったのは『地域貢献をやりすぎているからだ』という意見もありました。そんな外野の声を黙らせたのが、この年の優勝だったんですよね。それともうひとつ。川崎のコアサポーター『川崎華族』の応援スタイルって、欧州や南米の模倣ではないオリジナルで、選手を鼓舞するけれどブーイングはしないんですよ。そうした独自のスタイルが、初タイトルを獲得することで認められたのも、個人的には嬉しかったですね」

ヤマハの放送ブースでは、最終戦のセレモニーに合わせて、下田が2017年の磐田を振り返る実況を行っていた。鹿島の優勝を想定して、用意した資料はすべてボツである。

「J2から1年で復帰して、名波《ななみ》（浩）監督の目指すサッカーが浸透したという意味で、磐田の2017年は十分に語るべきものがあったと思います。鹿島が優勝を逃したことについては、深くは言及しませんでしたが、今季の振り返りとJ1全体の総括はしました。こういうのって、めぐり合わせなんですが、ひとりのアナウンサーの立場からすれば、優勝した試合で実況をやりたかったというのが本音です（苦笑）」

そして下田は、DAZN元年最後の実況を、こう締めくくった。

「等々力で、Jリーグの新しいチャンピオンが誕生しました！」


DAZNの配信事故に始まり、川崎フロンターレの初タイトルで幕を閉じた2017年シーズン。実はこの年の終わりにJリーグは、ある重要な決断を下している。

12月12日に開催された理事会で、2022年からの導入が検討されていた、欧州に合わせたシーズン移行の導入が、正式に否決されたのである。

いわゆる秋春制への移行については、JFA（日本サッカー協会）会長の田嶋幸三《たしまこうぞう》から提案があったもので、Jリーグとして1年をかけて議論した結果、今回は見送りという結論に達した。

これまでにも、たびたび俎上《そじょう》に載せられては否決されてきた、この議論。JFAとしては、FIFA（国際サッカー連盟）や欧州のカレンダーに合わせたほうが、日本代表の強化につながるという考えが、根底にはあった。

この日の会見で村井は、Jリーグがシーズン移行に反対する9つの理由を明示している。そのうち、サッカーファン以外にも理解しやすいものを5つ挙げると、左記のとおり。

・移行しないほうが、リーグ戦実施可能期間が1カ月以上長い

・「雪国に相当設備のスタジアム等が整備されるだろう」という期待を前提とした移行を経営リスクと捉えるクラブ経営者が多い

・移行期の0・5年または1・5年での収益確保は、Jリーグ54クラブそれぞれの課題で難易度が高い

・現シーズンは学校年度と完全ではないが、ほぼ揃っている。移行して半年ずれてしまうマイナスは大きい

・企業との期ずれも、企業側でヒアリングしたところ、修正は難しいとの見方が多い

会見に同席した、副理事長の原博実は「代表の強化が重要なのはよくわかりますが、育成面でも学校年度と一緒になっていたほうがいい。ヨーロッパでも『フットボールありき』ではないですし」と結論付けている。

「JリーグとJFAによる将来構想委員会では、2016年から1年かけてシーズン移行に関する議論を繰り返してきました。とはいえ、いつまでも議論を続けるのは生産性が悪い。そこで『ふたつの問題』が解決するまでの間、区切りを付けることになりました」

この時の決定について、のちに村井はこのように述べている。では、その「ふたつの問題」とは、何だったのか?

「ひとつは、ACL（AFCチャンピオンズリーグ）の日程が秋の開幕となること。もうひとつは、降雪地帯のクラブの練習や試合の環境が改善されること。この2点に変更がない限り、議論は再開しないということで、JFAとの間で合意に至りました」

それから5年後の2022年、AFC（アジアサッカー連盟）は2023－24シーズンからACLを秋春制に移行することを決定。予選ラウンドを8月、グループステージを9月から12月、ノックアウトステージを翌年2月から5月まで行うことを発表した。これを受けてJリーグも、2023年2月からシーズン移行の議論を再開させている。

村井チェアマン時代以降の出来事については、本書のテーマから逸脱するところであるが、2017年の延長線上のストーリーとして言及しておきたい。

ACLが秋春制に移行したのは、AFCがUEFA（欧州サッカー連盟）のスケジュールに合わせたからである。そしてその向こう側には、世界のフットボールのカレンダーを統一しようとする、FIFAの思惑が見え隠れしている。

地域密着を是とするがゆえに、ドメスティックなイメージの強いJリーグだが、一方で世界とつながっているのも事実。J1を制したら、その向こう側にはACLがあり、そこでも優勝したらFIFAクラブワールドカップがある。選手も指導者も国境を超えて行き来しているし、フットボールにまつわるビジネスやファンカルチャーも同様である。

2ステージ制の議論がそうであったように、このシーズン移行の問題もまた、グローバル化の波を受けてのもの。「百年構想」を掲げて、全国津々浦々に仲間を増やしてきたJリーグにとっては、シーズン移行を実施する場合の落とし所を見つけるのは容易ではない。もはや国内の都合だけで、この問題を語るわけにはいかない現実が、そこにはある。

そんな中、救いが感じられるのは、シーズン移行に関する議論について、Jリーグが可能な限りの情報開示をしていることだ。そこが2ステージ制との一番の違いであり、どのような結論に至ったとしても、その点については個人的には評価したいところである。

02 ナンバー3の辞任と統合プロジェクト（2017～18年）

「うわあ、懐《なつ》かしいですねえ！」

持参した経済雑誌『フォーブス ジャパン』のバックナンバーを手渡すと、元Jリーグ常勤理事の米田恵美《よねだえみ》は、パッと明るい声を上げた。

場所はJSPO（日本スポーツ協会）とJOC（日本オリンピック委員会）が入った、ジャパンスポーツオリンピックスクエアの会議室。窓の向こう側には、東京オリンピック・パラリンピックのメイン会場となった、国立競技場が見える。

対面する米田に視線を戻す。彼女はこの時、日本フェンシング協会の常務理事、そして日本ハンドボールリーグの理事という要職に就いており、日本スポーツ界の一等地でのインタビューとなった。そして彼女が今、手にしている『フォーブス ジャパン』の2019年5月号。そのカバーを飾っているのは、さながらミューズのように撮影された、米田本人である。

「『Jリーグを使い倒せ！』地域を変える『もう一つの熱狂』」というタイトルで、彼女のカバーストーリーが、かなり目立つポジションで特集されていた。

この号が出た時のインパクトを、私は今でもよく覚えている。当時はJリーグ理事に就任して

2年目の35歳。米田はJリーグという組織の枠を超えて、スポーツビジネス界における若きイノベーターとして注目されていた。

そうした空気感を、最も端的に表現していたのが、『フォーブス ジャパン』のカバー写真。関係者に新鮮な驚きを与える一方で、中には心の中で舌打ちしていた人間も少なからずいたことだろう。

「Jリーグの理事時代は、私の人格に非常に大きな影響を与えた2年間でした。しんどいことのほうが多かったんですけれど、壁にぶつかり苦しんでいる人への共感とサポート力といったものを、身につけることができたことには感謝しています。もちろん、当時の村井さんにも今のJリーグにも、言いたいことはいっぱいあります（笑）。それでも総じて、この体験をさせていただいたことについては、心から感謝しています」

「言いたいことはいっぱいあります」――。このひと言に、彼女の強い本音を感じた。

米田は1984年に東京で生まれた。高校時代から「社会をデザインすること」に興味を覚え、慶應義塾《けいおうぎじゅく》大学在学中の20歳で公認会計士の資格を取得（当時最年少だった）。大学に通いながら、EY新日本有限責任監査法人で監査業務に携わり、2013年に独立している。

極めて優秀な人材であることは間違いない。が、ここまでのキャリアからは、フットボールやスポーツの匂いはまったく感じられない。

米田がJリーグと接点を持つきっかけとなったのは、組織改革や人材育成を専門とするコンサルタント会社「知恵屋《ちえや》」の副社長となってから。そこでJリーグチェアマン、村井満との接点が生まれる。

「知恵屋の社長が、リクルート時代に村井さんの部下だったんです。村井さんには、知恵屋主催の講演会でお話しいただいたり、一緒に飲んだりしている間に親しくなっていきました」

２０１７年が明けて間もない1月9日、東京・神楽坂の居酒屋で米田は村井から、こんな相談を持ちかけられる。

「今度、ＳＨＣの講義で自分の人生を語る機会があるんだけど、それを書き起こしてくれる人を探しているんだよね。内容をきちんと残しておきたいんだけど、私の内面をさらけ出すので、外部ライターにお願いするのはちょっと怖い。できれば気心が知れた人に、お願いしたいんだよ」

ＳＨＣとは、一般財団法人スポーツヒューマンキャピタルのこと。村井の肝いりで「経営人材の育成」を目指し、２０１５年に作られたＪリーグ・ヒューマンキャピタル（ＪＨＣ）を前身とし、２０１８年には公益財団法人となっている。村井も講師のひとりとして、しばしば登壇していた。

この時の講義は「二度と同じことは話せない」内容で、しかも「動画ではなくライブでないと意味がない」という。この時、村井の中に強い意志と覚悟を感じ取った米田は、ごく自然に「私がやりましょうか?」と申し出た。

村井がＳＨＣで登壇したのは、3日後の1月12日19時15分。場所は東京・丸の内にある、立命館大学東京キャンパスであった。およそ2時間に及ぶ村井の講義の詳細は、残念ながらここで再現することはできない。が、登壇者の熱量については、米田の証言からストレートに伝わってくるはずだ。

「村井さんは『言いたいことの3分の1しか語れなかった』と言っていましたが、私には十分すぎるほど、魂のメッセージが詰まっていたように感じられました」

この時、米田は何度も泣きそうになったという。

「その理由を自分なりに考えて、出した結論が『村井満という人間が、この2時間弱のメッセージのために懸けてきた思いがあって、全身全霊で語る熱量に私自身が強く共鳴したから』というものでした」

講演後、米田は2時間弱の村井の言葉をその日のうちに書き起こし、さらに自身のコメントを加えた文書を村井に送信する。翌朝にメールを開いた村井は、想定を超えるスピードと正確さに驚愕《きょうがく》した。

そのスクリプトの末尾には、米田のこのような覚悟が記されていた。

《私は組織というのは、社会にとっての公器であり、人にとっての成長の場であると思っている。そんな理想の組織を、命を削って創り上げてきた村井満という人間の生き様に触れられたことに感謝し、そのメッセージを受け取った者のひとりとして、私も同じ時代を生きる社会の乗組員としてがんばりますよ、という誓いを自分の中にそっとたててみた。》

それから3カ月後の2017年4月、米田はJリーグに社外フェローとして招かれる。オファーしたのは、もちろん村井だった。

「村井さんがよくおっしゃっていたのが、当時のJリーグがセクショナリズムに縛られてタコツボ化しやすい状況だった、ということでした。それでチェアマン室を廃止したり、オフィスをフリーアドレスにしたり、組織再編なんかもチェアマン主導で推し進めてきました。それでも『ハードの部分だけでなく、ソフトの部分でも組織改革しないといけないよね』ということは、よくおっしゃっていましたね」

補足すると「フリーアドレス」とは、個人専用のデスクを設けずに毎回自由に席を選ぶ働き方のことで、Jリーグでは2017年から採用している。

村井の言葉から、自分に何が求められているのか、米田は自ずと理解できた。とはいえ、サッカー界の外側にいて年齢的にも若い自分に、果たして何ができるのだろうか。

多少の逡巡《しゅんじゅん》はあった。しかし最後は「メッセージを受け取った者のひとりとして」の自覚に背中を押され、週2回の社外フェローを引き受ける決断をする。ただしひとりではなく、公認会計士の先輩である山崎和雄にも声をかけた。

おりしも2017年4月といえば、Jリーグの6つの関連会社をホールディングス化して、株式会社Jリーグホールディングスに社名変更したばかり。併せて、全従業員の籍を同社へ移し、単一の評価基準に置き直している（なお2020年1月1日には、Jリーグデジタル、Jリーグメディアプロモーション、Jリーグマーケティングを吸収合併。株式会社Jリーグに商号変更している）。

この組織再編において、ハード部分（システムや体制など）だけでなく、ソフト部分（人の気持ちなど）でも改革の必要性を感じていた村井は、そのための提言を米田に求めた。彼女が最初に着手したのは、組織のデューデリジェンス（事前調査）である。

「デューデリジェンスというのは、財務諸表に出てくる数値の根拠をたどりながら、その組織の本質的な部分と照らし合わせる作業のことです。それによって『本来こうあるべき』という数字と、実際に表に出てくる数字との間にギャップが見つかれば、なぜそうなったのかをひもといていく。ただし、数字だけを追っていればいいというわけでもないんです。とにかく、いろんな人から話を聞く。聞いて、聞いて、聞きまくることで、目に見えない組織の本質を明らかにしていく。それも監査で培《つちか》われる能力なんです」

米田によれば、もともと監査（audit）の語源は「聴く（audio）」なのだという。わずか4日間のデューデリジェンスを経て、数字の精査とインタビューから見えてきたのは、組織としてのJリーグが、想像以上に問題を抱えているという実情だった。

「村井さんが、さまざまな改革をしてきたことは知っていましたから、Jリーグって『すごく進んでいる組織なんだろうな』というイメージがあったんです。ところが、中に入ってみると『あらら、どうしましょう！』と思うことがたくさんありました。一般企業の常識とスポーツ組織の常識が、こんなにもかけ離れているんだということに衝撃を受けましたね」

当初、チェアマンの村井は、組織開発の専門家である米田に対し、Jリーグという組織におけるソフト部分（働く人の意欲や感情面）での改善を期待していた。ところが、米田のデューデリジェンスで明らかになったのは「ハード部分（組織の構成や運用）に関するものが少なくない」という事実であった。

会計士の視点で精査した数字、そしてインタビューから伝わってくる社員の心の悲鳴。その両方を重ね合わせると、外側から見ていたイメージとはまったく異なる、Jリーグの問題点が浮かび上がってくる。そこで米田が導き出した結論は「みんなが全力疾走しているんだけど、向かっている方向がバラバラ」というものであった。

「それまで別の会社だったのが、ひとつの組織になったんだけど、ルールが追いついていなかった。それで、自由にやれている人と、我慢している人との二極分化が生じてしまったんですね。自由にやれている人たちは、気持ちよく仕事ができているんでしょうけど、我慢している人たちに『これ、やっといて』みたいな感じで、面倒な作業を丸投げする。当然、両者の間に不公平さによる深い溝ができてしまいますよね」

米田によるデューデリジェンスの結果は、最終的に「Jリーグの経営に関する12の問い」（以下「Jリーグ12の問い」）というレポートにまとめられ、村井をはじめ各理事に共有された。これが6月27日の話。しかし同日、Jリーグを揺るがす不祥事が発覚する。

中西大介常務理事の突然の辞任――。

私が第一報を知ったのは、ちょうど海外取材でロシアを訪れていた時だった。モスクワのドモジェドヴォ空港で、国内線のボーディングを待ちながらスマートフォンでニュースを確認していると、衝撃的なヘッドラインに思わず目を剝《む》いた。

報道によると、辞任の理由は「部下の女性職員へのパワハラとセクハラ」。ショックのあまり、軽い放心状態となったことを覚えている。

単に「Jリーグのナンバー3がスキャンダルによって辞任を余儀なくされたから」だけではない。中西には何度もインタビューする機会があったし、試合会場で顔を合わせれば笑顔で挨拶を交わす間柄でもあった。確かに2ステージ制の導入に関しては、最後まで考えが一致することはなかった。それでも「Jリーグの未来のために」各方面への理解を求めて回る中西の姿勢には、立場や考えの違いを超えたリスペクトの念を抱いていたのも事実である。

チェアマンの村井にとっても、中西の突然の辞任は大きな痛手となった。慎重に言葉を選びながら、当時の心境をこう振り返る。

「Jリーグ規約では、問題を起こしたクラブに対して、リーグが懲罰できる立て付けになっています。浦和の『JAPANESE ONLY』事件は、まさにそうでしたよね。ですから懲罰を科す側が、身内に甘いとなれば話にならないわけです。自分たちの不祥事については、常に厳しい態度で臨まなければならない。そう考えていました」

表向きは「辞任」であったが、村井のこの言葉から、実質的な解任であったことがわかる。当然、苦渋の決断であったはずだ。

サッカーファンにとって2ステージ制のイメージが強い中西だが、DAZN《ダゾーン》との交渉で主導的な役割を果たしたのは先に触れたとおり。OTTサービスが始まって以降も、DAZNとの向き合いという部分では不可欠な存在だった。発想力と行動力に長《た》けていただけでなく、中西は組織内での人材育成にも定評があり、彼を慕う部下も少なくなかったと聞く。それだけに、ナンバー

3の辞任がJリーグに与えた動揺は計り知れない。

それでも、否、だからこそ村井は、中西に辞任を迫る決断を下した。

いつもながらの決断の速さだが、それ以上に注目すべきは、本件をJリーグという「組織の問題」として、村井が深刻に受け止めていたことだ。

「今回の問題は、中西個人の問題として片付けてはいけない。上の人間に対して、何も言えない風土があったからこそ、ハラスメントが起こってしまった。そうした組織を作ってしまったのは、自分だったのではないか——。だからこそ、この機会にしっかり仕切り直しをする必要を感じていました」

中西辞任の報を受けて、すぐさま米田も動く。彼女は村井に対し、このようなメッセージを送っていた。

「組織全体に深い反省が必要ですが、それを一番に感じるべきはチェアマンではないでしょうか。自分たちのやり方、あり方に問題がなかったのか、もう一度考えていただけませんか?」

米田には、組織開発のプロフェッショナルとして、絶対に譲れない条件があった。それは「内省なき組織とは付き合えない」というもの。「変わりたい」という思いが感じられない限り、どんな組織から依頼されても、仕事は受けないことにしていた。

村井が推し進めてきた、Jリーグのホールディングス化。それは、それまでのセクショナリズムを廃することで、スピーディな組織運営をもたらすことが期待されていた。ところが社外フェローの指摘によって、組織内にさまざまな歪《ひず》みが生じていることが、炙《あぶ》り出されてしまう。

そして、米田から「Jリーグ12の問い」というレポートを受け取った、まさにその日に、常務理事のハラスメントが発覚。この偶然を必然と捉えた村井は、法人のみならず人心もひとつにする「統合プロジェクト」の発足を決断する。

統合プロジェクトとは、何か？

米田によれば、その目的は「改革の初期における危機感醸成、マネジメント力強化と幹部の当事者意識醸成の位置付け」。そのため、理事、本部長、部長クラスの18人が招集された。村井はオブザーバーとして同席し、ファシリテーターを米田と山崎の知恵屋コンビが務めた。

ファシリテーターとは、会議や商談などの場で参加者の発言を促したり、話をまとめたりすることで、話し合いをより良いゴールに導く役割のことである。単なる進行役にとどまらず、意見の対立や感情のぶつかり合いをコントロールし、目標や目的の達成を支援することが求められる。米田にとって得意分野ではあるものの、自身はまったくの部外者であり、しかも集まった出席者の中では最年少。当然、プレッシャーは尋常ではなかったはずだ。

7月3日、統合プロジェクトの第1回ミーティングが行われている。

冒頭、村井によるイントロダクションがあった。プロジェクターに映し出されたのは、2日前に視察したカマタマーレ讃岐《さぬき》対V・ファーレン長崎の試合で、自ら撮影したサポーターの写真である。子供を背負った若い父親。思わず右腕を突き上げる母親。ピンクの帽子を被って微笑《ほほえ》む、高齢の女性――。

「週末、讃岐に行って、いろいろなことを考えました。自分たちは、スタジアムに来るお客様に何ができるのだろうか。クラブや選手たちは、あの空間を作っています。ならば、ここに集まるマネージャーに、できることは何だろうか？」

そう問題提起をした上で、村井は出席者に訴えかける。

「今回の常務理事の辞任は、自分たちの在り方を見つめ直す機会だと思っています。自分なりに、いろんな問いをもって考えてきたことがあるので、ここにいる皆さんも、一緒に振り返ってほしいと思います」

第1回のミーティングでは「Jリーグ12の問い」についてのグループワークと、それぞれが普段感じている組織課題についてのディスカッションが行われた。参加者全員が、これまでの自分のマネジメントについて、それぞれ反省の弁を述べなければならない。

「本部長や部長の人たちからすれば『なんで外から来た人間に、こんなにダメ出しされなければならないんだ？』みたいな感じだったと思います」

これが、この時の米田の率直な感想であった。

「村井さんが『われわれは自らを省《かえり》みなければならない』というスタンスだったので、反省している空気にはなっていました。それでも、内心で顔をしかめていた人も、ひとりやふたりではなかったでしょうね」

村井自身、そうした空気を感じ取ったのだろう。7月18日に行われた、第2回ミーティングの冒頭では、このように語りかけている。

「まず、Jリーグの集団としての意識レベルにまで、踏み込んでいかなければならないと思う。

Jリーグの常識が、社会の常識とかけ離れているにもかかわらず、聴く耳を持たずに異論を排除してこなかったか？　外部の人間の目に自らを晒《さら》し、謙虚になる姿勢は持ち得ていたか？　どこか自分たちの中に、傲慢《ごうまん》さがなかったか？」

その延長線上に、常務理事によるハラスメント問題があった――。

それが、自問自答を繰り返してきた、村井の結論だった。ゆえに、今回の不祥事は個人ではなく「組織の問題」であり、組織としての意識改革のために開催されたのが、この統合プロジェクトだったのである。

村井自身、こうした意識改革の必要性を、かねてより感じていたという。一方で、チェアマンに就任して、すでに3年が過ぎていた。残る任期は1年。社員の意識改革こそが、自身の仕事の総決算であると覚悟を決めていた。

「私の任期は（2018年）3月末まで。そこに期限を切って、総決算として今回の統合プロジェクトに取り組もうと思います。皆さんと力を合わせて、世間からかけ離れたJリーグの中だけの理屈や、やり方を叩き直していく。その上で、社会に開かれた魅力あるJリーグを一緒に創っていきたい」

村井の言葉を聞いていた米田は、この日の心情を以下のように書き留めていた。

《これを聴いている時の私の気持ちがどうだったかといえば、チェアマンが口を開く前から激しく胸が痛んでいた。チェアマンがこの話を始める直前に、呼吸を整えたのが感じ取れたくらい私も集中していた。組織のリーダーに、ここまでのことを言わせてしまうというのはやりす

ぎだという気持ち、本当にそこまでしないとこのメンバーに危機を伝えられなかったのだろうかという申し訳なさ、自らのふがいなさが混じっていた。》

統合プロジェクトのミーティングは、２０１８年3月末まで、実に33回を数えた。月に3回から5回のペース。Ｊリーグのマネージャークラスともなれば、多忙を極める上に業務内容もハードだ。そうした中、統合プロジェクトのミーティングが9カ月にわたって33回も開催されたという事実に、まず驚かされる。

当然、そこにリソースを割かれることを、快く思わないメンバーもいただろう。社外フェローに頼らずとも「改革は（自分たちで）できる」という声もあり、1月以降は各幹部による自主運営となる。しかし、リーダーシップを持ったプロジェクトの進行役は現れず、3月29日のミーティングをもって「これで最後にしよう」という結論となった。

果たして統合プロジェクトは、Ｊリーグに何をもたらしたのであろうか。

当時、プロジェクトの事務局を務め、のちに経営企画部部長となる川崎濃《あつし》は、このミーティングが「どれだけ役に立つのだろう？」と半信半疑だったという。しかし回数を重ねるうちに、その考えを改めるようになった。その理由をこう語る。

「それまでのＪリーグは、仕組みよりも個の力に依存する部分が大きくて、それで何とか成長してきたところがありました。けれども、クラブ数も職員の数も増える中、個の力だけに依存するには限界がある。そう感じていた時、組織の仕組みを整える上での統合プロジェクトは『絶対に必要なものだ』と考えるようになりました」

川崎のように、改革の意識が芽生えた参加者がいる一方で「今のままで何が悪い？」と考えるマネージャークラスも少なからず存在したという。結果として統合プロジェクトは、いささか唐突な形で終了することとなった。

「自主運営後は幹部の皆さんに任せたわけですから、私はもちろん村井さんにも決定権はありません。改革を推進するリーダーが出てこない中、社外フェローの立場での改革は、あれが限界でした」

悔しさを滲《にじ》ませながら、そう振り返る米田。Jリーグでの彼女の仕事は、これでいったん終了するはずであった。しかし、改革の必要性が明らかになったものの、現状の上層部だけでは改革は望めそうにないことも判明した。

結果として米田は、さらに深くJリーグにコミットしていくこととなる。

＊

2018年1月30日、Jリーグ役員候補者選考委員会は全員一致により、現職の村井を次期チェアマン候補者に決定。3月27日の社員総会を経て、村井体制の3期目がスタートする。これにより「異端のチェアマン」の任期は、さらに2年、2020年まで延長されることとなった。

なぜ、村井の任期が延長されたのか？ それには、中西の辞任が影響していたと思われる。

DAZNによるJリーグ中継の配信は、前年に始まったばかり。直接交渉に当たった中西だけでなく、DAZNトップとの関係を持つ村井までもがいなくなってしまうと、Jリーグとして深い懸念があるという意見が支配的となったのだろう。

ちなみにJリーグ役員選考委員会は、村井が2014年にチェアマンに就任した時点で、すでに存在していた。院政などの懸念を排除するべく、当時から前任のチェアマンは加わらない形となっている。もっとも、プロローグで触れたとおり、村井は前任の大東和美《おおひがしかずみ》からオファーを受けており、実際には形骸化していた感が否めなかった。

そこで2018年の役員選考委員会では、チェアマン経験者やJFA理事などの任用を避け、実行委員会や社外理事も互選とすることで現職の影響力を排する形とした。この改革を主導したのは村井であったが、当人は「3期目は予想外だった」と語る。

「歴代のチェアマンと同じく、2期4年の任期を務めることができて、正直ほっとしていたところでした。2年持つかどうかさえ、怪しい中での就任でしたから。それと就任時は、財務的に極めて厳しい状況にあったわけですが、DAZNとの契約をまとめることができたので、今後10年の財務基盤が見えるようになっていました。ひとつの仕事をやり終えたという達成感は、間違いなくありましたね」

その一方で「実は何も前進していないのではないか」という疑念、そして中西不在のJリーグへの懸念もあったという。この疑念と懸念が、村井に任期延長の決断を促すこととなる。

「たとえば2ステージ制を終了させたといっても、単に元に戻しただけ。DAZNについても、OTTによる視聴者をどれだけ増やせるのかは未知数。そんな中、中西を失ったことで『彼の穴を埋めなければ』という思いもありました」

「これも運命」と3期目のオファーを受け入れたのは、2018年の年明けのこと。真っ先に村井が取り組んだのが、新しい理事の選任であった。

この時点での理事は、副理事長の原博実《はらひろみ》、そして退任が予定されていた木下由美子のみ（専務理事の中野幸夫と常務理事の大河《おおかわ》正明はすでに退任）。次代を担うべき、新しい理事の抜擢が、村井に課せられた喫緊《きっきん》のミッションとなった。

もっとも、村井の方針は変わらない。リクルートの採用基準でもあった「自分を超える人を獲ってくる」。そして、自身のポリシーである「自分のブラインドサイドを埋める」。導き出された解が、不在となっていた専務理事に、ファジアーノ岡山社長の木村正明を充てることであった。

木村は1968年生まれで岡山市出身。中学時代からサッカーに親しみ、東京大学法学部卒業後、1993年にゴールドマン・サックス証券に入社する。その後は順調に昇進を重ね、2003年には執行役員に就任。ところが3年後、その地位をあっさり捨てて、当時まだ地域リーグだった、岡山の社長に就任する。

数百億円もの金額を動かすゴールドマン・サックスの執行役員が、明日をも知れぬ地域リーグクラブの社長に転身したことで、何が起こったか？

社長に就任した2006年は、資本金5000万円に対して負債が1000万円超。スポンサーは10社にも満たず、当初の年間予算はわずか4000万円という、惨憺《さんたん》たる経営状況だった。

それが地道な営業努力により、就任翌年の2007年にはスポンサーを200社、年間収入も9000万円にまで引き上げている。同年、地域リーグクラブとしては初となる、Jリーグ準加盟を果たした。2008年には、年間予算を2億3000万円にまで増額。翌2009年には、社長就任から3年でJクラブの仲間入りを果たす。

こうした実績をつぶさに観察し、密《ひそ》かに一目置いていたのが村井であった。

「木村さんはファジアーノ岡山というクラブを、ほぼゼロの状態から平均入場者数1万人にまで引き上げた実績を持っている人です。クラブ経営の何たるかを知っているだけでなく、ゴールドマン・サックス時代に培った経営感覚もある。それらに加えて、非常勤の理事として、私の4年の任期中の重要な会議すべてに出席しています。こうした条件を考えると、私の中で（専務理事は）木村さん一択でした」

そうした村井の思いを知らされた木村は、オファーの重みを頭では理解しつつも、どうしても現実として受け止めきれなかったという。地域リーグ時代から12年間にわたって、クラブの社長を務めてきたのだから無理もない話だ。加えて、Jクラブの社長からJリーグの専務理事への転身にも、深い懸念を抱いていた。

「岡山にJクラブを作り、地域に根差していく仕事というのは、ゼロから1を作っていく仕事でした。それに対してJリーグでの仕事は、100を200にしていく仕事なんだと思います。しかも専務理事となれば、50以上あるJクラブの異なる意見に対して、調整していくのがメインの仕事。ファジアーノの社長に就任した時とは、まったく質の異なる覚悟が求められました」

そんな木村の決意を促したのが、改革者としての村井の姿であった。

「村井さんの（3期目の）2年に懸ける思いは、相当なものがあったはずなんです。それに僕も非常勤の理事として、この4年間での村井さんの改革を間近で見ていました。その勢いを止めてしまってはいけない——。それで覚悟が決まりました」

中野の退任後、2年間不在だった専務理事は、このようにして決まった。そしてもうひとり、組織改革を託すための理事として、村井が白羽の矢を立てたのが、米田である。これには当人も、かなり面食らったようだ。

「何度も断りましたよ。そのたびに、村井さんは『俺はプロポーズが下手だから』とか言っていましたけれど、そういう問題じゃない（苦笑）」

なぜ村井は米田に理事職をオファーしたのだろうか。「統合プロジェクトの流れを見ていて『外科手術』を求めたのでしょう」というのが米田の見立てである。

「要するに社外フェローだと、意思決定者として役員会に入れないから、抜本的な組織改革ができないわけです。私が理事になれば、決裁に加わることで仕組みを変えることもできるだろうし、チェアマンが言いにくいことも言ってくれると。でも、嫌なことを言わなければならないのは私だし、妬《ねた》みや恨みを買うのも私になることは容易に想像できる。当時の仕事を手放してまで、どうして嫌な役回りを引き受けなければならないんですか？」

それでも米田は、理事就任を受諾する。果たして、何が彼女の決断を促したのだろうか。

ひとつは、共にチームを組む理事たちの後押しがあったこと。原からは「経営はチームだから、サッカーの知識とか関係ないんだよ。俺だって、わからないことだらけだし」。木村からも「米田さんが入るという前提で、僕もこっちに来たんだけど」と説得された。

もうひとつは、彼女自身が社外フェローとしてJリーグに触れたこと。

「ホームタウン活動を含め、Jリーグの理念に強く共感したんです。現場でがんばっている、Jクラブの人たちの存在を知ったことも大きかったですね。選手にしても、スタッフにしても、Jクラブの人たちはヒリヒリした感覚で毎日を生きている。Jリーグも現場や選手に恥じない、プロの組織にしなければという使命感がありましたね。そして——」

少し間を置いてから、口角を上げて米田はこう続けた。

「最後は、愛が上回りましたね」

かくしてここに、第1次「チームMURAI」が完成する。

元日本代表でJクラブ監督、そしてJFAでは技術委員長と専務理事を歴任した、副理事長の原博実。ゴールドマン・サックスの元執行役員で、ファジアーノ岡山を地域に根差したJクラブに育て上げた、専務理事の木村正明。そして公認会計士にして、数々の組織開発や社会貢献プロジェクトを手掛けてきた、常勤理事の米田惠美。

いずれも、チェアマンが「この人」と見込んで集めた、各分野のプロフェッショナルばかり。

「これで3期目も行ける」——。そう、村井は確信していたという。

そんな中、入れ替わりでJFAハウスを去ることになった中西について、米田は密かに気にかけていた。もちろん、ハラスメントは許されるものではない。それでも、ある人から「あの事件がなければ、中西さんは米田さんのいいカウンターパートになっていたのでは？」と指摘されて、ハッとしたという。

「事業に関しての熱量や行動力、頭の回転の速さ。私も中西さんを『純粋にすごい人だな』と思っていました。もし残ってくれていたら、何か新しいことを始める時、私との役割分担ができたんだろうなって。でも結局は、サッカー界の外側から来た若造の私が負担することになって、それが改革を困難なものにしたとも思います」

かくいう米田も、それから2年でチームMURAIから離脱することとなる。

米田の退任と理事交代について、村井は「組織ミッション全体を統合する、極めて重要な役割を果たし」「ひとつの骨格ができ上がった」と、その理由を述べている。しかし、本当にそれだけが、理事交代の理由だったのだろうか。

確かに米田は、組織開発や中長期の事業計画などでは、存分に強みを発揮していた。だが当時のJリーグは、周囲から「進んでいる組織」のように目されながら、実際には競技出身者や社歴の長さが尊重される、まごうことなき男性社会でありタテ社会。米田の若さ、そして女性の会計士であることが必ずしも強みとはならず、むしろ改革の難易度を高めてしまう可能性があることは、当初から懸念されるところであった。

にもかかわらず、彼女を選んだチェアマンのサポートが十分だったとは言い難《がた》い。のみならず、そうした懸念を楽観視していた節さえ感じられた。結果、一部の管理職や年上の部下との間に「埋め難い溝を作ってしまった」ことを、のちに村井は認めている。

「当時は『34歳では社会経験が十分ではない』と思う者、あるいは『会計士に組織運営ができるのか？』と疑念を抱く者もいたと思います。そうした矛先が自分に向かう懸念と、日を追うごとに増大する負担がリスクになり得ることについては、米田さんも理解していました。加えて、出世したいと願う気持ち、下積みのキャリアを続ける気持ち、年下の上司を持つベテランの気持ち。さまざまな気持ちが渦巻《うずま》く、まさにそのど真ん中に、私は彼女を送り込んでしまいました」

そんな過酷な状況下でも「想定していた以上の成果を出してくれました」と米田を評価した上で、村井はこう続ける。

「大きな改革を進めていく場合、すべてに軋轢《あつれき》が存在することは想定済みではあったんです。それでも、私自身が彼女を守り切れなかったことに、この問題の本質があったと思っています。今にして思えば、ミスキャストというより、舞台回しの失敗でしたね。米田さんには、申し訳ないことをしました」

理事時代の米田は、常に膨大な仕事量を抱えており、睡眠時間も2～3時間しかなかったという。そして2年の任期から逆算して、中長期の事業についての設計、ドラフト、共有、修正を繰り返していた。そんな彼女の改革について「外からは見えにくいですが、重要なものばかりでした」と指摘するのは、直属の部下として接していた川崎である。

「まず、意思決定のプロセス。現場レベルの会議から理事会まで、意思決定に必要な条件や検討すべきことを明確化しました。それから社内の稟議《りんぎ》や決裁権の仕組みづくり、さらには法務や財務でのチェック機能の厳格化。いずれも健全な組織運営には必要なものばかりですが、それまで好き放題にやってきた人たちからすれば、米田さんの改革には抵抗感しかなかったでしょうね。それが、彼女への個人攻撃につながった部分も、間違いなくあったと思います」

社外フェロー時代を含めても、わずか3年でJリーグを離れた米田。彼女の理事退任が発表された時、私は「改革はこれからなのに？」と訝《いぶか》しく思ったものだ。しかし今回、当事者たちの話を聞いて、1期2年の任期が限界だったことを察するほかなかった。

Jリーグという組織には、さまざまな優秀な人材が交差する、強力な磁場がある。サッカー界のみならず、ビジネスやITや官庁や外資など、さまざまな領域で活躍した人間が集まり、今につながるシステムやメソッドを作っては、やがて去ってゆく。

米田もまた、限られた任期の中で、いくつかの重要なレガシーを遺している。とりわけ「個の力」だけに依存してきた組織から、属人化しない組織に生まれ変わる仕組みを構築したことは、もっと評価されていいだろう。

そしてもうひとつ、彼女は素晴らしい宝物をJリーグに遺してくれた。のちに「シャレン！」と呼ばれる、Jリーグの社会連携である。

03 Jリーグ百年構想とシャレン！の誕生（2018年）

「引退してから1年半になりますけど、ありがたいことに今もあちこちから声をかけていただいています。あっちの世界に18年いましたけど、なんだかんだ言って狭いじゃないですか。まずは外の世界を見てみたかったので、去年はいろんなことを経験させていただいて、今は指導者になるための時間が増えている感じです。毎日やることが違うし、わりと目の前のことを一生懸命やるタイプなので、朝起きたら『今日は何をする日だっけ？』という感じになりますね（苦笑）」

元日本代表で、川崎フロンターレのバンディエラとしても知られる、中村憲剛《けんご》。現役引退後の彼は、さまざまな肩書きを持っている。

川崎のFRO（フロンターレ・リレーション・オーガナイザー）、Jリーグ特任理事、JFAロールモデルコーチ、そして母校である中央大学サッカー部のテクニカル・アドバイザー。ほかにも日本代表の試合解説や、ビジネス系のイベントに登壇するなど、活躍の領域を着実に広げていた。現役時代のことを「あっちの世界」と表現しているところに、引退後の充実したキャリアの積み重ねを感じ取ることができる。

そんな中村憲剛が、デビューから引退まで一貫して過ごした川崎というクラブは、Jリーグの中でもホームタウン活動に熱心なことで有名。その活動エリアは川崎市のみならず、2011年の東日本大震災の被災地のひとつ、岩手県陸前高田市《りくぜんたかたし》も含まれている。

支援のきっかけとなったのは、クラブが2009年から制作を開始し、翌年から川崎市内の全小学6年生に無料配布されている「算数ドリル」だった。

震災直後、陸前高田の小学校から川崎市の教員を通じて「津波で教材が流されて困っている」という連絡が入り、選手のサイン入り算数ドリル700冊を現地まで自走して運んだ。クラブ関係者によれば、当時は震災から1カ月で交通インフラも寸断されていたため、現地に到着するまで車で10時間以上を要したという。

ここから川崎と陸前高田、両者の交流がスタートする。川崎の選手たちが現地で年1回のサッカー教室を開催する一方、陸前高田の子供たちを等々力競技場のホームゲームに招くなどして、両者の行き来はその後も続いた。

震災から5年後の7月、私は『高田スマイルフェス2016』を取材している。

選手たちがサイン会をしていた時、ふたりの男子高校生が、中村憲剛に「思い出の写真」へのサインを求めてきた。それは震災の年の9月、高田小学校を慰問に訪れた時に一緒に撮った3ショット写真。当時小学6年生だった彼らは、それから5年が経って、地元の大船渡《おおふなと》高校でサッカー部に所属していた。

再会を喜んだ中村憲剛は、サインをしただけでなく、少年たちとの5年ぶりの3ショット撮影にも快く対応。撮影の間、「支援を続けることって、こういうことだよね」と自分に言い聞かせるように語っていた。

震災発生当時、さまざまなJクラブの選手やサポーターが、被災地支援のためのサッカー教室やボランティア活動を展開していた。しかし、そうした活動を何年も続けるのは、決して容易なことではない。川崎というクラブは、ただ強いだけでなく、そうしたフットボール以外での地道な活動にも積極的で、その中心に中村憲剛は存在し続けたのである。

「当時36歳だった僕は、チーム最年長だったし、クラブ在籍も最長。つまり、フロンターレの中では誰よりも長く、地域貢献や社会貢献の活動を現役選手としてやってきたという自負がありました。そんな時に、当時チェアマンだった村井さんとの対談企画の話が舞い込んだんです」

現役Jリーガーが、チェアマンと対談することは、実は稀《まれ》なケースである。選手会長だった佐藤寿人《ひさと》をはじめ、その機会を得られるJリーガーは極めて限られていた。それだけに「この機会を逃したくない」という思いが、中村憲剛の中にはあったという。

「村井さんって、もともとビジネスの世界から来た人ですよね。そういうバックグラウンドを持った人に、それまで接する機会がなかったんです。それと、経営トップがどんなことを考えていて、たとえば『DAZNマネーをどう活用していくか』みたいな話も、選手としては気になります。もちろん、そうでない選手もいるかもしれないけれど、僕は村井さんがどういう人なのかも含めて、興味がありました」

この2016年のチェアマンとの対談が、のちにJリーグの社会連携（シャレン！）への布石となることを、当時の中村憲剛は知る由《よし》もなかった。

＊

ＦＩＦＡワールドカップ・ロシア大会が開催された２０１８年は、Ｊリーグ開幕から25周年という節目の年でもあった。それはすなわち、Ｊリーグ百年構想の４分の１が経過したことを意味していたのである。

20周年（２０１３年）や30周年（２０２３年）のような、純然たる祝祭ムードとは異なり、２０１８年の25周年をＪリーグは「百年構想の第１クオーター」と捉えていた。

企業の多くは、４半期（３カ月）ごとに目標設定を定めている。Ｊリーグの場合、１００年を４半期に分けているので、最初のクオーターを迎えるのが、開幕から25年後の２０１８年。１９９３年の開幕以来、Ｊリーグが当初の理念に従って運営されているかどうかを検証し、次のクオーターに向かって何を目指していくのかを表明する——。

その意味でＪリーグ25周年は、極めて重要な位置付けとなっていたわけだが、ここでひとつの疑問が浮上する。

そもそも、なぜＪリーグは「百年」というロングスパンを設定したのだろうか？

サッカーファンや関係者の間では、もはや自明となっている「Ｊリーグ百年構想」。ただし、それが生まれた経緯について、正確に把握している人は意外と多くはない。Ｊリーグ百年構想について、よくある誤解を３つ挙げておこう。

・Ｊリーグ百年構想は、１９９３年に制定された

・Ｊリーグ百年構想は、２０９３年までの時限プロジェクトである

・Jリーグ百年構想は、博報堂のアイデアであった

いずれも、不正解である。

まず、Jリーグが百年構想を打ち出したのは、開幕から3年後の1996年。この頃、すでに入場者数とメディア露出の落ち込みが顕在化しており、Jリーグは最初の危機を迎えつつあった。そんな中、当時のチェアマンである川淵三郎《かわぶちさぶろう》は、初めての企業広告を打つことを決断する。

実は川淵は、開幕時の爆発的な盛り上がりに戸惑いながらも「われわれの目指すものは、もっと先にある」という想いを、ずっと抱いてきた。その想いを具現化したのが「百年構想」。ここでいう百年とは、2093年までではなく「もっと先にある」というのが、当初の意味するところであった。

では、この百年構想というキャッチコピーを考案したのは誰か。実は博報堂ではなく、電通クリエイティブ局の仕事であった。

オールドファンには周知のとおり、Jリーグの黎明《れいめい》期を支えてきた広告代理店は、電通ではなく博報堂である。業界最大手である電通は、トヨタカップやキリンカップといったイベントには積極的に関わっていたものの、当初は「国内リーグのプロ化」に対し、懐疑的なスタンスを採っていた。その間隙《かんげき》を突くように、2番手の博報堂はJリーグのスタートアップに深く関与。スポンサー営業からメディアプロモーションに至る、ほぼすべての案件を独占してきた。両者の親密な関係は、Jリーグがパートナーを博報堂から電通に切り替える、2013年まで続く。

ところが1995年、Jリーグ初の企業広告に、電通にも参入のチャンスが訪れる。電通クリ

エイティブ局のアートディレクターとして、百年構想のプレゼンに関わっていた木村史紅《しこう》が、当時の事情を説明してくれた。

「この時は、コンペ形式だったんですよ。それで（1995年の）12月、クリエイティブ局に案件が降りてきました。私はオリエンには参加していませんでしたが、そこで伝えられたのは『これはサッカーのプロモーションではない』ということ。サッカーを盛り上げるのは各クラブの仕事ですが、Jリーグとして『どこに向かっていくのかということを発信していきたい』というお話だったと記憶しています」

このコンペに臨むにあたり、電通は国内外の広告賞を多数受賞している、角田誠《つのだまこと》をメインのコピーライターに指名。JR東海エクスプレスシリーズなどの仕事で知られる、押しも押されもせぬエース級を起用してきたところに「是が非でもJリーグの仕事を獲る！」という電通の意気込みが感じられる。

もっとも角田は、プレゼンを含む重要な場面では表に出てくるものの、若手にも積極的にチャンスを与えている。そこで挙手したのが、社内でもサッカー好きで知られる、アートディレクターの木村とコピーライターの杉谷有二《すぎたにゆうじ》。木村は入社5年目、杉谷は4年目の若手であった。

電通が提出したキャッチコピーは、AとBの2案。すなわち、A案が「百年構想」、そしてB案が「あなたの町にも、Jリーグはある。」であった。考案した杉谷が解説する。

「A案ですが、念頭にあったのは『われわれの目指すものは、もっと先にある』という川淵さんの考え方ですね。そこから『百年先にある』となって、最後はシンプルに『百年構想』となりました。B案のほうは、『Jリーグは単なるスポーツ興行ではなく、実は地元を活性化していく活動でもある』というメッセージをコピーに込めることにしました」

このキャッチコピーに合わせるビジュアルとして、アートディレクターの木村がストックフォトの中から選んだのが、何でもない住宅街を俯瞰したような写真。あえてサッカー的ではない風景を提示することで、Jリーグが身近にあるという普遍性を狙ったという。その上で木村は、こんな裏話を教えてくれた。

「実はこれ、東大阪の住宅街の写真なんです。審査の時、東大阪だとわかった方がいらして、強く推してくれたそうです。ちょうど阪神・淡路大震災の1年後、というタイミングも影響していたかもしれないですね」

コンペの審査は、1996年1月19日の広報委員会に諮《はか》られることとなった。その結果、電通のA案とB案の両方が採用され、B案のコピーとビジュアルをメインとしつつ、A案は「Jリーグ百年構想」として小さく添えられることになった。

かくして3月16日のJリーグ開幕に合わせて、電通が手がけたキャンペーンが、新聞や雑誌などに次々と掲載される。ただしメインのキャッチコピーは「あなたの町にも、Jリーグはある。」であり、「百年構想」はひっそり添えられる脇役でしかなかった。

その後、B案は1年間限定で終了。以後は「Jリーグ百年構想」に、角田が新たに考案した「スポーツで、もっと、幸せな国へ。」が加えられたコピーが定着する。そしてそれは、世紀を超えて今に受け継がれているのである。

「僕は当初から『百年かけても（やり遂げる）』と言っていたからね。電通がそれを聞いていたのかは知らないけれど（笑）」

Jリーグ百年構想というコピーについて、川淵はこのようなコメントを残している。自身の思いが言語化されたことに、一定以上の満足感があったようだ。

初代チェアマンが抱いてきた理念を、プロのクリエイターたちが見事に具現化して生まれた百年構想。それはJリーグの関係者やファンのみならず、サポートする企業や自治体の間でも広く共有され、キャンペーンから30年近くが経過してもなお、古びることなく受け継がれている。

百年構想は、単にキャッチコピーとしての完成度が高いだけではなく、時代の変化に左右されない強度をも、併せ持っていた。

*

「ツンさん、5月14日って空いてる？」

角田《つのだ》寛和《ひろかず》が、Jリーグ副理事長の原博実《はらひろみ》から電話を受け取ったのは、2018年のゴールデンウィークを間近に控えた、4月下旬のことであった。

「ちょんまげ隊長ツン」の通り名で知られる角田は、仲間内では親しみを込めて「ツンさん」と呼ばれている（前出のコピーライター、角田誠と同姓だが血縁関係はない）。

そんな彼が、原から誘いを受けたのが、5月14日に開催されるJリーグ25周年記念のワークショップ「未来共創　Jリーグをつかおう！」（以下「Jリーグをつかおう！」）。ふたつ返事で角田は参加を表明した。

千葉県松戸《まつど》市で靴店を生業としている角田には、ほかにふたつの顔があった。

まず、日本代表サポーターとしての「ツンさん」。国内での親善試合から4年に一度のワールドカップに至るまで、日本代表のゴール裏の中心には、必ずといっていいほど、熱量満載で応援する角田の姿があった。その姿はよくTVカメラに抜かれるので、ちょんまげカツラに甲冑《かっちゅう》姿の出で立ちは、日本代表の風物詩となっている。

もうひとつは、被災地支援ボランティアとしての「ツンさん」。ちょんまげ隊の隊長として、角田は2011年の東日本大震災で被災した、東北地方への支援活動を継続的に行っている。角田の活動が特徴的なのは、あえて法人という形を採らず、サポーター仲間のコネクションをフル活用していることだ。プロジェクトごとに「この指止まれ」で参加者を募《つの》り、ミッションが終われば後腐れなく解散。ある意味、海外アウェイでの応援に近い。

こうした活動を続けている角田に対し、原はJFA（日本サッカー協会）の要職にあった頃から注目し、深い共感を抱いていた。そんな経緯もあって、原は角田を「Jリーグをつかおう！」に招待したようだ。もっとも、当の角田は「Jリーグ25周年」のほうに激しく反応していた。

「原さんから直々《じきじき》に呼んでいただけたので『ああ、僕も少しは認められたんだなあ』と。しかも『Jリーグ25周年』ですから、キラキラしたイベントを想像しながら会場に向かったんですよ。そうしたら、300人くらいの出席者がいたんですけど、顔が広い僕でも知らない人ばかり。しかも、シャンパンとか洒落たオードブルとかじゃなく、おにぎりと水とコーヒーでもって、4時間ずっとワークショップ。いやあ、予想外でした（笑）」

Jリーグによる25周年の記念イベントは、角田が想像するものとは180度、異なるものであった。そんな彼をさらに驚かせたのが、イベントのオープニング映像の中に、自身が企画・製作で関わったドキュメンタリー映画『MARCH』のシーンが使用されていたことだ。

映画の舞台は、東日本大震災による原発事故で住民避難を強いられた、福島県南相馬《みなみそうま》市である。地元の小中学生で構成されたマーチングバンド、Seeds＋(シーズプラス)の存在を知った角田は、親交のあった愛媛FCのホームゲームに子供たちを招待。試合の前座として、Seeds＋の演奏の場を設けている。

その時、角田がスマートフォンで撮影した映像が発端となり、スポーツドキュメンタリーで実績のある中村和彦を監督に迎えてクランクイン。南相馬の子供たちと愛媛FCとの交流を描いた作品は、2016年に完成して『MARCH』と命名された。作品名の由来は、マーチングバンドと震災があった3月のダブルミーニングである。

映画『MARCH』は、全国のさまざまな場所でチャリティ上映会が行われ、収益は全額、南相馬の子供たちに寄付された。作品そのものへの評価も高く、ロンドン国際映画祭で最優秀外国語ドキュメンタリー賞、ニース国際映画祭では外国語ドキュメンタリー最優秀監督賞を受賞。またJリーグも、2016年2月23日の理事会で、本作品への後援を決定している。

なぜ、Jリーグ25周年のイベントのオープニング映像に、この作品が引用されていたのか？それはJリーグが、角田のこれまでの活動をリスペクトした証でもあった。その種明かしは、のちほどイベントの企画者に語ってもらうことにしよう。

「われわれJリーグ、54のJクラブの皆さん、そして日本を良くしていきたいと考えている皆さんの力が結集できれば、大きなパワーを持つのではないか。Jリーグを使って、どんなことができるのか。今日は皆さんと一緒に考えたいと思います」

「Jリーグをつかおう!」の冒頭、このように挨拶したのは、チェアマンの村井満である。七分丈の白いシャツとジーンズという、記念イベントには少し似つかわしくないラフな装い。会場にいた他のJリーグのスタッフも、村井に倣《なら》った服装である。

「周年記念行事といえば、スーツ姿のおじさま方が、ずらりと雛壇《ひなだん》に並ぶイメージですよね?そういった固定観念を壊すことがひとつ。それと四半世紀を経て、多少高くなってしまった感のある、Jリーグの垣根を低くしたいという思いもありました。そのためにも、まずは服装にこだわりましたね」

そう語るのは、常勤理事の米田惠美《よねだえみ》である。村井以下、Jリーグ関係者全員に白シャツとジーンズの着用を求めたのも、実は彼女。このワークショップ開催では、米田がフレームワーク作りから関わり、ディレクションと当日の進行も務めていた。

1993年に10クラブでスタートしたJリーグは、それから四半世紀後に54クラブに増加。それぞれのクラブは、Jリーグの理念である地域貢献のために、さまざまなホームタウン活動を行っている。Jリーグによる2017年のホームタウン活動調査によれば、54クラブのホームタウン活動の総計は1万7832回。1クラブ平均で330回だから、年間ほぼ毎日活動している計算になる。

「ところが、こうしたホームタウン活動が、あまり知られていないという現状があります」

ここで問題提起したのが、村井に続いて登壇した米田であった。

これだけJクラブが地域貢献をしているのに、世の中には知られていないという現実。Jリーグ内部では「これからは回数よりも質を重視すべきではないか」という意見もあったという。とはいえ、クラブのメインの仕事はあくまでフットボール。ましてや地方クラブともなれば、当然ながらリソースも限られる。

「これ以上、クラブに負担をかけられない。それならJリーグを、地域社会のためのプラットフォームにできないだろうか？」

それが、25周年を迎えたJリーグが出した結論であった。

たとえば、地域社会のためのプロジェクト立ち上げや人集めを行い、資金が足りなければクラウドファンディングを実施する。あるいは、プロジェクトの意義や成果について現役選手やOBを活用しながら発信し、さらにはプロジェクトが属人化しないための仕組み作りや成果測定も行う。いずれもJリーグであればこそ可能になることばかりだ。

このアイデアを具現化すべく、25周年のタイミングでワークショップとして開催されたのが「Jリーグをつかおう!」であった。

会場には54の丸テーブルが置かれ、それぞれに54クラブの社長や関係者、そして、角田のように招待された総勢300人あまりのゲストが座っていた。

ゲストの職業はさまざま。学生もいれば、医師もいれば、NPO団体の主宰者もいる。そのほとんどが、サッカー業界の外側の人々。米田によれば「さまざまなオピニオンリーダーや、これまでJクラブを活用してきた人、逆に普段サッカーには関心がない人にも声をかけた」とのこと。各テーブルでは、Jリーグをいかに活用して社会貢献をしていくか、4時間にわたってアイデア出しやディスカッションが行われた。

「今回、さまざまな職業の方々をお招きしたのは、Jリーグがより外に向けて開かれて社会性を帯びていき、より多くの人たちと手を携えながら未来を共創していくためでした。サッカーに無関心だった人に対して、Jリーグの理念や関わり方を知ってもらうということ。それこそが重要だったんです」

そう語る米田に、この「Jリーグをつかおう!」の由来についても聞いてみた。なんと、発案者は村井だったという。

「いろいろディスカッションしていく中で、村井さんが自身のイメージとして言語化したのが『Jリーグをつかおう!』でした。結果的に、村井さんのその言葉が、コンセプトの中核になっていったんですよね」

この「Jリーグをつかおう!」には、3人の大物ゲストが招かれている。いずれも、25周年を寿《ことほ》ぐ場にふさわしく、かつ今回のテーマにマッチした人選であった。

まず、ジーコ。元ブラジル代表にして元日本代表監督、Jリーグ黎明期の象徴的な存在でもある。が、彼が招かれた理由はそれだけでなかった。村井が語る。

「去年（2017年）の年末、ジーコに誘われて単身、リオデジャネイロで行われるチャリティマッチを視察したんです。サッカーが持っている、公共的な意味や社会的な価値を、本場ブラジルに行って肌で感じたい。それが目的でした。滞在期間は1日半。極めて限られたものでしたが、とても良いものを見せてもらいました」

2004年から毎年、欠かすことなく続けられてきたジーコのチャリティマッチは、回を重ねるごとに規模が拡大。ついにはワールドカップ決勝の舞台となった、マラカナン・スタジアムでも開催されるようになっていた。

このチャリティマッチがユニークなのは、賛同者がそれぞれ1キログラムの食料を持ち寄り、地域の困っている家庭に分配する形で始まったことだ。そして主催者である64歳のジーコは、自らユニフォームを着て90分間プレーし、試合後には丁寧なファンサービスとメディア対応まで行っている。そうした真摯《しんし》な姿を見て、村井は大いに感銘を受けることとなった。

「あのジーコが、そこまでやっていることは、もちろん素晴らしい。だけど、それだけではないんです。市民が自分たちで食材を持ってジーコのもとに集まり、街を良くしていきたいという感覚があったからこそ、実現できたことだと思いました。だったら、われわれもJリーグを使ってもらって、何かができるんじゃないか？　そう考えました」

続いての大物ゲストは、現役Jリーガー。川崎フロンターレの中村憲剛である。

「ぜひ都合をつけて来てほしいという、村井さんからのメッセージをクラブを通じて受け取りま

初代チェアマンと鹿島のレジェンドが再会（2018年5月14日/著者撮影）

した。『なぜ自分？』って、その時は思いましたね」

わけもわからず会場に入った中村憲剛。一緒に登壇した村井から「これがアンサーだから」と耳打ちされてハッとする。

前述したとおり、中村憲剛は2年前の2016年8月3日、村井と対談している。この時に彼は、初対面のチェアマンに、こんな提案をしていた。

「Jクラブが個別に取り組んでいる、地域貢献や社会貢献の活動について、もっとJリーグと一緒になって取り組むことはできないでしょうか？」

さらには、川崎というクラブを代表して「Jリーグ自体の努力がちょっと甘い」とまで言い切った。この言葉に村井は、核心を突かれたような衝撃を受ける。

Jリーグ規約の第24条第2項に**《Jクラブは**

ホームタウンにおいて、地域社会と一体となったクラブ作り（社会貢献活動を含む）を行い、サッカーをはじめとするスポーツの普及および振興に努めなければならない。》とある。

しかし、中村憲剛と対談した当時、まだ村井には社会貢献活動の軸が定まっておらず、何となく「Jリーグにできることにも限度があるのではないか」と考えていたという。そんな矢先、中村憲剛から強烈なパンチを受けることとなる。

それから2年をかけて、Jリーグ内で熟慮と検討を重ね、ついに「社会連携」という結論に行き着く。この間、ジーコのチャリティマッチという、重要なヒントもあった。また、組織開発と社会貢献を知悉《ちしつ》した、米田によるフレームワークも欠かせなかった。しかしながら、村井の傾聴力と実行力がなければ、現役Jリーガーの勇気ある提言からは、何も生まれなかっただろう。

それは当の中村憲剛が、最も強く感じるところでもあった。

「村井さんの懐の深さ、そして器の大きさですよね。『Jリーグ自体の努力がちょっと甘い』なんて選手に言われたら、普通ならムッとしますよ。でも村井さんは、僕の言葉にしっかり耳を傾けて、それがJリーグに必要だと判断したからこそ、2年かけて動いてくれたんでしょうね。本当にすごい人だなって思いました」

一方の村井は「憲剛が言ったから、というのがありましたね」と振り返る。

「確かに25周年というタイミングもあったし、米田さんも社会連携の構想を持っていたけれど、私に対してトリガーを引いたのは間違いなく彼。憲剛の言葉には、空虚な観念論ではなく、自らの行動に根差した説得力が感じられました。だからこそ、こちらも具体的なもので返すしかない。

それもあって、2年近くかかってしまいました」

3人目の大物ゲストは、川淵三郎。25周年のイベントゆえに、初代チェアマンを招くことは当初からの必須事項だった。

問題は、長い拘束時間に難色を示す可能性があったこと。そこで米田は、社会連携本部長だった藤村昇司《しょうじ》と共に、川淵がJFAハウスを訪れるタイミングで説明を試みる。川淵との対面は、この時が初めてだった。

「ご挨拶したら、理事に見えなかったのか『Jリーグの新人さん?』って(笑)。川淵さんには、来賓挨拶もない変わったイベントであること、ワークショップ形式で4時間かかること、サッカー関係者以外の方々も同席することをお伝えしました。幸い、終始ご機嫌で『いいよ』とご快諾いただきました」

とはいえ川淵は、この時すでに81歳。体調によっては、途中退出や休息などの対応がとれるよう、専属のスタッフを配置していた。米田自身、気が気でなかったようで、折を見ては川淵の様子を遠目で観察していたという。

開始から2時間半が経過した頃、川淵がスマートフォンを操作している姿が目に入った時には、米田は心配になってインカムでスタッフに連絡。会場の熱気をツイートしていたことがわかると、密かに安堵《あんど》した。

《素晴らしい企画。僕なんか思いもつかない。》

これが、その時の川淵のツイート。その後の囲み取材でも「あっという間の4時間。それだけ中身の濃い話をしてもらった。本当に有意義な会だったね」と、いたく感動した様子だった。

ワークショップの終盤、チェアマンの村井に促されて登壇した川淵は、不意に感極まった表情を浮かべると、嗚咽《おえつ》を抑えるような声で語った。

「25年前は、Jリーグが社会貢献できるなんて……想像もしなかった」

涙を浮かべる川淵の姿に、会場が大きな拍手で包まれる。Jリーグを立ち上げた当事者としては、まさに感無量だったことだろう。

そんな中、静かに貰《もら》い泣きしていたのが、川淵に新人と間違われた米田であった。

「川淵さんが涙した姿が、この『Jリーグをつかおう!』の答え合わせでした。ホッとしたら、思わず涙が止まらなくなったことを覚えています」

村井をして中村憲剛を評した「自らの行動に根差した説得力」。その言葉にふさわしい人物が、もうひとり、イベントに参加していた。ちょんまげ隊長の角田である。

なぜ、彼が深く関与した映画『MARCH』が、イベントのオープニング映像に組み込まれていたのか。その理由について、米田はこう語っている。

「新参者だった私に、Jリーグにまつわる素敵な活動をクリッピングしてくれたのが、社会連携本部の藤村さんでした。その中に、映画『MARCH』も含まれていたんです。ツンさんのこれまでの活動を知ったのも、この映画がきっかけでした」

米田によれば、Jリーグの社会連携のイメージを伝える上で、この作品は「とてもありがたい存在」だったという。その上で彼女は、ちょんまげ隊の活動こそがシャレン！を先取りしたものであり、スポーツの価値を具現化したものだったと力説する。

「というのも、シャレン！そのものは、Jリーグの理念やそれにまつわる素敵な風景の数々を、連携に重点を置きながら戦略的に表現したものに過ぎないんですよね。実体を伴った、現場での活動があってこそのシャレン！なんです。その意味でも、ツンさんには本当に感謝しています」

これに対して、角田は「ちょんまげ隊の活動がシャレン！を先取りしていた部分は、確かにあったかもしれませんが」としながら、こう続ける。

「でも、やっぱり規模感という意味では、Jリーグにはかないませんよ。最近は企業のSDGsが盛んですが、Jリーグはビジネスではない部分でやっているのが、僕には嬉しかった。それとシャレン！アウォーズを作って、きちんと表彰しているのも素晴らしいと思っています。絶対、モチベーションアップにつながりますから」

Jリーグ25周年イベントとして企画された、この「Jリーグをつかおう！」。それは3つの点で、重要な意義があったと考える。

まず、単なる周年記念イベントとして内輪で盛り上がるのではなく、Jリーグが「社会連携」という方向性を打ち出し、第2クオーターに向けて新たなスタートを切ったこと。

次に、この「Jリーグをつかおう！」からシャレン！が誕生し、結果としてJリーグに新たな価値を付与することとなったこと。

そして、25年前にJリーグを開幕させた川淵のイメージに、齟齬《そご》がないかを確認する機会となったこと。村井は語る。

「川淵さんの百年構想のイメージって、若き日に西ドイツで見たスポーツ・シューレの光景（P346に詳述）が、まずあったと思うんです。それに対して、われわれが試みたのは『普段はサッカーと接点のない一般市民が、Jリーグを使ったらどんなことができるのか』というものでした。それが川淵さんの世界観と、どれだけ一致しているのか。正直、やってみないとわからない部分もありました。その答えは、川淵さんの涙にありましたよね」

先に述べたとおり、Jリーグ百年構想は2093年までの時限プロジェクトではない。それでも、Jリーグの存在意義を「百年」というロングスパンで定義し、クオーターごとで見直すという仕組みそのものは、大いに納得感のあるものであった。

かくしてJリーグは、百年構想の第1クオーターが理念と合致していたことを確認して、2043年の第2クオーターを目指すこととなる。

2018年シーズン終了後の12月12日、この年を表す漢字に「災」が選ばれたことが、世間の話題となった。

実際、この年は例年以上に自然災害が多発している。Jリーグの公式戦に影響を与えたものを列挙すると、以下のとおり。

大阪府北部地震（6月18日）、平成30年7月豪雨災害（6月28日〜7月8日）、台風12号（7月24日

〜8月3日)、台風24号(9月21日〜10月1日)。

これらの影響により、この年のJリーグは公式戦18試合が中止(延期)となっている。この数字は、2011年の東日本大震災を除けば、当時として最多。また、Jリーグに直接影響はなかったものの、9月6日には北海道胆振《いぶり》東部地震が発生し、翌日に札幌ドームで予定されていたキリンチャレンジカップ(日本対チリ)も中止となっている。

Jリーグでは、2011年の東日本大震災を受けて「チカラをひとつに。TEAM AS ONE」というスローガンのもと、Jリーグに所属する全クラブが義援金募金や復興支援活動を行っている。Jリーグの公式サイトによれば、その対象となるのは**《内閣府によって激甚災害指定を受けるもしくは受けることが想定され、当該地域の人々およびJクラブに甚大な被害をもたらし、支援が必要とチェアマンが判断した災害》**とされている。

東日本大震災を含めて、これまでに6つの災害が対象となっており、そのうち5つは村井のチェアマン在任時に発生したものだった。村井政権の8年間は、まさに「自然災害」への対応の連続。さまざまな天候の影響を受けやすい、屋外競技の宿命を受け入れつつも、チェアマン時代の苦労話には実感がこもる。

「多少の雨なら試合はできますが、豪雨や台風、竜巻や豪雪、もちろん大地震なんかが起こると中止にせざるを得ません。そうした自然環境の変化に、われわれは年間を通して向き合ってきました。特に台風や大雨が多い夏場は、本当に気が抜けなかったですね」

単に「台風シーズンだから」という話ではなく、この頻度の多さはむしろ「気候変動の影響」

と考えるべきだろう。そんな中、Ｊリーグの「ＴＥＡＭ ＡＳ ＯＮＥ」のみならず、被災地にささやかな勇気を与えてきたのが、他クラブのファン・サポーターであった。

もともと彼ら彼女らは、ホーム＆アウェイでさまざまな土地のファン・サポーターと交流があった。遠征先で訪れたスタジアムや現地で出会った対戦相手に対して、彼ら彼女らは勝敗を超えたシンパシーを感じていたのである。

災害に見舞われた地域のクラブに対して、励ましの横断幕が掲出される伝統は、以前よりＪリーグには存在していた。そして２０１１年以降は、ファン・サポーター有志による被災地支援活動も定着している。

２０１８年の「Ｊリーグをつかおう！」から誕生したシャレン！は、Ｊリーグのスケールメリットを存分に活かした、世界に誇るべきシステムである。

しかし一方で、互いを励まし助け合う、災害列島ゆえのカルチャーが、もともとＪリーグに備わっていたという事実も見逃せない。

それもまた、Ｊリーグならではの価値のひとつと言えよう。

04 パワハラ問題とイレブンミリオンと鳥の会（2019年）

「2019年は、チェアマン就任から進めてきた改革のひとつひとつが、形になっていった年でした。一番わかりやすいのが、デジタル技術を駆使したto C戦略（後述）でしょう。3カ年計画で、デジタルプラットフォーム戦略をスタートさせたのが2016年。最終年の2018年には、JリーグIDによって（チケット購入者を）パーソナライズしていくことも計画の中には入っていました。その具体的な成果が出てきたのが2019年で、翌20年にはバラ色の未来を思い描いていたんですが（苦笑）」

前Jリーグチェアマン、村井満へのインタビューは、2022年4月23日から月1回のペースで実施された。

オンラインで行うこともあったが、基本的には対面でのインタビュー。場所は、さいたま市内にある、村井の自宅である。

最寄駅を降りてから、浦和レッズのバナーフラッグが並ぶ商店街を抜け、小道に入ってすぐの一軒家。二世帯住宅になっていて、時おり孫娘の微笑《ほほえ》ましい声が聞こえてくる。取材場所として、村井が提供してくれたのが1階に作られたバー。玄関とは別の入り口があり、まさに隠れ家といった雰囲気である。

さまざまな形のボトルを背にした厨房に村井、そしてカウンターを挟んで私と編集者。バーの客とマスターのように対峙《たいじ》しながら、私の質問に村井が答えてゆく。そんなスタイルが、すっかり定着していた。

その日のインタビューのテーマは、チェアマン3期目の締めくくりとなる2019年について。当初、2期4年での退任を思い描いていた村井だったが、さまざまな事情によって、さらに2年の任期延長となった。

平成から令和へ、元号が変わった2019年。それは村井自身が語るとおり、チェアマン就任以来のさまざまな改革が、実りの季節を迎えていた年でもあった。

「実りの季節」とは、どういう意味か？　それは2014年のチェアマン就任時、当時の理事たちと策定した「5つの重要戦略」の答え合わせをすれば、自ずと見えてくる。

あらためてその戦略を列挙することにしよう。

①**「魅力的なフットボール」**
②**「スタジアム整備」**
③**「デジタル技術の活用」**
④**「国際戦略」**
⑤**「経営人材の育成」**

これら重要戦略は、Jリーグの関与の度合いという意味において、明確なグラデーションがある。クラブ側に主体性が求められる順に並べると①②④⑤③となろう。

①の「魅力的なフットボール」は、いくらJリーグが旗振りをしたところで、クラブ側にその意思がなければ実現しない。逆に③の「デジタル技術の活用」は、クラブ単独よりもリーグ主体で進めたほうが効率的だ。ここでは、各クラブの関与が大きかった、①②④の「その後」から見ていくことにしたい。

まず①の「魅力的なフットボール」。

何をもって「魅力的」とするか、定量的に判断するのは難しい。けれども2017年以降の優勝クラブを見れば、攻撃的なスタイルが結果につながり、ファンを増やしていったという点では共通している。川崎フロンターレしかり、横浜F・マリノスしかり。

川崎とF・マリノスは、そのプロセスと考え方には違いがあるものの、共に攻撃的なスタイルを明確にしたことで「魅力的なフットボール」を実現させただけでなく、2017年から22年にかけてJ1でのリーグ優勝を独占し続けている。

加えていえば、1シーズン制に戻したことで、通年でリーグ戦を楽しめるようになったことも大きい。レギュレーションの変更を含めて、われわれファンは「魅力的なフットボール」を享受できるようになり、それがこの年の入場者数最多記録につながっていった。

次に②の「スタジアム整備」。

こちらも各クラブに委ねられるものであるが、Jリーグの指針として2014年に明文化されたことで、全国に球技専用スタジアムが続々と作られていき、それが平均入場者数の増加を後押しすることとなる。

村井のチェアマン就任以降、新設あるいは改修された専用スタジアムは以下のとおり（名称はネーミングライツ以前のもの）。市立吹田《すいた》サッカースタジアム（いずれも２０１５年）、八戸《はちのへ》市多賀《たが》多目的運動場（16年）、北九州スタジアム（17年）、京都府立京都スタジアム（20年）、新富《しんとみ》テゲバサッカースタジアム、長居《ながい》球技場（いずれも21年）。今治里山《いまばりさとやま》スタジアム（23年）。

ガンバ大阪と京都サンガF.C.は、もともと観客席とピッチとの間にトラックがある、陸上競技場をホームスタジアムとしていた。そこから脱して、最新鋭の専用スタジアムに移転。その後は、平均入場者数を大きく上乗せすることに成功している。さらに２０２４年には、広島と金沢、長崎に新たな専用スタジアムが完成予定。重要戦略としての「スタジアム整備」は、まさに現在進行形となっている。

なお、Ｊリーグでは「理想のスタジアム」の条件を、アクセス、屋根、ホスピタリティ設備、フットボールスタジアムと定義。これらの条件を揃えた施設を作る機運が高まれば、スタジアムが完成していなくても、上位カテゴリーへの昇格を認めることを２０１８年に決定している。

そして④の「国際戦略」。

こちらについては、村井がチェアマンに就任する以前の２０１２年から「アジア戦略」がスタートしており、もともと助走期間があったものが一気に加速した。

２０１９年までにＪリーグがパートナーシップ協定を結んだのは、タイ、ベトナム、ミャンマー、カンボジア、シンガポール、インドネシア、イラン（18年に満了）、マレーシア、カタールの各リーグ。これらに加えて、オーストラリアのAリーグとは2016年に、そしてスペインのラ・リーガとは17年に、それぞれ戦略的連携協定を結んでいる。

ちなみにパートナーシップ協定とは、主にＡＳＥＡＮ（東南アジア諸国連合）諸国がメインで、相互のサッカーならびにリーグの発展に必要な情報の交換を図り、関係国の競技力向上や、アジアサッカーのレベルアップにつながる、さまざまな取り組みを行うことを目的としている。一方の戦略的連携協定は、アジアには限定せずに、セミナーやワークショップの実施、ＳＮＳやデジタル領域における知的共有や情報交換、さらには社会貢献活動や差別等排除キャンペーンといった、中長期的な戦略プランの構築を目指している。

これらと歩調を合わせるように、ＪクラブとＡＳＥＡＮ諸国のクラブとの間でも提携やグラスルーツ（草の根）活動での交流、あるいはスポンサー獲得などの動きが相次いだ。

北海道コンサドーレ札幌とセレッソ大阪は、前者がタイの国民的スター選手、チャナティップ・ソングラシンの獲得、後者がタイの飲料メーカー「シンハー」をユニフォームスポンサーにしたことで（親会社であるヤンマーの企業戦略によるところも大きかった）、どちらもＡＳＥＡＮ諸国に足がかりを得ることに成功した。

ピッチに目を向ければ、チャナティップ以外にも、ベトナムやインドネシアなどの国民的スター選手が、続々とＪクラブに加入。それまで、イングランドのプレミアリーグにしか関心がなかったＡＳＥＡＮの人々も、Ｊリーグに注目するようになり、新たな交流やビジネスチャンスが生まれることとなった。

「5つの重要戦略」のうち、①「魅力的なフットボール」②「スタジアム整備」④「国際戦略」については、すべてのクラブが従ったわけではない。が、その方向に舵を切ったクラブの現状を見れば、その判断に間違いがなかったのは明らかだ。もちろん、上手くいかなかった事例もあっただろう。それでも大局的に見れば、これらの重要戦略は、しっかりとJリーグの発展を見据えたものであったことに気づくはずだ。

ならば、③の「デジタル技術の活用」、そして⑤の「経営人材の育成」についてはどうか？

これらについては、当事者たちの証言を交えながら検証することにしたい。

まず、先に着手された⑤の「経営人材の育成」から。

村井の肝いりで2015年に開講したJHC（Jリーグヒューマンキャピタル。のちにSHC＝スポーツヒューマンキャピタルに改称）の1期生の中から、修了後にJクラブで活躍している人物に登場してもらおう。

ガイナーレ鳥取の経営企画本部長、高島祐亮《ゆうすけ》がJHCを受講したのは35歳の時。それまではIT系のベンチャー企業2社で50以上の事業開発に関わり、2社とも上場に大きく貢献するという、華々しい経歴の持ち主であった。

「ベンチャーの仕事が一段落したら、いずれスポーツの世界にチャレンジしてみようかなという気持ちはあったんです。むしろスポーツの世界で、どれだけ自分の価値を提示できるのか知りたかった。『Jリーグの仕事がしたい』というよりも、未知の分野でチャレンジしたいという感じでしたね」

1期生のメンバーは、経営者から大企業のエリート社員から元Jリーガーまで、実にさまざま。年齢も上は60代から下は20代まで。ただし性別に関しては、女性が圧倒的に少なく、43名中4名しかいなかった。

具体的な講義の内容は、どのようなものだったのか？

「今は変わっていると思いますが、1期生の場合だと5月から翌年の3月まで週に1回から2回、19時から22時まで講義がありました。新幹線で通っている人もいましたね。座学は、マーケティングとか会計とか戦略立案とか。グループワークでは、実際のJクラブの数字をもとに、3年後の戦略を立てるというものもありました」

JHCを修了後、1年3カ月をかけて前職の仕事を整理した高島は、晴れてJリーグの職員となるはずだった（ちなみにJHCやSHC出身者が、そのままJリーグに迎えられるのは、かなりのレアケース）。ところが「ある地方クラブから求人依頼があったのですが、興味ありますか？」と問われ、向かった先は鳥取。ガイナーレ鳥取を運営する、株式会社SC鳥取の「社長室・事業戦略特命部長」の肩書きが与えられたのは、2017年7月のことである。

人口最少県である鳥取で、しかもカテゴリーはJ3。そんな新天地で高島は、クラブ社長の塚野真樹《まさき》から「無茶振り」とも言えるミッションを託される。

「人口が少ない県のJクラブですから、スポンサー料や入場料や物販以外での収入も考えなければならない。そこで出てきたのが、芝生の事業化でした。鳥取には平らな砂地と豊富な地下水という、芝生生産に最適な条件が揃っています。加えてクラブも、芝生の生産管理ノウハウを持っていました。それで塚野から『芝生を使って何か事業ができない？』と提案されたので、面白そうですねと言ったら『じゃあ、やってみて』と（笑）」

高島にとって、ITを使った業務効率向上や集客アップであれば何ら問題はなかったが、さすがに芝生は専門外。それでも「ビジネスとしての拡張性と継続性があって、クラブのためになるんだったら、チャレンジしてみよう」と、高島はマインドを切り替える。

かくしてJクラブで初となる、芝生ビジネス「Shibafull(しばふる)」がスタート。事業は順調に発展していき、地元の保育園や自治体、さらには個人住宅での受注も増えていった。とはいえ高島は、クラブが潤うことだけを考えているわけではない。

「芝生事業が軌道に乗れば、農家の高齢化による耕作放棄地の活用といった、地域の課題解決にもつながっていきます。しかも人口の限られた鳥取で、百年続く経営の仕組みができれば、他の地域のクラブが言い訳できなくなりますよね。こんなにベンチャー感あふれるミッションって、なかなかないですよ（笑）」

高島の言葉は、JHCを立ち上げた村井の思いと見事に重なる。Jクラブは、サッカーという枠を超えて地域の共有財産となりつつある、というのが村井の認識。だからこそ、やりがいもあると語る。

「優秀な経営者にとって、Jクラブの経営は魅力が大きいと思うんですよ。ですから、経営者がその気になれば、医療や教育や少子高齢化など、地方が抱えるさまざまなアジェンダに関わることもできます」

もちろん、難易度が高いことは言うまでもない。「それでも」と村井は続ける。

「才覚ある経営者がサッカーを手段と捉え、リーダーシップを発揮すれば、地域に貢献できる。スポーツを通じて、今後の日本社会を明るくすることも可能になるんです」

④の「デジタル技術の活用」については、Jリーグの「to C戦略」から考える必要がある。to C戦略とはC、すなわちコンシューマー（消費者）に向けてJリーグへの関心度を高め、スタジアムの入場者数やDAZN《ダゾーン》の視聴者数を増やすことを目的とした戦略。陣頭指揮を執った、専務理事の木村正明に、その具体例を語ってもらった。

「スタジアム初観戦のお客様が10人いたとして、そのうち年2回来場するのは2人、3回は0・8人という調査結果が出ています。どんなに『楽しかった』と思っていただけても、3回目まで来ていただけるのは8％しかいない。それ以外の92％は、何かしら嫌な思いをして、スタジアムから足が遠のいてしまうんです」

なぜ、これほど具体的な数値が出てくるのか。それは、JリーグIDのおかげである。

JリーグIDとは、チケット購入やオンラインストアなど、これまでサービスごとにバラバラだったIDを統一したもので、2017年6月にリリースされた。個々のチケット購入者にJリーグIDが付与されることで、スタジアムを訪れた回数や観戦時に支払った金額や項目などを可視化。それらのデータから、打ち手を考えることが可能になる。

このCRM（カスタマー・リレーションシップ・マネジメント＝顧客管理）こそ「デジタル技術の活用」から生まれたもの。そしてJリーグIDを開発したのが、デジタルプラットフォーム戦略部部長の笹田賢吾《ささだけんご》である。

大手プロバイダーの事業本部長を前職とする笹田が、紙文化が濃厚に残る当時のJリーグの状況に直面して、逆に闘志を燃やしたのが2015年のこと。もっとも当人は「当時のデジタル戦略には、明確な要件定義がなされていなかったですね」と語る。

「私が入る前は『各クラブの公式サイトのデザインを統一する』という話から始まっていたんです。けれどもその後、私がJ1とJ2の全クラブを回って聴き取りをしてみると、皆さん必ずしも、それを望んでいるわけではない。デザインを統一するよりも、顧客データの活用に振り切ったほうが、プラスになるんじゃないかと考えたんです」

それが、JリーグIDという発想の原点となっていく。

ここで注目したいのが、笹田が自らJ1とJ2の40クラブに出向いて、各クラブのニーズを聴き取りながら、本当に必要なデジタル戦略の解像度を上げていったことだ。

「それぞれのクラブから話を聞いてみると、チケットとかEC（Eコマース＝電子商取引）とかファンクラブとか、けっこう困っていることがバラバラだったんですね。だったら、それらをまとめて共通のIDで利用してもらいつつ、一元管理したほうがきっと上手くいくだろうと。実は前職でも、顧客データを活用したCRMで絶大な効果を経験していたんです。ですから『いける』という確信はありましたね」

ＪリーグＩＤが運用されたことで、明らかになったのが、前述した「８％問題」。せっかくスタジアムまで足を運んでもらっても、多くの観戦初心者が離脱してしまうという課題は今も続いている。果たして、離脱する一番の理由は何か？

それは「トイレの数が少ない」とか「スタジアムの屋根がない」とかではなく、「近くにいた客の観戦態度が不快」という、いささか拍子抜けするものであった。

この８％の壁を越えれば、リピーター（＝ファン）となる可能性は一気に高まる。そのためには、顧客満足度の向上や次回への後押しだけでなく、不満の最小化も欠かせない。再び、専務理事の木村に語ってもらおう。

「そこでまず、クラブがやること、リーグがやること、そしてリーグとクラブが一緒にやることを整理しました。スタジアムでのホスピタリティ、これはクラブがやることですよね。ＪリーグＩＤを活用したリサーチは、もちろんリーグの役割です。そこで得られたデータを、どう活かしていくかというのは、リーグとクラブが一緒になって考えていく。そういった整理ができてからは、ｔｏ Ｃ戦略が上手く回り始めました」

村井が掲げた「デジタル技術の活用」は、笹田の努力によってＪリーグＩＤを生み出し、木村が主導するｔｏ Ｃ戦略へと発展していった。デジタルが導入されたことで、それまで「何となく」だった集客アップの打ち手が、より具体性を帯びてＪリーグの各部署に、そして全国の各クラブにも共有されてゆく。

ここで思い出されるのが、第３代チェアマンの鬼武健二《おにたけ》が２００７年にぶち上げた、Ｊリーグイレブンミリオンプロジェクト。Jリーグが主催するすべての公式試合で「年間1100万人の入場者数を達成する」という目標は掲げたものの、中央から各クラブをせっつくだけで、結果として目標の8割にも届かなかったことは先に述べたとおりだ。

しかし「デジタル技術の活用」によって、状況は一変。2010年に企画倒れとなった「イレブンミリオン」は、村井チェアマン時代の2019年に達成されることとなる。

＊

ここで、2019年の閑話休題めいたエピソードを紹介したい。4月16日、Jリーグの公式アカウントが、何ともシュールなツイートを投稿して、一部で話題となった。

《高円宮久子妃殿下《たかまどのみやひさこ》が名誉総裁を務められる「バードライフインターナショナル」と、鳥のモチーフを用いているJクラブマスコットで結成された「Jリーグ鳥の会」が共に環境に対してできる事がないかを協議するため、妃殿下が会鳥（長）のギランをはじめとする5クラブのマスコットとご対面されました。》

掲載された写真には、高円宮久子妃とチェアマンの村井が大きな長テーブルで向き合い、村井の両脇には5体のマスコットが座っている。手前から、ヴェルディ君（東京ヴェルディ）、マリノス君（横浜F・マリノス）、ギラン（ギラヴァンツ北九州）、ゼルビー（FC町田ゼルビア）、そしてガミティ（SC相模原《さがみはら》）。

久子妃と村井がJFAハウスで面会したのは、前日の4月15日のことであった。サッカーファンにはJFA（日本サッカー協会）の名誉総裁としてお馴染《なじ》みの久子妃だが、実はバードライフ・

インターナショナルの名誉総裁という顔も持つ。

バードライフ・インターナショナルは、1922年に英国で設立された、世界最古の国際環境NGO。世界120カ国にパートナー団体を持ち、会員は280万人にも達する。もともと鳥類の保全から始まった活動は、時代と共に広域化していき、今では「種の保全」「生息地の保全」「持続可能性の促進」そして「人々への働きかけ」という4つのビジョンを掲げている。

自身もバードウォッチングが趣味という久子妃に対し、村井は「鳥をマスコットにしたJクラブは多くて『Jリーグ鳥の会』というのもあるんです」と伝えている。最初は雑談のつもりだったのだろう。ところが久子妃が「ぜひ会ってみたい!」と前のめりに反応。そこから話は、思わぬ方向に進んでいく。

「金曜日の夜、いきなり村井さんから電話がかかってきたんです。『鳥の会の話を妃殿下にしたら、いたく関心を持たれたんだよ。来週月曜日の夕方、JFAハウスにお見えになるので、鳥のマスコットを集めておいてくれ。できれば5クラブくらい、会鳥はマストで』って。すごい無茶振りですよね(苦笑)。そこから必死で、あちこちのクラブに連絡しましたよ」

村井からの電話を受けた山下修作の当時の役職は、パートナー事業部部長兼国際部部長。Jリーグのアジア戦略で、主導的な役割を果たしてきたのも彼である。そんな山下に、なぜこのような無茶振り指令が直接、チェアマンから降りてくるのか?

その理由は、マスコットとの縁。FUJI XEROX SUPER CUP(現・FUJIFILM SUPER CUP)で、全国のクラブマスコットが大集合する企画を発案したのは、実は山下だった。結果として彼は、マスコットに関して各クラブに相談できる、貴重な人材となっていた。

もうひとつの理由として考えられるのが、山下が最初に就職したのがリクルートだったこと。しかも、北海道大学の学生だった彼を最終面接したのが、ほかならぬ村井だった。

「3日間で2回も面接があって、2回目の面接官が村井さん。当時、リクルートの人事担当役員でした。『君は川越出身か。私もそうだよ』とか『サッカーをやっていたんだね』とか。話したことと言えば、当時の日本代表監督フィリップ・トルシエと川越のことばかりでした」

札幌から何度も上京しているのに、面接では仕事に関する話題は一切なく、サッカーと地元のことばかりを話して「では、また」。たまらず山下は「内定を出すのか、落とすのか、今ここで決めてください！」と村井に詰め寄る。すると、その場で内定が出たそうだ。

Jリーグ鳥の会に話を戻す。

もともと鳥の会は、Jリーグ公認ではなく、ほとんどノリでスタートしたものである。北九州のギランが、2017年9月に**《Jリーグ鳥の会 作るぞ》《会鳥 おれ》**などとツイート。これに他クラブの鳥のマスコットが反応し、Jリーグファンの間でも認識されるようになっていった。

マスコットたちの勝手連で始まった鳥の会は、やがてチェアマンと久子妃を巻き込み、ついにはJリーグと一般社団法人バードライフ・インターナショナル東京による、協働活動宣言に結実する。その記者会見は、8月8日にJFAハウスで行われ、久子妃と村井と鳥の会のマスコットたちが出席。山下もマスコットの「お世話係」として参加している。

「ここにいる皆さんが、それぞれの地域で一生懸命、活動してくれていることは知っています。

その発信力を活かして『環境を守っていきましょう』と、これからもメッセージを送り続けてくださいね」

調印式を終えて、久子妃からの激励の言葉に「任せてください！」と、全身で表現するマスコットたち。現場で取材していた私は、カメラのシャッターを切りながら「よくできた座組だな」と感心していた。

私が感心した理由は3点。まず、バードライフ・インターナショナルが掲げる4つのビジョンが、2018年からスタートさせたシャレン！と親和性が高いこと。次に、名誉総裁の久子妃がサッカーファンの間でも知名度があること。

ここまでは、ロジカルでわかりやすい。私が注目したのが、主体がJリーグや久子妃ではなく、ギラン会鳥（長）をはじめとするマスコットたちであることだ。そこから得られるメリットは、いくつでも挙げることができる。

環境保全の大切さを伝えるツールとして、未来を担う子供たちに有効なのがマスコット。一般には堅苦しく感じられる活動が、親近感と共に幅広くアピールできるのもマスコット。当のマスコットにとっても、活動領域が試合会場だけでなく、社会連携にも広がってゆく。結果、マスコットを通して、クラブのイメージ向上にもつながる。

この座組を考えたのが、マスコットの特性を知悉《ちしつ》した、Jリーグ内部の人間であったことは、容易に想像がつく。それを悟らせない、細やかな配慮にも好感が持てた。そして、それを後押ししたチェアマンの柔軟さについても。

久子妃とJリーグ鳥の会による共同会見が実現（2019年8月8日/著者撮影）

この発想力、リクルートという出自ゆえなのであろうか？　同じくリクルート出身の山下に問うてみると、「それだけではないと思います」という答えが返ってきた。

「リクルートうんぬん以前に、村井さんのベースってサポーターなんですよ。チェアマンになってからも、常にサポーター目線。だからこそ２ステージ制についても、早期に終わらせる決断ができたんだと思います」

　その上で、山下はこう結論付けた。

「村井さんは、Ｊリーグで初めての『サポーター出身のチェアマン』だったんですよね」

　順風満帆に見えた２０１９年のＪリーグ。そんな中、暗い影を落としたのが、Ｊ１の湘南ベルマーレで明らかになった、当時の監督によるパワーハラスメント問題であった。

　パワハラの嫌疑がかけられたのは、２０１２

年に監督に就任して8年目の曺貴裁《チョウキジェ》。同クラブでは、最長政権を維持していた。のみならず、2014年と17年にはJ2を制して2回のJ1昇格を果たし、18年にはルヴァンカップで優勝。湘南に初のJリーグタイトルをもたらした。

しかし他方、選手やスタッフに対して、高圧的な態度や暴言を繰り返していた——。

このような通報が、JFA暴力等根絶相談窓口にもたらされたのが、7月2日のこと。そして8月12日、「スポーツ報知」の報道で、本件は一般にも知られることとなった。

これを受けて湘南は、翌13日に曺の指導自粛を発表。騒然とした空気に包まれる中、Jリーグからの依頼を受けた弁護士4人による、クラブ関係者へのヒアリング調査が行われる。Jリーグの制裁が決定したのは、訴えから3カ月後の10月4日のことであった。

以下「事実の認定」について、Jリーグのリリースから引用する。まず、曺に対して。

《曺氏は、選手に対してパワーハラスメントに該当する不適切又は問題となり得る言動が少なからずあり、選手が精神的な苦痛を感じたり、移籍をせざるを得なくなったりするなどの被害が複数生じた。》

そして、湘南に対して。

《曺氏に関し、Jクラブとして容認し難い（パワーハラスメント等に該当する又は該当し得る）言動があったことを認識し又は認識し得たにもかかわらず、積極的・能動的な事実関係の詳細把握や、同氏に対して改善を求めるなど、被害の発生・拡大防止や職場環境の改善に努めるべきであった。にもかかわらず、何ら積極的な行動に出ることなく、曺氏の言動を事実上容認し、

多くの関係者が理不尽な目に遭ったりする等の被害が生じ、社会的非難を受け得る状況を招いた。》

その上で、曺には譴責《けんせき》と公式戦5試合の出場資格停止。湘南には譴責と制裁金200万円が科されることとなった(なお曺の出場資格停止については、すでに自粛していた5試合が充てられた)。

これを受けて湘南は、10月8日に曺の退任を発表。さらにJFA(日本サッカー協会)は11月14日、曺のS級ライセンスを1年間停止処分とすることを決定した。

10月4日の制裁決定の会見で、村井はこのように述べている。

「彼のすべてが否定されているのではない。その点を留意しながら、指導者としての新たな領域を広げてくれればと思います。日本にとって、大事な指導者のひとりだと思っていますので、深く反省しつつ、前を向いてほしいと願っています」

パワハラという行為自体、決して許されるものではない。しかし、だからといって、ひとりの指導者の未来を閉ざしてはならない。

被害者には最大限の配慮をしながら、加害者から反省と再起のチャンスを奪わず、Jリーグ全体での再発防止に努めてゆく。それが村井を含めた、Jリーグの総意であった。

私自身、これまで何度か湘南に取材したことがあり、曺にもインタビューしている。よって本件に関しては、およそ他人事とは思えなかった。

公開された調査報告書を読んで、本件の論点はふたつあると感じた。すなわち「時代に合わなくなった価値観」と「被害者の視点」である。

まず「時代に合わなくなった価値観」。

曺は現役引退後、ドイツに渡ってケルン体育大学に留学。そこで得た指導理論を実践すべく、帰国後は2つのJクラブで育成やトップチームのコーチを経験し、2005年に湘南に迎えられる。S級ライセンスを取得したのは4年後の2009年、監督に就任したのはさらに3年後の12年。こうした指導歴を見る限り、ヨーロッパで最先端の理論を学び、着実にステップアップしてきたことが理解できる。

一方で報告書によれば、曺は**《選手は恥ずかしい思いをしないと成長しない》**と考え、さらに**《一旦挫折してどう這《は》い上がってこられるか》**を重視しており、そうした信念が厳しい指導となって現れたと見られる。

こうした価値観を是とし、曺の指導方法を擁護する意見は、SNS上でもたびたび見られた（その中には、スポーツ界でそれなりの地位にある人物も含まれていた）。そこに私は、現代のコンプライアンスから逸脱した、昭和的なスポーツ観の残滓《ざんし》を見る思いがする。

次に「被害者の視点」について。

この報告書を読んで私は、久々に自分の過去のトラウマと向き合うこととなった。実は私自身、かつて勤めていた映像制作会社で、パワハラを受けた経験があったからだ。

「お前は嘘つきだ」「（期待を）裏切るのか。これからの人生どうするよ」「お前なんかやめちまえ」――。これと同じようなことを、私は、当時の上司から執拗に言われ続けた。

報告書を読み終えて、奇妙に納得したことがあった。それは、パワハラが起こりやすい環境が、業界や業態を超えて類似していることだ。

パワハラする側には、組織内で強い発言力がある。それを下支えしているのが、「あの人は優秀だから」とか「結果を出しているから」といった実務面での評価。それがあるために、組織のトップは適切な改善策を施すことができず、何人もの部下が潰されても黙認してしまう。

そうした空気が、湘南というクラブにも、残念ながら「あった」と判断せざるを得ない。

指揮官としての曺は、湘南というクラブで、素晴らしい実績と結果を残した。しかしその陰では、プライドをズタズタにされたり、適切な処置を受けられずに負傷したり、あるいは心を病みそうになったりして、泣く泣くクラブを離れていった人たちがいたのである。

そして曺自身もまた、サッカー指導者として深い痛手を負ってしまった。

充実したキャリアを重ねてきたクラブに別れを告げ、1年間は指導現場に立ち入ることさえ許されない。もちろん、被害者のことを思えば、致し方のないことではある。その上で、一度は失敗した人間に対しても、再チャレンジ可能なサッカー界であってほしい。

幸い曺貴裁は、2021年に当時J2だった京都サンガF.C.で監督復帰。同クラブを1年でJ1昇格に導いている。

2019年のJ1は、タイトルの行方が最終節まで持ち越された。優勝の可能性を残していたのは、1位の横浜F・マリノスと2位のFC東京。勝ち点差は3だったが、得失点差はF・マリノスが7、上回っていた。

天王山が行われたのは12月7日、会場は日産スタジアムだった。この試合に3対0で勝利したF・マリノスは、15シーズンぶり4回目となる優勝が決定。仲川輝人《てるひと》とマルコス・ジュニオールが、共に15ゴールを挙げて得点王となり、仲川は最優秀選手賞に輝いた。

これらタイトルとは別に、F・マリノスはもうひとつ、歴史的な記録を打ち立てていた。最終節の入場者数が6万3854人となり、レギュラーシーズンでの1試合最多記録を樹立することとなったのである。

この年はJリーグ全体でも、総入場者数が史上最多の1141万4998人となり、悲願だった「イレブンミリオン」を達成。また、J1の1試合平均入場者数も2万751人となり、1993年の開幕以来初めてとなる2万人の大台を超えることとなった。

さらに、全55クラブのうち21クラブが、10％の入場者数アップを実現。Jクラブ全体の営業収益もまた、前年から68億円を積み上げ、過去最高の1325億円に達した。

これらの誇らしい数字は、もちろんｔｏ Ｃ戦略の成果であり、Jリーグが地道に推し進めてきたデジタル戦略の賜物《たまもの》であった。しかし、評価すべきは、そこだけではない。

チェアマン就任間もない2014年、最初に掲げた「5つの重要戦略」は、さながら雲をつかむような状態から始まった。それから5年、ひとつひとつを着実かつ真摯に取り組んでいった先に、2019年での成果があった。

荒地を耕して種を蒔き、水と肥料と情熱を注ぎ込んだ結果、ようやく収穫の季節を迎えたJリーグ。そんな中、チェアマンの村井は、3期6年にわたる任期の締めくくりを意識するようになっていた。

「チェアマンの任期の最長を、４期８年と定めたのは私でした。スポーツ庁のガバナンスコードでは、競技団体理事の任期を最長10年としていますが、サッカーは４年に一度のワールドカップで動いているから、８年がいいと考えたんです。ただし、あくまでそれは最長の話であって、私自身は３期目が終わる２０２０年３月を区切りと考えていました。４月には１カ月間、家内とハワイ旅行をしようと思って、予約も入れていたんですよ」

かくして、２０１９年は静かに暮れようとしていた。

その大晦日、中国の湖北省《こほく》武漢《ぶかん》市では、原因不明の肺炎の事例が検出され、ＷＨＯ（世界保健機関）の同国事務所に通知されていた。

のちにＣＯＶＩＤ－19と命名され、世界中の風景を一変させることになる未知のウイルス感染症。それは翌年、Ｊリーグにも未曽有《みぞう》の災禍をもたらすこととなる。

インターミッション下篇

リクルートでの30年で学んだこと

「マネジメントの才能は後天的」――。

これはリクルートの創業者である、江副浩正《えぞえひろまさ》が残した言葉である。

芸術や音楽やスポーツでの天才少年・少女は存在するが、ビジネスの世界に天賦《てんぷ》の才能は存在しない、というのが江副の考え。少なくとも、村井満のキャリアを振り返ると、その指摘は驚くほどに符合する。

「凄腕のビジネスパーソン」として、Jリーグチェアマンに迎えられた村井であったが、社会人としてのスタートは実に地味でぱっとしないものであった。経営者となってからも、屈辱的な失敗を何度か経験している。

リクルートにおける村井のキャリアは、1983年から2013年までの30年間。その間のトピックスをたどっていくと、チェアマン時代に行った決断の「出典元」となるようなエピソードが頻出する。

「異端のチェアマン」によるJリーグ改革を考察する上で、30年にわたるリクルート時代の検証は不可欠。そこでインターミッション下篇では、この時代について、村井自身に振り返ってもらった。

日本リクルートセンターに入社したのは1983年、私が23歳の時でした。リクルートに社名変更するのが1984年ですから、その前の年になります。

同期入社は150人くらい。今でこそ誰もが知る大企業ですが、当時のリクルートは、それほど有名ではありませんでした。ですから大卒の新入社員は、そんなにいないだろうと思っていたんです。

ところが実際に入社してみると、東大をはじめ有名大学卒がごろごろいて、しかも個性派揃い。リーダーシップが強いやつもいれば、宴会で引っ張りだこになる芸達者なやつもいて、こんなに癖《くせ》の強いのをよく集めてきたなと思いました。新入社員の半数くらいが女性だったことにも、リクルートの採用方針が色濃く表れていたと思います。

当時のリクルートの社長は、創業者の江副浩正さん。江副さんは、経営オペレーションよりも採用を優先するような人で、東大の学生が訪ねてくると、会議を抜け出して面接することもざらでした。クオータリー（四半期）ごとに、全社員の前に出てきて話をされていましたが、江副さんとは直接対話できる距離感ではなかったですね。

私が配属されたのは、東京の神田営業所。社内でも最も小さな営業所のひとつで、主な仕事は求人広告取りでした。

最初の頃はキツかったですね。1日100件のアポ取り電話とか、朝から夕方まで飛び込み営業とか。外回りの厳しさもさることながら、オフィスにいる時も気が休まりません。昼休みとか、社員が仲良くご飯を食べているわけですよ。その輪に入れなくて（苦笑）。学生時代からの群れたがらない性格は、相変わらずでした。

そんな私に、営業先で運命的な出会いがありました。秋葉原で栄電子《さかえ》を起業されていた、染谷《そめや》英雄《ひでお》さんという社長です。当時は従業員が20人もいない、小さな会社でした。

染谷さんは山形の出身で、高校は進学校だったのですが、家庭の事情で東京に出て就職したそうです。高校の求人票に「富久《とみひさ》無線電機」というのがあって、無線だったら人と話すことはないだろうと思って応募したら、家電量販店だったと。実は染谷さん、とても引っ込み思案な性格で、人前で流暢《りゅうちょう》に話をすることができなかったそうです。

それまで私が抱いていた「社長」のイメージは、豪放磊落《ごうほうらいらく》でコミュニケーション能力が高くてオーラもある、というものでした。ところが、自分のパーソナリティと重なるような経営者もいることを知って、ものすごいカルチャーショックを受けたんですね。

それからは、毎日のように栄電子に通い続けました。2年目の12月、私は家内と結婚式を挙げるのですが、式場に向かう前にも栄電子に顔を出していました（笑）。それくらい染谷さんに影響を受けていたし、学んだこともすごく大きかったです。

栄電子に入り浸っていた頃、私の業績は悪いままでしたが、どこかで吹っ切れたんでしょうね。そのうち、自分の担当エリアにある会社すべてを回るようになりました。飛び込み営業を繰り返しているうちに、見る見るダンボール箱が名刺であふれ返るようになります。「とにかく立派な経営者にお会いしたい」と思うようになったのが理由でした。

そうやって、営業の面白さややりがいは感じられるようになったのですが、すぐに成績が上向くことはありませんでした。リーダーやマネージャーへの昇進も、決して早くなかったように思います。

リクルートでは管理職になると、江副さんの『マネージャーに贈る言葉20章』というパンフレットが配布されるんです。その第1章に「マネジメントの才能は後天的」というのがありました。

《マネジメントの才能は、幸いにも音楽や絵画とは違って、生まれながらのものではない。経営の才は、後天的に習得するものである。それも99%意欲と努力の産物である。その証拠に、10代の優れた音楽家はいても、20代の優れた経営者はいない。》

聞くところによると、江副さん自身も社交性があまりない人だったそうです。カリスマ経営者というタイプでもなかった。そうして考えると「あ、俺みたいなタイプでもいいんだ」と考えられるようになりました。

リクルートに入社して5年くらいは、そんな感じで自分の中にあったコンプレックスが、少しずつ解消されていった時代でした。

リクルート事件が発覚したのは１９８８年、入社5年目のことでした。

平成生まれの方は記憶にないと思いますが、これは戦後日本における最大の企業犯罪かつ贈収賄と騒がれた疑獄《ぎごく》事件でした。リクルートの関連企業で不動産を扱っていた、リクルートコスモスの未公開株が賄賂として政治家や官僚に流れていたことが発覚して、政財界を揺るがす大事件に発展したんです。多くの逮捕者が出て、その中にはリクルートの会長だった江副さんも含まれました。江副さんはこの年、会長を退任しています。

リクルート事件は、私のその後のキャリアにも大きな影響を与えることになりました。社内が動揺する中、私は営業から人事への異動を命じられます。

事件の影響によって、リクルートから離れる社員や採用内定者の辞退続出を防ぐことが目的でした。会社全体の人事部門だけでなく、求人や情報誌など、さまざまな部署にも人事セクションを置くことで、細やかに対応する。そのための人員が必要となって、私にも声がかかりました。ちょうど営業の面白さに目覚めて、成績も上がってきていた頃だったので、非常に不本意な辞令でした。けれども、それが自分の天職となるわけですから、人生とはわからないものです（笑）。

1991年、今度は会社全体の人事部門に異動することとなりました。

リクルート事件の発覚から3年が経っていましたが、その影響は長期化の様相を呈していて、ビジネス面での逆風は筆舌に尽くし難いものでしたね。リクルートという社名を見ただけで「求人広告は出さない」とか「教育トレーナーなんてやってもらいたくない」とか。そういう拒否反応が、本当にすごかったです。

それでも好景気が続いていた頃は、まだ増収増益が続いていました。それが一気に崩れたのが、異動から1年後の1992年。バブル崩壊後は、もうどうにもなりません。

当時のリクルートの有利子負債は、およそ1兆4000億円という天文学的な数字でした。今でいう銀行の貸出金利、当時は「公定歩合」と言っていたのですが、およそ5%ですよ。1兆4000億円の貸出金利が5%ということは、700億円の利子を毎年返さなければならない計算です。

しかも、景気がどんどん冷えていくし、事件による企業イメージの悪化で、クライアントからの注文もなかなか入らない。それでも社内の雰囲気は、決して暗くはなかった。むしろ明るかったくらいです。

会社が危機的な状況になってから、愛社精神が一気に広まったようにも記憶します。当時のリクルートの社章はカモメだったんですが、カモメのバッジをつけて営業や接待に行く社員も増えていきます。銀座の寿司店に行けば、塩を撒《ま》かれた時代ですよ。

事件以降、世間にとってのリクルートは、悪の象徴のような扱いでした。そんな逆境にあっても、従業員のベクトルさえ合っていれば、会社は倒産しない。そういう確信が得られた時、人事という仕事に対して、やりがいが感じられるようになりました。

この頃、人事部門の仲間たちと銀座の小料理屋で、夜中の2時とか3時まで「リクルートらしい人事とは何か?」について、侃々諤々《かんかんがくがく》と議論を続けていたことを思い出します。

それぞれの業界には、生業の本質があります。銀行であれば「秩序」、メーカーなら「協働」、それならリクルートの場合は何か?

われわれは日々、さまざまなコンテンツを扱っていて、メディアの形態もまた変わっていく。実はリクルートでは、1990年代半ばの段階で「いずれ紙媒体はインターネットに駆逐される」ことが議論されていたんです。あれだけ情報誌を出していながら。

1995年の流行語大賞に「インターネット」がノミネートされました。ちょうどウィンドウズ95が発売され、コンピュータと通信の融合が一般の人々にも普及する中、導き出された結論が「変化」でした。

リクルートの本質が「変化」であるなら、人事の評価軸も営業成績ではなく「新しい価値を創造できること」であるべきではないか——。

そこから、リクルートの人事制度を一気に改革していきました。階層別研修制度は、すべて廃止。浮いた予算は、インターネットをテーマとした外部講師による社員教育に充てていました。そして法定外の寮や社宅、新幹線通勤などの福利厚生も全廃にして、社員の能力開発にシフトしていきました。

2000年に人事担当の役員になると、3年勤務を前提とした社会人版新インターンシップのようなCV（キャリア・ビュー）制度を創設しました。3年勤続したら100万円の退職金を出す。という制度です。組織の中にどんどん人が流入する中、人と共に新たな情報がどんどん組織に入り込んでいけば、活力が増していくわけです。

もちろん、反対意見もありましたよ。「3年で追い出される会社に、自分の子供を入社させたい親がどこにいるんだ?」なんて言われたこともありましたが、意に介しませんでした。

「リクルートという会社は、雇用は保障できないけれど雇用される能力は保障したい」

そんな全社メールを出したこともありました。当時はリクルートという会社を「変化」一色に塗り潰すことばかりを考えていましたね。
ちなみに1兆4000億円の有利子負債は、2006年に完済しました。

「1993年5月15日、村井さんはどうされていたんですか？」

チェアマンになって以降、Jリーグ開幕をどこで迎えたのか、たまに質問を受けることがあります。実はあの試合、どうしてもチケットが手に入らなくて、TV桟敷《さじき》で観戦していたんですよね。国立競技場で歴史を目撃した人たちが、とても羨ましかったです。

プレーヤーとしてのキャリアは高校まででしたが、その後も私はサッカーファンであり続けました。そうした中、「国内サッカーがプロ化する」という話を聞いて、ものすごくワクワクした気持ちになったものです。

やがて私の地元が、浦和レッズのホームタウンになります。そして1992年に始まったナビスコカップ。浦和の初戦の相手は、当時のジェフユナイテッド市原で、私は大宮公園サッカー場のゴール裏で観戦していました。浦和レッズとの付き合いは、そこからでしたね。以来、Jリーグの社外理事になるまで、ずっと4人のサポーター仲間とシーズンチケットを購入していました。日本代表のワールドカップ予選にも、何とかスケジュールをやりくりして参戦しました。フランス大会のアジア最終予選は、アウェイも含めてほぼ行きましたよ。もちろん（本大会出場を決めた）ジョホールバルにも。試合が終わったら、翌日の出社に間に合わせるために、余韻に浸ることなく大慌てで空港まで戻りました。

W杯初出場を決めた対イラン戦を現地観戦(1997年11月16日、ジョホールバル/本人提供)

ジョホールバルといえば1997年ですから、当時の私の役職は人事部長ですよ。本来ならば、仕事そっちのけでサッカーを応援している部下を叱《しか》りつける立場だったわけで、本当に洒落にならない話ですよね(笑)。

なぜ、これほどまでにサッカーに夢中になっていたのか? もちろん、競技そのものが好きだったというのもあります。それとは別に、私が28歳の時に長男を亡くしていたことも、関係していると思っています。

私は25歳で家内と結婚して、翌年に初めての子供が生まれます。けれども、その子はわずか2歳で亡くなってしまいました。ちょうど私が、リクルート事件の対応で忙殺されていた頃です。朝、起きたら、息をしていなかった――。

幼児性突然死でした。私もつらかったですが、家内はもっとつらかったはずです。

2歳の子供って可愛い盛りで、わんわん泣いたかと思うと、不意に屈託のない笑顔を見せるじゃないですか。その喜怒哀楽が、とても美しく尊いものに感じられたんですね。

喜怒哀楽を解放したときの表情って、確実に人を引きつけるんですよ。

一方の自分はといえば、どうだったでしょうか。仕事とはいえ、嬉しくないのに作り笑いをしたり、言いたくもないお世辞を口にしたり……。

いったい自分は、今まで何をしていたんだろうか。そんなことを深く考えるきっかけとなったのが、28歳の時に直面した長男の死だったんです。

おりしも、リクルートが潰れるかどうかという時期でした。社内はもちろん、顧客とも表面的な付き合いではなく、感情を表に出して本気でぶつかり合う。そうすることで、何とか打開策を手繰《たぐ》り寄せることができるのではないかと思ったんです。

あの日を境にして、私は決意しました。心の底から喜怒哀楽を表現できるような、それこそ子供のような表情ができるような人間になろう――。

もちろんビジネスの世界で、しょっちゅう喜怒哀楽を露《あら》わにするわけにはいかない。でもサッカーの世界でなら、応援しながら感情を爆発させることができるじゃないですか。悔しがったり、絶望したり、時々ブーイングして、勝ったら喜びを爆発させて。まさにサッカーの世界って、喜怒哀楽そのものじゃないですか。

だからこそ私は、ずっとサッカーに夢中だったんだと思っています。

2004年に本社執行役員兼務で、リクルートエイブリックの社長に就任しました。のちのリクルートエージェントですね。現在はリクルートに統合されていますが、2006年にリクルートエージェントに社名変更したのは私です。

エージェントというのは、サッカーでもよく使われる言葉で「代理人」と訳されることが多い。リクルートエイブリックは「人材紹介会社」という位置づけだったんですが、当時は人材派遣会社と混同されることが多かったんです。

人材紹介会社は、転職を考えている人と採用を考えている企業との間に立って、マッチングのためのサービスを提供しています。ですから人材派遣会社とは、まったく違う。

「ビジネスパーソンがプロアスリートのように、自分のエージェントを持つというステイタスを作ろうじゃないか」

そんな思いを託して考えたのが「リクルートエージェント」という新社名でした。

ところが社名変更には、ものすごい逆風が吹き荒れました。役員以下、社員の多くが「エイブリック」の名前に愛着と誇りがありましたからね。けれども外側から来た私は、そういったこだわりがなかったので、「これだ！」と思ったらブルドーザーのように突き進むことができる。Jリーグでの改革と、構図としてはまったく同じでした。

とはいえ、改革を推し進めるというのは、やはりしんどい作業です。この社名変更の時も、私はメンタルを病む寸前まで追い込まれました。

作用・反作用ってあるじゃないですか。押した力と同じ力で押し返される。こっちが本気で押すと、相手もそれだけの力で押し返してくる。逆に、反発がない提案や意見というのは、相手からすると「どうでもいいこと」なんですよね。

強い反作用が働くのは、そこに重要な信念があるからです。新しい価値というものは、信念と信念を戦わせることで、初めて生まれるものだと思います。

社名変更後、どうなったか？　変更する以前、ネットで「転職エージェント」を検索したら2件くらいしか出てこなかった。それが変更から1年後には、200万件くらいヒットしたんですね。それだけ「転職エージェント」という言葉が一般化して、自分たちの仕事が世の中に認識してもらえるようになったわけです。

リクルートエージェントの社長は、2011年まで続けました。その間、最もつらい経営判断をしたのが、2009年に希望退職者を募ったことです。

理由は、前年のリーマン・ショックの影響でした。

2008年9月15日、アメリカの投資銀行であるリーマン・ブラザーズ・ホールディングスが経営破綻《はたん》して、世界規模の金融危機にまで発展しました。

とはいえ当初は、それほど実体経済に大きな影響はなかったので、半年くらいのんきな経営をしていたんです。ところが日本でも、この年の暮れには派遣切りや内定取り消しが話題になって、企業も中途採用を手控えるようになりました。

慌てた私は、景気の動向や求人数の推移や固定費の変遷などの数字を読みながら、赤字転落を免れるための経営体質強化に努めようとしました。

けれども万策尽きて、とうとう2009年に希望退職者を募る決断をせざるを得ませんでした。社員数およそ1500人のうち300人。まさに断腸の思いでした。

雇用に手を付けるというのは、経営者にとって最終手段のはずでした。その責任は生涯、背負いながら生きていかなければならないものだと思っています。今でも夢に出てきますよ。脂汗をかきながら、従業員に説明会をしている光景が……。

この時の経験は、もちろん私にとって大きな挫折でしたが、一方でふたつの大きな教訓を残しました。

まず、経営者は業績や数字に対して、常にシビアでなければならないということ。当時の私に甘さがあったから、希望退職者を募ることになったわけです。ですから、どんなに部下から煙たがられようとも、そこは徹底するようになりました。

もうひとつは「スピードは、経営者にとって本気度の代替変数である」ということ。換言するなら、小さな危機に対しても常に注意を働かせて、先手先手で対応していくことです。何も起こらなければ、それに越したことない。けれども、少しでも「おかしいぞ」と思ったら即対応。この感覚は、11年後のコロナ対応で活かされることになります。

リーマン・ショックがあった2008年は、ビジネスとサッカーとの接点を感じさせる、大きな出来事が連続して起こった年でもありました。

まず、Jリーグの社外理事となったこと。リクルートエージェントではJリーグやNPB（日本野球機構）に、選手のキャリアサポートのための出向者を送り込んでいたんです。それが縁で6年間、Jリーグの社外理事を務めることになります。

もうひとつは、日本で外資企業相手にエグゼクティブサーチ事業を展開していた、CDS（現・RGFタレントソリューションズ株式会社）という企業を買収したこと。アジア進出の準備を始めるにあたり、まずは日本でグローバル企業を相手にビジネス展開している人材紹介会社と仕事をしてみようということで、声をかけたのがCDSでした。

CDSは米英ツートップの経営者のもと、完璧なバイリンガルの社員を40人くらい抱えている会社でした。そんな彼らからすれば、ドメスティックなイメージがあるリクルートエージェントと組むことに、さほどの魅力は感じられなかったのかもしれません。

そこで私は交渉の最終局面で、英国人のトップであるサイモン・チャイルズにターゲットを絞って、あるサッカーの試合に彼を招待しました。2007年11月14日、埼玉スタジアム2002で開催された、浦和レッズとイランのセパハンによるACL（AFCチャンピオンズリーグ）決勝の第2戦。そう、浦和が初めてアジア王者となった、あの試合ですよ！

実はサイモンは、リヴァプールFCの大ファンでした。リヴァプールは向こうでは「レッズ」と呼ばれているじゃないですか。だから浦和が優勝した瞬間は、ふたりして抱き合って喜び合ったものです（笑）。

その時に私は「ぜひ、われわれのグループに入ってくれ！」と言ったら、サイモンはその場で快諾してくれました。こうして翌2008年にCDSの買収が決まるという、嘘のような本当の

イランで行われたACL決勝第1戦（第2戦は埼スタ）も観戦（2007年11月7日/本人提供）

話です。

　Ｊリーグの社外理事就任とＣＤＳの買収。いずれも２００８年の出来事ですが、まったく文脈の異なる話であり、直接的な関連はありません。けれども今にして思えば、不思議とつながっているようにも感じるんですよね。

　Ｊリーグの社外理事を拝命したことが、その後のチェアマン就任への入り口となりました。そしてＣＤＳの買収が、アジア展開への重要な布石となります。もしも私にアジアでのビジネス経験がなかったら、おそらくチェアマンの任務をまっとうできなかったでしょう。

　それにしてもリクルートはなぜ、この頃アジアでのビジネスに舵を切ったのでしょうか？もちろん、明確な目的がありました。

　バブル崩壊以降の日本の製造業は、海外の生産拠点で安く作ったものを日本国内で販売していました。やがて国内の市場がシュリンクしていく中、今度は日本製品を海外で販売していくことが求められるようになります。

ところが、海外で働いている日本人といえば、工場の品質や生産の管理者ばかり。日本製品を売るためのマーケティング戦略をする人材、あるいは現地のニーズに合わせて商品をカスタマイズできる開発やセールスの人材が不足していました。

そこでリクルートは、日本企業のアジア進出のための橋頭堡《きょうとうほ》となるような人材を、日系企業を中心に送り出すことで、ビジネスチャンスを見出そうとしていました。けれども私自身、次第に考え方に変化が生じるようになります。

これは単なるビジネスの話ではない。ここで自分が歯を食いしばって、日本企業のために貢献しないと、この国は本当に大変なことになるのではないか。

そんな漠然とした考えが明確になったのが、2008年のリーマン・ショックであり、11年の東日本大震災でした。

3月11日は、ジャカルタで日系企業向けのセミナーがありました。当時のリクルートの社長、柏木斉《かしわぎひとし》さんも参加していましたね。コーヒーブレイクを取ろうか、というタイミングで、日本から緊急連絡が入ります。その後、津波の映像がTVでも流れて「これは大変なことになった」と。

たまたま1便だけ、成田に飛ぶ便があったので、翌日の朝一番で帰国の途に就きました。木更津《きさらづ》の上空から成田に入る時、化学工場から火の手が上がっているのが見えました。成田空港は、野戦病院のように毛布に包《くる》まって横になっている人たちがいて、鉄道は止まっているし幹線道路も塞がっている。たまたま運よく、ヘリコプターで移動することができたので、何とか東京に戻ることができました。

これからますます、日本が大変な状況になっていく中、自分は何をすべきなのか——。移動中、ずっとそんなことを考えていました。

私が本社執行役員のまま、リクルート・グローバル・ファミリー香港法人（RGF HR Agent Hong Kong Limited）の社長に就任したのは、2011年の4月。まさに、東日本大震災と福島の原発事故で、日本中が騒然としていた頃でした。

リクルートのアジアへのアプローチは、2008年からスタートしていました。そして私が、ビジネスの拠点を香港に移す前後で、ふたつの大きな買収を経験することになります。ひとつは中国、もうひとつはインドでした。

中国については香港に本社を置く、伯楽（Bó Lè）アソシエイツという、アジア最大規模の人材ビジネス会社との連携を模索しました。CDSの買収直後のことです。

伯楽には当時、700人くらいの従業員がいて、香港以外にも北京や上海などの主要都市、そして東南アジアでも事業を展開していました。創業者はルイーザ・ウォン。ハーバード大学のビジネススクールを卒業後、モルガン・スタンレーやラッセル・レイノルズといった、一流グローバル企業で経験を積んで起業した女性経営者です。

彼女を説得するために、何度も香港に行きました。当時、アジアの人材紹介ビジネスは、欧米系企業の独壇場となっていました。そうではなく、アジア人であるわれわれが、アジアの経営者を育てていくべきではないか？　ルイーザと何度もディスカッションをする間に、彼女もわれわれの考えに同調するようになりました。

その後、リーマン・ショックによる国内事業の立て直しに集中せざるを得ず、この話はいったん白紙となります。それが一段落した2010年、再び交渉を再開。南アフリカでのワールドカップを観戦してから、上海に入ってルイーザに「われわれでアジアの経営者市場を作ろう！」と提案しました。

ルイーザとは商談するだけでなく、ダンスもしましたし、カラオケも歌いました。こちらの本気度を伝えるために、香港の人気TVドラマ『上海灘《シャンハイタン》』のパロディ動画を作って、私も出演しています（笑）。

詳細は省きますが、そこまで熱意を伝えた結果、ルイーザから伯楽を買収して、私は香港法人の社長に就任することになりました。

インドのスタントンチェースグループのサーチ会社、ニューグリッド・コンサルティングを買収したのは、2013年8月のことです。ニューグリッドは、インド国内7都市に拠点を持つ、エグゼクティブサーチではアジア最大級の人材紹介会社でした。

インドでのM&Aは、中国とはまた違った大変さがありました。

何度もムンバイやバンガロールに出向いては、激しい交渉を繰り返す中で、お互いの信頼関係を構築していきました。買収合意後は、統合が上手く進むためのプログラムを組むのですが、その中に昼夜問わず踊り続けるダンスパーティというものがありました。まあ、一種の儀式のようなものですね（笑）。

ゴアのリゾート地にある高級ホテルで、延々と食べて飲んで語って踊って。ヘロヘロになりながらも、絶対に気は抜けません。向こうのトップは、われわれの本気度を探るように見ていましたから。

中国とインドでのM&Aの話をすると、何だか私が語学堪能なネゴシエイターのように思われるかもしれません。しかし、プロの交渉役はもっぱら会計士であり、国際経験豊富な盟友の外山《とやま》晋吾《しんご》がこなしてくれました。

恥ずかしながら私は、子供の中学の教科書で英語を学び直したような人間です。それぐらい下手くそな英語ですが、それでも「貴方とビジネスをしたい」という思いと熱意だけはストレートに伝えていたと思います。伝えるべきことは何か？　この一点こそが、大事だと思っています。

自分が何者で、何をやりたいのか。アジアのさまざまな都市で、さまざまな国の経営者を相手に、タフなプレゼンを繰り返してきました。こうした経験は後年、私がチェアマンになった時に活かされることとなります。何しろチェアマン就任時の2014年、Jクラブは51ありましたが、誰も村井のことなんか知らなかったわけですから。

逆に、アジアでの濃密な経験がないままチェアマンを引き受けていたら、実行委員会の中に飛び込んで改革していくことなんて、到底できなかったでしょうね。

2013年の3月末、私はアジアでの仕事を終えて帰国します。いくつか残務がありましたので、その間は会長になりましたが、それも完了すると退任。リクルート本社の執行役員も、すでに前年の9月には退いていました。

すべての役職から解放された4月1日は、私がリクルートに入社してちょうど30周年でした。この日のフェイスブックに、私は「今後はレコードのB面の人生を送ります」と書いているんですね。今までの仕事とはまったく違う、何か新しいことを始めよう――。

まさかJリーグチェアマンという、大それたものになるなんて、その時は夢にも思いませんでしたが（笑）。

第3部 危機

「新型コロナウイルス対策連絡会議」設立の会見に臨む、斉藤コミッショナーと村井チェアマン。NPBとJリーグのトップが同席する歴史的瞬間となった。（2020年3月2日/著者撮影）

01 忍び寄る新型コロナウイルスの危機（2020年）

「（Jリーグ）役員候補者選考委員会については、いい面もあれば、そうではない面もある、というのが僕の考え。Jリーグの現状と課題について、しっかり理解できている人たちが次期チェアマンを選ぶのであれば、悪くないシステムだと思います。ただ、その理解している人たちが、その時のチェアマンの仕事をどう評価するか。『今の流れのままでいい』と無条件で評価するのであれば、その委員会が必要なのかという話になりますよね。逆に『今のままではいけない』と判断できるのであれば、委員会として機能していると言えるんじゃないでしょうか」

　野々村芳和《ののむらよしかず》が、第6代Jリーグチェアマンに就任したのは、2022年3月15日のことである。当時49歳。歴代チェアマンでは最年少であり、史上初の元Jリーガーチェアマンであることも話題になった。

　そんな彼は、もうひとつ「Jリーグ役員候補者選考委員会のメンバー」であり、のちに「同委員会からの答申を受けた」初めてのチェアマンという一面も持つ。

　つまり野々村は、前任のチェアマンである村井満の4期目を（おそらく）支持し、その2年後には自らがチェアマンに選ばれていた。冒頭の発言は、そうした経験を踏まえてのものである。

弁護士の野宮拓《のみやたく》を委員長とする8名で構成された、Jリーグ役員候補者選考委員会。2020年の次期チェアマン候補の選考からは、組織コンサルティングファームとして知られるコーン・フェリーが外部アドバイザリーとして起用されている。特徴的なのは、現職のチェアマンを含む執行理事を完全にシャットアウトして、候補者の選考を行うことだ。

以下、そのプロセスを解説する。

まず、Jリーグの現職の業務執行理事4名に対して、「Jリーグのあるべき姿」「Jリーグの課題」について詳細にインタビュー。続いて、Jリーグのステークホルダー約20名に対しても同様にインタビューを実施し、Jリーグの経営課題を整理して人材要件を定義する。

そこから抽出したものをベースに、次期業務執行理事の役割と責任を選考委員会で議論。さらに、コーン・フェリーによるグローバルなナレッジやノウハウを参照しながら、人材要件に合致する50名程度のロングリストを作成。そこから10名程度のショートリストに絞り込んで、さらに議論を重ねる。

この議論の中で重視されるのが、選考委員会が次期チェアマンに求める「人材要件」。これについては、次の4要素が慎重に吟味される。

①コンピテンシー=経営者として成功するための行動パターン
②経験=経営者に必要となる過去の経験
③性格特性=適性や人格的特徴
④動機=経営する意欲、覚悟、挑戦心、モチベーションの源泉

これら人材要件を見極めるべく、10名程度のショートリスト該当者に対し、それぞれコーン・フェリーが2時間以上のインタビューを実施。さらにオンライン調査の受講、３６０度評価やリファレンス評価を経た結果を選考委員会で議論して、ようやく次期チェアマン候補が選定される。

この時の役員候補者選考委員会に、Ｊ１実行委員を代表して参加していたのが、株式会社コンサドーレの代表取締役社長兼ＣＥＯだった野々村である。

野々村は１９７２年生まれで、サッカーどころで知られる静岡県清水市（現・静岡市）の出身。県立清水東高校時代、全国高校サッカー選手権大会に2回出場している。慶《けい》應《おう》義《ぎ》塾《じゅく》大学卒業後、１９９５年にジェフユナイテッド市原に加入。２０００年には、当時の監督、岡田武史《たけし》からのオファーを受けてコンサドーレ札幌に移籍し、副主将としてＪ１昇格に貢献している。翌01年には、主将としてＪ１でプレー。シーズン終了後、29歳で現役を引退した。

Ｊ１で１１８試合6得点、Ｊ２で36試合2得点、Ｊリーグカップで30試合1得点。それが、7年間のＪリーガー時代で野々村が残した記録である。

5年間を過ごした市原時代よりも、2年間プレーした札幌時代のほうが、サポーターの心をつかんでいた、というのが私の印象。それは、生来のリーダーシップに加え、昇格に至る劇的なドラマが、サポーターの間で共有されているからであろう。

スパイクを脱いだ野々村は、札幌のアドバイザーとスカパー！の試合中継の解説を続けながら、自ら会社を立ち上げて各地でサッカースクールを展開。そして２０１３年3月22日、40歳で株式会社北海道フットボールクラブ（現・株式会社コンサドーレ）の社長に就任する。当時は珍しかった、元Jリーガー社長の誕生であった。

今回の野々村へのインタビューで、私が注目したのは、新型コロナウイルスが国内で感染拡大する直前に、彼が果たしていた役割である。

2020年2月22日、開幕節のタイミングで野々村は、当時のチェアマンである村井に、Jリーグの即時中断を直訴していた。この時点での日本は、政府の専門家会議が首相官邸で初会合を開いたばかり（2月16日）。国民の多くは、まだマスクを着用していなかった。

「あの時、僕は村井さんに『いったんサッカーを止めるべきだ』と言ったんです。もっと言うと、村井さんをはじめJリーグの人たちには開幕前から、僕の考えを伝えていたんですよ。それでもDAZN《ダゾーン》との関係とか、いろいろあって開幕することにしたんでしょうね。札幌はこの年、ホーム開幕は第3節の予定だったんです。それで村井さんには『Jリーグがやると言っても、われわれは試合を開催しないと決めましたから』と、はっきり言いました」

これまで、まったく報じられてこなかった証言である。

野々村が村井に、リーグ戦の即時中断を直訴したのは、何も自分のクラブのことだけを慮《おもんぱか》ってのことではなかった。むしろJリーグ全体、さらには日本サッカー界全体を考えてのことであった――。そう、当人は力説する。

「ここで真っ先にJリーグが中止を宣言すれば、国内のコロナ対策に寄与するだけでなく、サッカーそのもののプレゼンスが上がるのではないか。そこまで考えて、僕は村井さんに提案させていただきました」

＊

2020年の元旦は、静かに、のどかに明けた。

大晦日から元日にかけて、NHKの特番には幾度となく新国立競技場が登場した。この年は、東京オリンピック・パラリンピックの開催年。「1964年の夢を再び」ということで、2度目の東京オリンピックに期待する国内の機運は、静かな高まりを感じさせていた。

新国立競技場のこけら落としは、この年で第99回となる天皇杯決勝であった。6年ぶりとなる「元日・国立」で相対することとなったのは、ヴィッセル神戸と鹿島アントラーズ。2対0で勝利した神戸が初のタイトルを獲得している。

試合内容とは別に、個人的に気になったことがあった。それは完成したばかりの新国立から、スポーツの祭典を迎えるだけの晴れがましいオーラが、実に希薄だったことだ。

デザイン面や機能面での不満を挙げればきりがない。が、最も違和感を覚えたのは、メイン会場に不可欠だった、聖火台の不在。初めて新国立競技場を記者席から見渡した時、何とも言えぬがっかり感を覚えてしまった。

果たして、2020年の東京オリンピック・パラリンピックは、どのように歴史書に記載されるのだろうか。千駄ケ谷駅への帰り道、そんなことを漠然と考えていた。

それからほどなく、私は取材者ではなく、いち個人として村井と語らう機会を得ている。

毎年、国内外のサッカー映画を紹介する、ヨコハマ・フットボール映画祭。そのアワードの5人の審査員に、私は村井と共に名を連ねていた。1日目の上映後に開催された、イタリアンレストランでの立食パーティ。そこにスーツ姿ではない、ラフな装いの村井の姿があった。「朝からずっと作品を鑑賞していました。明日も来ます」という村井は、何か憑《つ》き物でも落ちたかのような、実に晴れ晴れとした表情をしていた。それを見て、チェアマンからいちサポーターに還俗《げんぞく》する日が近いことを、私は悟った。

ところが1月30日、Jリーグ役員候補者選考委員会は、次期チェアマン候補者として、現職の村井を答申する。理事会もこれを支持し、3月12日に開催される定時社員総会の理事選任議案に含めることを承認した。これにより、村井のチェアマン4期目が決まる。

「確かに現職として、私もリストには入っていましたが『次は誰になるんだろう？』くらいに考えていたんです。そうしたらインタビューの際に『4期目を務める覚悟はありますか？』と聞かれたんですね。退任後は家内とハワイに行く予定だったんですが、年が明けてから雲行きが怪しくなって、結局『ごめん、行けなくなった』と。家内からは『嘘つき！』って怒られました」

ちなみに10人程度に絞り込まれた段階で、ショートリスト該当者には「指名されたらチェアマンや業務執行理事を受けますか」という意思確認が行われ、これを受諾すると最終の適性検査やロングインタビューを受けることになる。村井によれば、次期チェアマン候補者に答申された場合、これを断ることはできないそうだ。

先に述べたとおり、チェアマンの任期を最長4期8年としたのも、現在の選定システムを作ったのも、いずれも村井であった。まさか自分が、最長任期の第1号になるとは、夢にも思わなかったのだろう。

「ほぼすべての条件において要件を充足する、あるいは優れていると判定され、他の候補者との間にも大きな差があった」

次期チェアマン候補者に村井を選定した理由について、委員長の野宮はこのように述べている。ならば2年後、これほどの人材要件を満たす次期チェアマンは、果たして見つかるのだろうか？当時の私は、そんな疑念を抱いていた。

しかしこの決定が、やがて訪れるJリーグの未曽有《みぞう》の危機を救うこととなる。

2020年シーズンの開幕を1週間後に控えた2月14日、都内にてJリーグキックオフカンファレンスが開催された。

キックオフカンファレンスとは、Jリーグの前夜祭的なイベント。われわれ取材者にとっては、複数のJクラブの選手や監督や関係者に話が聞ける、貴重な機会である。メディアの受付を済ませると、プレス用の資料と共に手渡されたのが、不織布《ふしょくふ》のマスク。「取材中は必ず着用してください」とスタッフから念を押された。

実は1週間前に取材した、Jリーグビジネスカンファレンスでも、取材者向けにマスクが配布されている。その時は「つけるかどうかは任意」。それが今回は「必ず着用してください」に変わった。おりしも前日の2月13日は、日本で初めて新型コロナウイルスによる死者が出ており、Jリーグも万一を考えてマスクを準備したのだろう。

カンファレンスの模様は、DAZNでも配信されていたが、実はカメラのフレーム外では全員がマスクを着用する、当時としては異様な光景となっていた。この頃、すでにドラッグストアでマスクは品切れ状態。それでも、国民のほぼ全員がマスクを着用するようになるのは、4月以降のことである。

ここで、ひとつの疑問が浮上する。果たしてJリーグは、新型コロナウイルスのリスクについて、どの段階で認識していたのだろうか？

実は1月22日の実行委員会で、村井はコロナ対策の連絡担当窓口を置くことを全Jクラブに依頼。さらにJリーグ内でも、1月1日から特命担当部長に任命した藤村昇司《しょうじ》に、新型コロナに関する調査を命じている。のちに藤村は「新型コロナウイルス感染症対応ガイドライン」の基《もと》となるプロトコルを作成。残念ながら、志半ばで病に倒れて離脱を余儀なくされたが、5月14日のインタビューでは、このように証言している。

「1月の22日といえば、まだ『(中国の)武漢が大変』という状況でした。私自身、SARS《サーズ》や鳥インフルエンザのことは頭にあったので、国際試合やACL（AFCチャンピオンズリーグ）に影響は出るだろうとは考えていました。『これはまずい』と思い始めたのは、それから1カ月後くらい。韓国やイタリアで、クラスターによる感染拡大が起こってからですね」

あらためて、1月22日前後の新型コロナウイルス関連のニュースを拾ってみよう。

・1月21日　外務省が中国への渡航に十分注意するよう呼びかけ
・1月22日　WHO（世界保健機関）がジュネーブで専門家による緊急委員会を招集
・1月23日　中国湖北省の武漢市政府が市内の事実上の封鎖を発表

これらを見てもわかるように、この時点での日本を含めた世界のコロナに対する認識は「中国の一部で流行している感染症」であった。それはWHOについても同様で、専門家による緊急委員会を招集したものの、23日には「国際的な公衆衛生上の緊急事態」の宣言を見送っている。

「中国にとっての緊急事態だが、世界的な健康の危機ではない」

これがWHO事務局長、テドロス・アダノムの当時の発言。WHOが緊急事態を宣言するのは、それから1週間後の1月30日のことである。

WHOですら楽観していた当時、なぜJリーグは素早いアクションができたのだろうか。それには、村井のキャリアが影響していた。

「チェアマン就任前、私はリクルートの香港法人で社長と会長をしていました。香港だけでなく、上海や広州にも元部下や友人がいて、彼らから現地の情報が入ってくるわけですよ。武漢のロックアウトだけでなく、上海でもACLのプレーオフ（1月28日の上海上港対ブリーラム・ユナイテッド）が無観客で行われるという情報も入ってくる。日本では深刻に報道されていないけれど、何かとんでもないことが起こっているのではないか——。そう考えるようになったんです」

少しでも「おかしいぞ」と思ったら、即対応。それは村井にとり、2008年のリーマン・ショックで得た教訓である。リクルートエージェント社長時代、対応が遅れたことが原因で、翌年に希望退職者を募ることとなってしまった。あの時の過ちを二度と繰り返してはならない——。そんな、確固たる自身への戒《いまし》めが、村井にはあった。

1月22日の最初のアクションに続いて、村井は5日後の27日、Jリーグの幹部宛にメールを送信。今後、日本政府が新型コロナを指定感染症とした場合「どういう状態で無観客にするか、あるいは中止とするのか、今のうちからシミュレーションを始めよう」という内容であった。

前述のとおり、村井のチェアマン任期延長が決まったのが1月30日。その3日前には、すでに「最悪の事態」に向けたアラートを鳴らしていた。村井の4期目は否応なく、コロナ対策と共にスタートしたのである。

2020年のJリーグは、J1が2月21日から12月5日まで、J2が2月23日から11月22日まで、そしてJ3が3月7日から12月13日まで、それぞれ開催されることになっていた。3つのカテゴリーで共通しているのが、7月24日から8月9日までの間は試合がないこと。これは、東京オリンピック・パラリンピックとのバッティングを避けるためであった。

この年の開幕戦、私が取材対象に選んだのは、2月22日に開催された、柏レイソル対北海道コンサドーレ札幌。会場は、三協フロンテア柏スタジアムであった。

前年、圧倒的な強さでJ2を制し、1年でのJ1復帰を果たした柏。前回のルヴァンカップで決勝に進出し、初タイトルまであと一歩だった札幌。試合そのものは、見応えのあるもので、4対2で柏が勝利している。

この日のスタンドでは、マスク姿のサポーターの姿を数多く見かけた。一方、選手入場の際には、エスコートキッズの姿はなし。いずれも感染予防が理由だが、それでもゴール裏では大旗が振られ、両サポーターのコールやチャントがスタジアムに共鳴していた。

感染不安の中、新シーズンが開幕（2020年2月22日、三協フロンテア柏スタジアム/著者撮影）

こうしたスタジアムの日常的な光景が、その後、2年にわたって奪われてしまう。

Jリーグが「声出し応援エリア」を設置し、国立研究開発法人産業技術総合研究所などの調査機関と連携して運営検証を開始したのは、2022年6月11日のこと。それまで日本国内のスタジアムでは、ファン・サポーターによる声出し応援が厳しく制限されることとなる。

柏での開幕戦には、村井も視察に訪れていた。試合後、駐車場で社用車に乗り込む際、野々村の姿が視界に入る。札幌の社長は、スタジアムには来ていたものの、スタンドには入らずに車内でDAZNを視聴していた（当人によれば、2018年から続けているルーティーンだそうだ）。

村井を乗せた社用車が、スタジアムから遠ざかる中、不意にスマートフォンが鳴る。

「村井さん、ちょっと話しませんか」――。声の主は野々村だった。

「それでUターンして、ノノさんの車の中で話したんです。1時間以上、もしかしたら2時間近かったかもしれない。首都圏で暮らしている私たち以上に、彼はコロナに対して鋭敏な危機意識を持っていました。中断の要請？　確かに『いったんサッカーを止めるべきだ』ということは言っていましたね」

のちに次期チェアマンとなる、野々村との対話について、村井はこう振り返る。

2月21日から23日にかけて、J1リーグ第1節の9試合では17万2001人ものファン・サポーターが集まった。だが、前年の第1節の合計入場者数は19万6112人。前年比で2万人ほど減少したのは、間違いなく新型コロナの影響である。

Jリーグが今後も興行を続けるならば、そこから大規模なクラスターが発生するリスクは否定できない。チェアマンの村井は、難しい決断を迫られることとなる。

「第1節が終わったあとの24日の月曜日、試合を行ったJ1とJ2の全クラブから話を聞くことにしました。ただし、実行委員全員を東京に集めると、出張費もかかるし日程調整も難しい。そうしたら、Zoomというオンライン会議システムがあると教えてもらったんですね。それで10時、13時、15時30分の3回に分けて『第2節はできそうですか？』と確認できたんです」

ここで注目すべきは2点。まず、すでに2月下旬の段階でJリーグでは、ミーティングでオンラインシステムが活用されていたこと（日本でZoomが普及するのは、最初の緊急事態宣言が発出された4月以降である）。そして、24日の時点での村井が、第2節の開催を念頭に置いていたことだ。

「実行委員の話を聞いて『次節も行けるのではないか』と、この時は考えていました。その一方で懸念も感じていて、ぎりぎりまでコロナの初動を見極めながら、場合によっては中止する選択肢も捨ててはいませんでした」

村井の頭の中には、常にファン・サポーターの存在がある一方で、抜き難い存在としての「国」や「政府」もあった。とりわけ2020年は、東京オリンピック・パラリンピックという国家的なスポーツイベントを控えている。Jリーグチェアマンとしては、なおのこと「国への貢献」を意識せずにはいられない状況であった。

Jリーグにとって、国への貢献は2種類ある——。

そう、村井は考えていた。ひとつは、予定どおりにリーグ戦を行い、オリンピック期間中を中断期間とすること。もうひとつは、感染状況が落ち着くまでリーグをいったん中断して、オリンピック期間中に未消化分の試合を開催すること。

おりしも、この24日には政府の専門家会議が行われており、その結論を村井は待つことにした。同日夜、専門家会議が会見を開き、その中で「これから1~2週間が急速な拡大に進むか、収束できるかの瀬戸際」になるとの見解を示した。

普段から傾聴の姿勢を旨としている村井にとり、TVを視聴していた時に出てきた「瀬戸際」という言葉に胸中がざわつくのは、当然のことであった。

「普通の感覚からしたら『瀬戸際』って言葉、なかなか使わないじゃないですか。ましてや、政府の専門家会議で。確かに武漢では、ロックダウン状態になっていました。けれども日本では、1日の感染者数が13人という状況だったんですよ。それなのに『瀬戸際』という言葉が出てきたことに、私はものすごい衝撃を覚えたんです」

前述のとおり、2月24日の時点で、村井はリーグ戦継続の方向に大きく傾いていた。しかし、その日の夜、専門家会議における「瀬戸際」という言葉をきっかけに、それまでの考えを改めざるを得なくなった。

翌25日、ＪＦＡハウスに出勤した村井は、まず午前10時にＪリーグの幹部を集めて意見交換。続いてオンラインで、緊急の実行委員会を開催した。26日には、ルヴァンカップ第2節が7試合予定されており、アウェイのクラブは午後には出発する。決断するとしたら、この日の午前中がデッドラインだ。

「それで私は『中止にしたいと思う』と部下に伝えました。とはいえ、さすがにこの時は中断期間が4カ月に及ぶとは考えていません。『2週間くらいなら、オリンピック期間中に試合をすれば何とかいけるかな』と思っていました」

Ｊリーグが中止を決定したのは、25日の午前11時のことであった。同日中に理事会が開催され、3月15日までのすべてのＪリーグの公式戦94試合を延期することも決定。その後に行われた会見で、正式にアナウンスされた。

なお、この日の理事会では、常勤理事の米田恵美《よねだえみ》の退任が決議されている。新たな理事に就任したのは、スペインのビジャレアルＣＦのフットボール部門に所属する佐伯夕利子《さえきゆりこ》。前任者とは、まったく異なるキャリアとナレッジの持ち主だ。

その後の質疑応答は、試合中止に関するものに移っていった。Ｊリーグにおける米田の痕跡は、混乱と混沌の中、次第に記憶の彼方へと押し流されていく。

　Jリーグが中止を発表した2月25日、政府は新型コロナウイルス対策の基本方針を発表。この中で、イベント開催については「一律の自粛要請は行わない」ものの、感染拡大や会場の状況を踏まえて「開催の必要性を検討する」ことを要請している。

　ところが翌26日になると、時の内閣総理大臣、安倍晋三《しんぞう》が「全国的なスポーツ、文化イベント等については、大規模な感染リスクがある」として、今後2週間の中止や延期、規模縮小などの対応を求めた。

　こうした政府の発表に先んじる形で、Jリーグはスポーツ界のみならず、あらゆるエンターテイメント業界の中で最も早く、感染拡大防止を目的とした中断に踏み切った。その決断の速さには、称賛の声もあった一方で「ハレーションもありました」と村井は語る。

「25日の政府の要請は『やるな』とも『やってもいい』とも取れるような表現でした。そうした中、Jリーグが独自の意思決定をしたことで、一気に注目を浴びることになったんです。『勇気ある決断』みたいな声も多かったんですが、イベントの準備をしている団体からは『何てことをしてくれたんだ！』というリアクションもありました。ある意味、日本社会で最初に引き金を引いた形になりましたから、仕方のないことではあったんですが」

　誤解を恐れずに言えば、これまでの村井はJリーグやサッカー界といった、いわば「閉じた世界」で辣腕《らつわん》を振るってきた。

「JAPANESE ONLY」事件の対応、2ステージ制の廃止、Jリーグ関連企業のホールディングス化、DAZNのサービス開始。いずれも大きな決断ではあったが、世間からの注目という意味では限定的であった。

しかしコロナ禍の対応において、Jリーグは良くも悪くも日本社会で注目される存在となってしまう。Jリーグが真っ先に中止を発表することで「サッカーそのもののプレゼンスが上がるのではないか」と期待していたのは、札幌社長の野々村であった。しかし実際には、想定をはるかに上回るリアクションが、他のスポーツ界、エンタメ界、さらには社会全体から沸き起こったのである。

この時のJリーグは、間もなく27歳になろうとする「若輩者」でしかなかった。自分が正しいと思って行動しても、誰もが無条件で若者を後押しするわけでもないのが、私たちが暮らす社会の現実。より世間から信頼され、中高年世代にも馴染《なじ》みのある「パートナー」とタッグを組むことは、この時のJリーグにとって喫緊《きっきん》の課題であった。

「NPB・Jリーグ合同記者会見のご案内」という標題のメールが届いたのは、3月2日の午前9時のこと。政府が要請した、全国の学校の臨時休校が始まった日である。

当日の15時開催という緊急性もさることながら、NPB（日本野球機構）とJリーグという組み合わせに面食らったのは、決して私だけではなかったはずだ。

「25日の時点でNPB様に連絡を取らせていただき、われわれの判断をお伝えしつつ、今後の連係を働きかけた次第です。そしてNPB様から快く、今回の具体的な提案を含めてご提示いただき、この場に至る次第です。心から感謝を申し上げます」

会見で村井は、このように述べている。

会見の主な内容は「新型コロナウイルス対策連絡会議」設立の経緯と内容について。

対策連絡会議の構成メンバーは、NPBコミッショナーとJリーグチェアマンのほかに、NPB側から12球団の代表者、Jリーグ側から理事および特任理事、JFA（日本サッカー協会）から3名、さらに感染症学の専門家3名も参加する。その第1回の会議は翌3日に開催され、会議後にはメディアブリーフィングが行われることも発表された。

チェアマンの村井、そしてコミッショナーの斉藤惇《さいとうあつし》。両者が並んで登壇する光景は、まさに「歴史的」と言っても過言ではなかった。その理由を理解するには、NPBとJリーグ、両者の歩みを振り返る必要がある。

1993年に開幕したJリーグは、その目新しさも相まってメディアの注目を独占。一方、旧態依然の象徴として矢面に立たされたのが、当時のプロ野球であった。

当然、NPB側からすれば、Jリーグに対して危機感を覚えないはずがない。そんな中、勃発《ぼっぱつ》したのが「川淵《かわぶち》・ナベツネ対決」。当時、読売新聞社長だったナベツネこと渡邉恒雄《わたなべつねお》が「読売ヴェルディを名乗れないのはおかしい」と、チェアマンの川淵三郎に嚙《か》みついたのが発端である（ヴェルディの前身は、読売サッカークラブ）。

ここで注目すべきは「プロ野球対Jリーグ」ではなく「巨人（的なるもの）対Jリーグ（の理

念）」という対立の構図。川淵は常々、Ｊクラブは「企業名ではなくホームタウンを名乗ること」、そして「Ｊリーグに巨人は作らない」ことを明言してきた。その鮮明な姿勢が、渡邉の逆鱗《げきりん》に触れることとなった。

その後は、ブームが去ったＪリーグを尻目に、再びプロ野球が存在感を発揮する時代が続く。しかし、２００４年のプロ野球再編問題を契機に、Ｊリーグの「地域密着」の理念が、あらためて見直されるようになった。

オリックス・ブルーウェーブと大阪近鉄バファローズの合併話に端を発する、この問題は、エゴ丸出しのオーナーたちの姿勢に選手会と野球ファンが猛反発。ＮＰＢ初となるストライキが決行される中、ホームタウンと共生するＪリーグの考え方が、野球ファンの間でも共有されるようになる。東北楽天ゴールデンイーグルスが、球界再編で誕生した際に仙台を拠点としたのも、Ｊリーグの地域密着が念頭にあったのは間違いない。

２０１１年の東日本大震災でも、ＪリーグとＮＰＢの対応の違いがクローズアップされることとなった。地震発生当日、Ｊリーグは当面の試合中止を決定。開幕を控えていたプロ野球は、セ・パ両リーグの足並みが揃わず、再び世論の批判を招くこととなった。

そして２０２０年のコロナ禍。９年前の教訓が活かされる形で、ＮＰＢでは早々にオープン戦の無観客試合を発表したが、それでも公式戦中止の決定はＪリーグが先。危機管理において、ＪリーグがＮＰＢよりも先行していた事実に変わりはない。

ただし、根強い人気とメディアの注目度、そしてビジネス規模では、まだまだプロ野球が上。

セ・パ合わせて12球団しかなくとも、レギュラーシーズンの試合数が143（J1の4倍以上）のプロ野球は、依然としてJリーグ以上に国民への影響力を保ち続けていた。

そんな両者が、コロナ対策の情報を共有することは、互いを補完し合うという意味でも、非常に理に適《かな》った座組と言えた。このアイデア、どちらの発案だったのだろうか。

前出した村井のコメントを読む限り、Jリーグ側からNPB側に投げかけたと見るのが自然だろう。しかし実際にはNPB側、それも読売新聞社長の山口寿一《としかず》が発案者だったことが、のちに明らかになっている。

雑誌『文藝春秋』の2020年9月号に「プロ野球、コロナと戦う」と題し、山口本人が寄稿している。以下、引用。

《以前に私はJリーグの地域密着の努力を教わりに行ったことがあり、Jリーグの方々と交流があった。が、村井さんの方から意見の交換に来られたのは初めてだった。

私は、「これからどうなっていくか分からないことだらけです。プロ野球とJリーグで連携して行動していきませんか」と提案した。

具体的には、プロ野球とJリーグが新型コロナ対策の連絡会議を設置して、そこに専門家チームを置く。専門家に意見書をまとめてもらい、公式戦をどう開催するかはプロ野球、Jリーグがそれぞれ独自に判断するという構想を持ちかけた。

チェアマンは「どうすればいいか悩んでいました。光が見えた気がします」と笑顔で賛同してくれた。》

村井が読売新聞社で、山口と面会したのは、中止決定から2日後となる2月27日のこと。アポイント自体は、実は前年に決まっていた。つまり当初、コロナ対策のための会談ではなかったと村井は明かす。

「実は山口さんは、Jリーグの地域密着に注目されていて、V・ファーレン長崎の髙田《たかた》（明）社長をおつなぎしているんです。それで、実際に視察された感想をお聞きすることになっていたんですが、時期も時期でしたからね。Jリーグが中止した理由をお話ししたら、さすがに記者出身だけあって、山口さんはコロナに関するさまざまな情報をお持ちだったんです。その上で『プロ野球とJリーグが協力して、情報連絡会議をするのはどうですか？』というご提案をいただいたんですね」

山口と村井の出会いがなければ、新型コロナウイルス対策連絡会議という座組が生まれることはなかった。野球界に人脈がなかった村井に、NPBコミッショナーの斉藤を紹介したのも山口なら、感染制御学が専門の東北医科薬科大学特任教授、賀来満夫《かくみつお》にコンタクトしたのも山口だったのである。

では、日本の2大スポーツ興行団体のトップ同士の相性は、どうだったのか。

第14代コミッショナーの斉藤は、1939年生まれで、この時80歳。野村證券株式会社副社長、住友ライフ・インベストメント株式会社CEO、株式会社産業再生機構社長、株式会社東京証券取引所代表取締役社長などを歴任した、生粋《きっすい》の実業家である。

そんな斉藤は、村井との出会いをこう振り返る。

「初めてお会いしたのは、ここ（NPB）のオフィスでしたね。当時はまだ、フェイス・トゥ・フェイスで話ができた時期でしたので。リクルート出身の村井さんとは、最初から波長が合いました。リクルートの東証上場には僕も関わっていましたし、社長だった柏木《かしわぎ》（斉《ひとし》）さんとも酒を酌み交わす間柄だったので、すぐに意気投合しました」

　余談ながら、歴代コミッショナーの前職は、最高裁判所裁判官、検事総長、内閣法制局長官、さらには公正取引委員会委員長や駐米大使など、実にさまざまである。傾向として、社会的ステイタスが極めて高く、スポーツとの関わりは希薄。斉藤も例外ではなかったが、ビジネスという接点から村井との向き合いがスムースだったのは、まさに「異端のチェアマン」のキャリアがもたらした幸運であった。

　それにしても、歴史的な大同団結を促した読売の山口はなぜ、この事実をしばらく公表しなかったのだろうか。その理由を村井が教えてくれた。

「NPB側からは『当面は特定球団の名前は控えましょう』と言われていたんです。それが、会見当日の事前打ち合わせでした。12球団がある中、特定球団による個別論は控えたいという判断があったんでしょうね」

　そして、こう続ける。

「Jリーグが試合の中止を意思決定した（2月25日の）タイミングで、Jリーグ側からNPB側に連絡を入れて、今後の連係を働きかけたというのは事実です」

　結果として「NPB様から快く、今回の具体的な提案を含めてご提示いただき、この場に至る次第」という会見での発表になった。山口の意向を受ける形ではあったものの、村井は事実を伝えられないもどかしさを、しばらく引きずっていたという。

「世の中的には『JリーグがNPBに働きかけた』ように言われていたことに、ずっと引っかかりを感じていたんです。『村井さん、もう話しても問題ないですよ』と山口さんから連絡をいただいたのが、8月くらい。そのタイミングで『文藝春秋』での手記が発表されました」

2020年8月といえば、4カ月ぶりに再開したJリーグが、粛々とゲームを消化し始めていた頃だ。すでに「有観客」となっていたが、観客は感染対策のマスク着用が求められ、声出しの応援は禁止で拍手のみ。それでもJリーグは、正常化に向けて着実に動き出していた。

しかし、その状態を迎えるまでにJリーグは、4月に立て続けに起こった困難を乗り越える必要があった。

本書では、これを「Jリーグ4月危機」と命名することにしたい。

02 「Jリーグ4月危機」の真実(2020年)

「大学を卒業後、この年齢で初めてとなる充電期間です。といっても、のんびりしているわけではないんですよ。今までお世話になりながら、なかなかご挨拶できなかった方々にお会いしています。コロナで大変だったときに助けてくれた、大学やゴールドマンの同期だったり、先輩・後輩だったり」

Jリーグの元専務理事、木村正明と再会したのは、東京・池袋にあるサンシャインシティのカフェであった。指定された時間は、16時10分。JFAハウスを去ってからの木村は、まさに10分刻みのスケジュールで挨拶回りを続けていた。

実は「チームMURAI」の中で、取材のアポイントを確定させるのに最も苦労したのが、この人。そして私にとり、取材を通してチームMURAIで最も長い付き合いとなっていたのも、この木村であった。

初めて出会ったのは、ファジアーノ岡山の社長に就任して1年後の2006年。全国地域リーグ決勝大会という、アマチュアの大会で優勝した時、人目もはばからずに泣きじゃくる木村の姿を、私は間近で見ている。

この大会で昇格を果たさなければ、クラブは存続できないかもしれない。そんなプレッシャーから解放され、宿願を達成した瞬間の突き抜けるような歓喜。それらが同時に訪れると、どんなエリートでも人前で滂沱《ぼうだ》の涙を流すことを、私はこの時に初めて知った。

岡山の社長時代、私はたびたび木村にインタビューを試みている。Jリーグの専務理事に抜擢される2年前、2016年の取材では「非常勤理事から見た村井満」について尋ねている。木村が指摘したのが「叡智《えいち》の結集」と「情報の収集と開示」であった。

「まず『叡智の結集』ですが、村井さんはさまざまな分野のエキスパートを集めて、それぞれの能力を上手く引き出していますよね。JFA（日本サッカー協会）から原博実《はらひろみ》さんを呼び寄せたのは、その典型例だと思います。それから『情報の収集と開示』。チェアマン就任から2年かけて、村井さんはJ1からJ3まで、全クラブの実行委員から本音を引き出しているんです。そこで明らかになった課題について、分科会を設けるなどして丁寧に向き合っています」

それと付随して「理事会から（各クラブに）降りてくる情報の解像度も、村井さんがチェアマンになってから格段に上がった」というのが、2014年から非常勤理事を務めてきた木村の実感であった。

このインタビューから2年後の2018年1月31日、村井から専務理事のオファーを受けて、木村は就任を受諾する。経緯は先に述べたとおりで、その任期は2期4年。ただし、2020年の以前と以後とでは、木村の果たすべき役割は大きく変容している。

「自分自身のJリーグへの貢献を考えた時、やはり2020年のコロナ禍が大きなターニングポイントでした。コロナ以前はｔｏ　Ｃ戦略などがメインでしたが、コロナ以後は金融機関と官邸への働きかけが大きかったですね」

なぜ、木村の役割は一変したのか。それは２０２０年当時、Ｊリーグそのものが破綻《はたん》しかねない危機的状況にあったからだ。

木村が厳しい現実を強く意識したのは、中断していたリーグ戦の再開日について、Ｊリーグが「白紙」と発表した4月3日。その当時、Ｊリーグは、そして日本社会はどうなっていたのか。あらためて、振り返ってみることにしたい。

＊

フットボールのない日常が、3月いっぱい続くことが発表されたのは、3月12日のこと。奇《く》しくも、ＷＨＯ（世界保健機関）が初めて「パンデミック」を認めた日でもあった。

先に述べたとおり、Ｊリーグが最初に中止を発表したのが、2月25日。この時は「3月18日の再開を目指す」としていた。しかし、3月9日に行われた2回目の新型コロナウイルス対策連絡会議の結果を受けて、同日夜に全実行委員とオンライン会議を開催。3月いっぱいの全公式戦中止を合意したことが発表された。そして臨時理事会を経て、Ｊリーグは2度目となる公式戦再開の延期を発表している。

新たに中止となったのは、3月18日から29日までの69試合。これでＪリーグは、先に発表した94試合と合わせて、１６３試合を再開後に消化しなければならなくなった。

日程の再調整に追われるＪリーグも大変だが、それはサッカーに関わるすべての人々にとっても同様である。

選手や監督は、どのタイミングに向けて仕上げればいいのか、日々迷いながらトレーニングを続けている。クラブのフロントスタッフは、入場料収入がない中で資金調達に苦慮している。グッズやマッチデープログラムやスタジアムグルメの業者、警備スタッフやスタジアムDJやチアリーディング、解説者やレポーターや放送技術スタッフ、そしてフリーのジャーナリストやフォトグラファー。いずれも仕事が止まったままだ。

最初に中止が決まった当初、「この3週間を乗り切れば」という思いが、私の心の支えだった。ところが「山場」と言われた時期を過ぎても、感染拡大は一向に収束する気配がない。その間、サッカー以外のスポーツイベントもことごとく中止や延期を迫られ、気がつけばJリーグの中断期間は1カ月以上となっていた。

2回目の中止発表があった3月12日、第3回となる新型コロナウイルス対策連絡会議を受けての会見がJFAハウスで行われた。

久々に訪れたJFAハウスは、すでにリモートワークに完全移行していたため、薄暗く閑散としていた。取材者は、氏名と住所と連絡先、そして体調不良がないことを用紙に記入し、非接触で体温を検知するサーマルカメラのチェックを受けてから、ようやく入室することができる。

この時点では、まだサーマルカメラは珍しかった。またリモートワークについても、Jリーグは比較的早期に移行していたことは、強調しておくべきだろう。

東京商工リサーチの調査によれば、わが国でリモートワークが一気に増加したのは、最初の緊急事態宣言が発出された4月7日以降。それまでの17・6%から、一気に56・4%に跳ね上がっている。ところがJリーグでは、2月19日には全社でのリモートワーク推奨を伝達し、27日から完全リモート化に移行。それを下支えしていたのが、コロナ禍以前からJリーグが活用していたZoomであった。

Zoomの爆発的な普及は2020年からだが、Zoomビデオコミュニケーションズが創業したのは2011年。サービス開始が2013年1月で、同年5月までの利用者は全世界で100万人程度だった(2020年4月には3億人を突破)。

そんな中、JFAハウスで最も早くからZoomに触れていたのが、SHC(スポーツヒューマンキャピタル)の田窪範子《たくぼのりこ》である。

「講師の中に、ニューヨーク在住の中村武彦さんがいらして、事前打ち合わせのために2015年から使っていました。その後、緊急の実行委員会が続く中、利用する機会がどんどん増えていった感じです」

もっとも、コロナ禍という予期せぬアクシデントがなければ、Jリーグ全体でZoomをフル活用するのは、もっと先になっていただろう。当時、広報部に所属していた吉田国夫は、オンラインでのコミュニケーションに最初は懐疑的だったことを明かしている。

「Zoomのサービス自体、コロナ前から認識はしていたんですが、オンラインでの会議には抵抗感がありましたね。それでも、田窪さんがレクチャーしてくれたおかげで、Jリーグ内でも比較的スムーズに広まっていきました」

完全リモートワークとなった3月以降、社内での会議や実行委員会は、オンラインで行われるようになる。一方で、理事会や対策連絡会議、それらを受けての会見は、しばらくJFAハウスで開催されていた。

ところが3月17日の理事会後の会見は、スタートが30分以上遅れた挙げ句に「JFAハウスで感染者が発生」との理由で急遽中止。のちに感染したのが、JFA（日本サッカー協会）会長の田《た》嶋幸三《しまこうぞう》だったことが明らかになった。

この日の夜、あらためてオンラインによる会見が開催され、以後はこのスタイルがスタンダードとなってゆく。そしてチェアマン時代の村井が、リアルな会見の場に登場することは、二度となかった。

NPB（日本野球機構）とJリーグによる新型コロナウイルス対策連絡会議は、2020年3月3日に第1回が行われ、22年11月28日の第68回をもって終了している。その間を通じて座長を務めたのが、東北医科薬科大学医学部感染症学教室特任教授の賀来満夫《かくみつお》。第1回の対策連絡会議で、村井と出会った時のことを、賀来は鮮明に覚えていた。

「村井チェアマンが、われわれに求めていたことは明確でした。『百年に一度のパンデミックについて、われわれが持っている情報は少ない上に、経験もありません。選手、スタッフ、観客が、安心かつ安全に試合を進めていくために、感染症の専門家の方々のご助言をいただきたい』。そう、おっしゃったんです」

そんな賀来が、最初に競技団体と関わったのが日本相撲協会。大相撲春場所の無観客開催も、彼の助言によるところが大きかった。

そのことを知った、読売新聞社長で日本相撲協会理事（外部招聘《しょうへい》）の山口寿一《としかず》が、面識もなかった当人に連絡してNPBとJリーグに紹介。さらに賀来が、三鴨廣繁《みかもひろしげ》（愛知医科大学医学部臨床感染症学講座主任教授）と舘田一博《たてだかずひろ》（東邦大学医学部医学科教授）にも声をかけ、ここに専門家チームが結成される（その後、地域アドバイザー6名、科学アドバイザー3名が加わる）。

かくして、心強いメンバーが加わったものの、賀来には気がかりなことがあった。

「私たちは感染症の専門家として、診療や感染症対策に携わってきたわけですが、それはあくまで医療機関の中での話だったんです。今回の対策連絡会議は、スタジアムやトレーニング施設、選手の宿舎、さらには移動や家庭生活までもカバーしなければならない。今までに経験したことのない、非常に難易度の高いチャレンジでした」

そんな賀来の懸念を払拭させたのが「先生方にお願いしたいのは、リスクの評価です」という村井の言葉だった。

「村井さんは、こうおっしゃいました。『現在のリスクが100だとして、どうしたら80に、70に、60に下げることができるのか。そこの部分を評価しながら、ご支援いただきたい』と。その上で『われわれが責任をもって、リスクマネジメントをします』と言っていただいたんです」

感染対策のすべてを丸投げするのではなく、専門家との役割分担を明確にした上で、リスクマネジメントについてはJリーグがしっかりと引き取る。そのことを村井は、最初に明言した。それゆえ賀来も「そんなことが言える組織のトップに、私は初めて出会ったので驚きました」と、実感を込めて語っている。

未知のウイルスに対する、専門家グループのリスク評価作業が進められる一方で、Jリーグでは公式戦再開に向けた準備も粛々と続けられた。

3月17日の理事会では、リーグ昇降格に関する「特例ルール」適用が承認されている（発表は19日）。2020年に関しては、J1およびJ2において「原則として降格無し」、J2およびJ3において「最大2クラブ昇格」とすることを決定。さらに25日の臨時実行委員会で、ルヴァンカップを含む全151試合の延期の決定と、新たな再開スケジュールも発表された。

それによれば、J3が4月25日に開幕、J2が5月2日、J1が5月9日に再開。具体的な日程は、4月3日にリリースされることになった。

なお、実行委員会前日の3月24日、当時の安倍晋三《しんぞう》首相とIOC（国際オリンピック委員会）のトーマス・バッハ会長との間で、東京オリンピック・パラリンピックの開催1年延期が合意。当初は中断期間とされていた、同大会期間でのJリーグ開催は、これで支障がなくなった。

新たな再開日程が設定されたことを受けて、Jリーグは3月27日に臨時実行委員会を開催し、その内容をオンライン会見で明らかにしている。

会見では「試合日程」「競技の公平性」「観戦環境対策」「財務対応」という4つのテーマについて、それぞれの担当者が説明。このうち、ファン・サポーターが強く関心を示したのが「観戦環境対策」であった。コロナ時代におけるスタジアム観戦が、どのようなものとなるのか。この時点では、誰も具体的なイメージを持ち得ていなかったからだ。

「観戦環境対策」についての説明を行ったのは、観戦環境対策プロジェクトリーダーで特命担当部長の藤村昇司《しょうじ》。彼が丹念に練り上げてきた「再開直後の試合運営プロトコル（仮）」の内容を引用しながら解説していく。

Jリーグは「観戦環境対策」のリスクについて、レベル3（厳重警戒）→レベル2（警戒）→レベル1（注意）と設定。レベル3の段階から**《できる限りの感染リスク対策をして、お客様をお迎えしながら、Jリーグから、ぜったいに守ってほしい基準を示す》**としている。そのために**《リーグを再開する》**。具体的には、感染リスクの主要因となっている「3密＝密閉・密集・密接」の状態を作らないための禁止事項を設けることである。

この2日前、チェアマンの村井は「試合は野外で行われるので、密閉については問題ない」とした上で、密集対策については「(再開から）2カ月を目処《めど》に遠距離移動による観戦の自粛を呼びかけること」。密接対策については「前後左右の客席を空けること」を方針として掲げていた。ならば「3密」ならぬ「2密」によるリスクを避けるために、具体的にどのような禁止事項をJリーグでは考えていたのか。藤村の説明が続く。

まず、来場自粛を要請する対象については**《体調の悪い方（37・5度以上の発熱、咳、からだのだるさ）》《過去2週間以内に、発熱または感冒症状で受診や服薬等をした方》《過去2週間以内に、感染拡大している地域や国への訪問歴がある方》**などが挙げられている。

その上で、密集対策としては、遠距離移動によるアウェイ観戦の自粛を促すために**《ビジター席を設けない》**。密接対策についてはは**《スタジアム内回遊規制》**を設けることや、売店についても**《人込みをつくる要因となる》**として検討課題とした。アルコール販売については**《サンミツ（原文ママ）への配慮が薄れるリスク》**を懸念。会場内での飲食についても**《マスクを外すことにつながり、感染リスクに見える》**としている。

ゴール裏のサポーターにも、期間限定での規制が求められた。すでにこの時点で**《「ゴール裏」にも密集しないよう要請》**した上で**《チャントやコールを先導・扇動するような行為（持ち込み等含む）を禁止する》**可能性を示唆。この件について、藤村の見解は「応援は声を出すのではなく手拍子中心が望ましい」。ただし「自然発生的な歓声については容認」する方向であることを明かしている。

会見が行われた3月27日は、英国のボリス・ジョンソン首相のコロナ感染が報じられた日でもあった。それから2日後の29日には、入院中だったタレントの志村けんが死去。突然の訃報に、国内は騒然となった。

コロナは誰でも感染する可能性があり、場合によっては生命を奪われる危険性もある――。それ以前にも、日本での感染者死亡の報道はあったが、国民的なタレントの死の衝撃は計り知れなかった。ここから国内の空気は、がらりと変わる。

再開後のJリーグで観客を入れたとしても、飛沫拡散防止のために声出し応援が禁止されるのは、仕方がない。

それが、当時のファン・サポーターの一般的な受け止め方であった。

なお、この時のプロトコルは、ブラッシュアップを重ねながら5月14日に「Ｊリーグ新型ウイルス感染症対応ガイドライン」に結実。以後は感染状況に則しながら、アップデートを繰り返していくことになる。

この年の11月、突然の病に倒れた藤村に代わって任務を引き継いだのが、Ｊリーグ入社４年目(当時34歳)の仲村健太郎であった。前任者の遺した仕事の重みについて、実感を込めながら仲村は語る。

「藤村さんがすごかったのは、未知のウイルスに対する探究心とアウトプット力だったと思います。国内外の膨大な資料や文献を集めて、ほとんど独力で１００ページ以上のガイドラインに落とし込む作業は、あの人でなければできなかったでしょうね。藤村さんがいなければ、みんなが共有できるガイドラインが生まれることもなかったし、Ｊリーグの再開もさらに遅れていたと思います」


Ｊリーグが完全リモートワーク化となった2月27日以降、チェアマンの村井はさいたま市の自宅から指令を出す日々が続いていた。

理事会後の会見が中止となった3月17日以降は、雑誌の取材のために一度だけ出社。それ以外は自ら率先して、オンラインでのコミュニケーションに徹することとなる。

当時の村井の動向を知る手掛かりとなる、貴重な資料が私の手元にある。

コロナ禍での身辺の記録を綴《つづ》った日記。ただし、2013年のチェアマン就任要請を記録した手書きのものではなく、こちらは自宅のPCに打ち込んだものだ。データそのものは、不運なクラッシュにより消滅してしまったが、たまたま2020年4月と5月の記録はプリントアウトが残っていた。私が持っているのは、そのコピーである。

たとえば「アベノマスク」と呼ばれる、全国民への布マスク無料配布を首相が発表した、4月1日の記録。

・朝風呂に入ってから部下と2本の電話
・10時からオンラインでの実行委員会（賞金や理念強化分配金の見直し、順位決定方法や昇降格について議論）
・午後も5本の電話（DAZN《ダゾーン》との意見交換含む）
・13時30分よりオンライン会見
・18時からオンラインでの「史上最大の飲み会」開始

18時からのJリーグ全社員向けのオンライン飲み会については**《最後に全員で『上を向いて歩こう』を歌い泣きそうになる》**との記述もある。日々の出来事だけでなく、自身の内面についてもかなり踏み込んで書かれてあり、将来の出版を意識していた可能性すら感じさせた。

この当時の村井家には、妻と娘夫婦、そして未就学の孫娘もいた。日記の中に、社内でのシリアスなやりとり、そして孫娘との微笑《ほほえ》ましい交流が交互に記録されている。なんとも奇妙な読後感。とはいえ、不要不急の外出自粛が求められた「ステイホーム」の頃、こうした感覚は程度の差こそあれ、誰もが共有していたのではないか。

Jリーグが未曽有《みぞう》の危機に見舞われた時、幸いにも村井の身辺には「家族」と「やすらぎ」があった。もしも危機の原因が未知のウイルスでなかったなら、おそらくJFAハウスに泊まり込んで、不眠不休で対応に当たっていたことだろう。そうした状況で、果たして冷静なジャッジができていただろうか？

もうひとつ、この2020年の「村井日記」を熟読していた私は、ある種の奇跡を感じるようになっていた。それは、プリントアウトされていたのが3月でも6月でもなく、4月と5月だったことだ。

とりわけ4月分は重要。というのも、混乱を極めた当時のJリーグにおいて、最も危険な状況が続き、いくつかの重要な意思決定がなされたのが、この年の4月だったからだ。該当する72枚のA4コピー紙は、まさに「Jリーグ4月危機」を知る上での一級品の史料といえる。

危機のひとつが、再開スケジュールの「白紙」決定である。

前述したとおり、リーグ再開（J3は開幕）に向けた新たな日程は、4月3日に発表されることになっていた。ところが、この日に行われた第5回対策連絡会議を受けてのオンライン会見は、事態の一層の深刻さを感じさせるものとなった。

専門家チームの意見は以下のとおり。

「ここに来て感染者が急増しており、プロ野球やJリーグの選手からも陽性反応が出ました。現段階では（予定どおりの開催は）非常に難しいと言わざるを得ない」（賀来）

「選手、スタッフ、その家族を守ること。スポーツ文化を守ること。この2点に集約して提言してきました。しかし、この感染拡大を受けて『社会に対する責任』が課せられたと感じています。（野球とサッカーという）日本を代表するふたつのスポーツ界が、社会に対する責任を果たさなければならない」（三鴨）

「市中における蔓延期に入ったと感じています。数週間でピークを迎え、ピークアウトしていくとは考えにくい。ひと月、ふた月のスパンで考えないといけない」（舘田）

専門家の意見を受けて、チェアマンの村井も「Jリーグとしても、国民の健康を第一に考えつつ、社会的な役割を果たしていかなければならない」とコメント。その上で、今後の日程の白紙を宣言した。

この白紙決定は、専門家グループにとっても苦渋に満ちたものとなった。座長の賀来は、のちにこう打ち明けている。

「実は私、中学、高校、大学とサッカーをやっていたんですよ。舘田先生もそうで、母校（長崎大学）ではサッカーでも先輩・後輩の間柄。三鴨先生は野球をやられていて、豪腕投手でならしたそうです。つまり3人ともスポーツファンで、本音では試合を観たいわけですよ。そういうファンとしての気持ちを抑えながら『今の状況だとリスクがあります』と言うほかなかった。ところが、われわれが中止を決めていると思った人がいたみたいで、実際に脅迫状が届いたこともありました」

一方、Jリーグ内部でも白紙決定は、強い衝撃をもって受け止められた。

「われわれの間では『4月3日の悲劇』と呼ばれています」と苦笑するのは、フットボール本部本部長として日程プロジェクトのリーダーを務めた、黒田卓志《たかし》である。

J1からJ3までの日程調整が、どれだけ膨大かつ複雑な作業だったか、サッカーファンであれば容易に想像できよう。それゆえの当事者たちの落胆ぶりについても。そんな中、救いに感じられたのが、決断した村井の言葉であったと黒田は語る。

「確かにあの時は、頭の中が真っ白になりましたし、かなり落ち込みもしました。でも、当の村井さんは淡々とされていて『われわれの理念に基づくなら、国民の皆さんの安全が担保されない限り、開催は適切ではない』とおっしゃっていました。それを聞いて、われわれも頭の中を整理できましたね」

村井が決定の根拠としたのが、Jリーグの理念のひとつである「豊かなスポーツ文化の振興及び国民の心身の健全な発達への寄与」であった。日本政府が、最初の緊急事態宣言を発出したのは「4月3日の悲劇」から4日後の7日。もし予定どおりの再開を発表していたら、再開を撤回しなければならず、大混乱を招いただけでなく、反発も大きくなって落胆だけでは済まされなかっただろう。

迷った時は、まず設立当初の理念に立ち返る。そうした村井の基本姿勢は、結果として感染拡大による混乱を最小限にとどめることにつながった。

「Jリーグ4月危機」のもうひとつのクライマックスは、経営危機の回避である。3日の白紙決定を受けて、焦燥感を募らせていたのが、専務理事の木村であった。

「あの日を境に、今後もし1試合も開催できなくなったら、ということを考えるようになりました。われわれは試合を開催することで、入場料やスポンサー料、放映権料を得られるわけです。それが1試合もできなかったら、Jリーグと56クラブはどうなるのか？　霞が関や永田町で働いている友人たちから情報を集めてみると、日本経済が大打撃を被ることを想定して、政府が動き出していることを知りました」

「これは大変なことになる」と真っ青になった木村は、村井の密命を受けて、従来の職務から逸脱した行動に打って出る。すなわち、金融機関と官邸への働きかけであった。

平時であれば、村井のリクルート時代の人脈で、何とかなったかもしれない。が、この時は国内のみならず、世界中がサバイバル状態。自分たちの足元が揺らぐ中、スポーツ興行団体に融資をしてくれそうな金融機関など、とても見つかりそうになかった。

また官邸に対して、公式戦の再開や税制優遇措置を訴えようにも、村井もJリーグもそうしたルートを持ち合わせてなかった。これに付言すると、村井はリクルート事件での経験から「政治（家）には近づかない」ことを自らに課していた点も、留意すべきだろう。

そんな中、頼みの綱となったのが、専務理事の木村が持つ人脈である。

さまざまな業界でCEOやCFOに転じた、ゴールドマン出身者。そして金融界や官庁で、かなりの地位に昇進していた東大の卒業生。そうした人脈に対して、木村は片っ端からコンタクトを取っては、道行く人影がまばらな官庁街を駆けずり回った。

「最初に相談したのが、スポーツ庁。僕自身、それまで霞が関には縁のない人間でしたが、次長クラスの人にお会いして事情を説明したら、あちらもびっくりされたんです。いろいろ相談した結果、これは日本政策投資銀行にお願いするレベルではないかと。すぐに連絡したんですけれど、先方は『それどころではない』という状況でしたね」

ゴールドマンの執行役員時代にも、岡山の社長時代にも、まったく経験したことのない重圧。満足に眠れない2日間を経て、ようやく一縷《いちる》の光が差し込んだのが、4月5日のことである。

「大学の同期や先輩・後輩が動いてくれて、5日に経済産業省のしかるべき立場の方にアポイントが取れたんです。その日のうちに、商工中金（商工組合中央金庫）も紹介していただきました。経産省が16時で、商工中金が17時。Jリーグに何かあったら融資をしてもらう、コミットメントラインをその場で取り付けることができました。すぐに村井さんに電話して、ふたりして『やったー！』と叫んでいましたね」

「コミットメントライン」とは、企業があらかじめ銀行と取り決めた範囲で、所定の審査を経ずに随時融資を受けられる上限枠を指す。その後Jリーグは、商工中金に加えて三菱UFJ銀行とも契約を結び、合わせて300億円を超える融資を要請できることとなる。

「あの時の木村さんを見ていて、最も学ばせてもらったのが突破力でした」

のちに新型コロナウイルス対策室の室長となる仲村は、この時は財務経理部と人事部を兼務する形で木村の交渉現場に同行していた。

「東大やゴールドマンのコネクションは間違いなく木村さんの強みですが、あの緊急事態においては、ファジアーノ岡山での経験も不可欠だったと思っています。クラブ社長時代、地元の自治体や企業に向き合ってきた経験が、難しい交渉にも活かされていたんでしょうね」

Ｊクラブの社長は、あらゆるステークホルダーと向き合わなければならない。そうした岡山時代の苦労と経験が、思わぬ形でＪリーグを救うこととなった。

一方の官邸対策については、当時の菅義偉《すがよしひで》官房長官との面会が２回行われている。その１回目が実現したのが、４月20日の17時。官邸での面会は15分間が基本だが、菅は20分にわたって、村井と木村の話に耳を傾けたという。

果たして菅は、Ｊリーグをどう見たのであろうか。木村の証言。

「菅さんが関心を寄せたのは、全国のＪクラブのクラブハウスやスタジアムをＰＣＲ検査の会場に転用できる可能性があること。それからＪクラブのスポンサーには、地方の中小企業も多く含まれていることでした。Ｊリーグ全体で、３万社以上の企業が応援していることをお伝えすると、とても興味深そうな表情で聞いてくださいましたね」

この菅との面会が、国税庁から有利な回答が得られる布石となる。

とりわけＪリーグにとって重要だったのが、企業がＪクラブに対して支払ったスポンサー料を「損金算入として認める」というものだ。

税法上、スポンサー料は広告宣伝費として扱われる。支払われた広告宣伝費に対して、通常はスポンサー企業が課税されることはない。ただし、コロナ禍で試合数が減少した場合、正当な広告宣伝行為がなかったと判断されてしまうと、支払った広告宣伝費が課税対象となる可能性が生じる。しかし、試合開催の有無にかかわらず損金算入が認められる（＝課税対象にならない）となれば、スポンサー企業にとっては安心材料となるわけである。

ちなみにプロ野球の球団に対しては、1954年に国税庁通達がなされている。これは親会社が、年間に何度拠出しても上限を問わず、すべて損金算入を認めるというものだった（戦後のプロ野球は、この制度が発展の礎《いしずえ》になったと言われている）。

他方、これまでJリーグクラブには、これが認められていなかった。そのため親会社は年間1回、毎年定額を拠出していたのである。この制度をサッカー界にも適用することは、実はJリーグの悲願でもあった。

木村と仲村の数度にわたる国税庁との交渉の結果、Jリーグもプロ野球と同じ制度を勝ち得ることができ、国税庁の公式サイトにも掲載されることとなった。これがコロナ禍での救済のみならず、アフター・コロナでの飛躍にもつながり、さらにはアマチュアを含む他競技団体に適用される道も開かれた（実際、2022年度決算では親会社からの拠出増により、J1クラブの広告料収入が軒並み大幅アップしている）。

Jクラブへの損金算入の承認。それは、Jリーグが国に貢献できる具体案を、村井と木村が示したことが大きく影響したと考えられている。

ただ単に「Jリーグの危機」を訴えるのではなく、Jクラブが全国に点在するメリットを強調し、プロ野球でも難しかった貢献のアイデアを提示する。それが可能な競技団体は、Jリーグをおいてほかにない。

なぜならJリーグは、単なるスポーツ興行団体ではなく、それぞれの地域に根差しながら、人々の暮らしや健康に資することを目的としているからだ。

そうしたJリーグの理念が、官邸にも明確に伝わったからこそ、Jクラブへの損金算入は速やかに認められることとなった。

国内での累計感染者数が、ダイヤモンド・プリンセス号の乗客を除いて1万人を超えた4月18日。村井は、限られた理事と部下に、あるメールを送っている。内容は、Jリーグの最悪の事態を想定したものであった。

《Jリーグが銀行管理下に置かれた場合、従業員が事業会社本籍では雇用リスクにさらされる。そうならないよう事業会社はいったん清算し、従業員をいったん公益に戻し、身分を保全することも必要なのかもしれない。》

文中の「事業会社」とは、関連会社をひとつにして作られた株式会社Jリーグを、「公益」とは公益社団法人日本プロサッカーリーグを、それぞれ指す。

ここで私の目を引いたのが「清算」の2文字である。

もしかしたら村井は、銀行管理下に置かれたJリーグを、最悪の場合「清算」せざるを得ない、というシナリオも頭の片隅に置いていたのではないか。

サッカーの世界史を見渡せば、国内リーグの「清算」は過去にもあった。1967年から84年まで、わずか17年間存在したNASL（North American Soccer League＝北米サッカーリーグ）である。

ペレ、ヨハン・クライフ、フランツ・ベッケンバウアー、テオフィロ・クビジャス、そしてジョージ・ベスト。全盛期のNASLは、1960年代から70年代の世界中のスター選手たちが集う、世界で最もリッチでゴージャスなリーグだった。

NASLは「サッカー不毛の地」に、つかの間のサッカーブームをもたらした。しかし、ロサンゼルスで夏季オリンピックが開催された1984年、NASLは経営破綻であっけなく消滅。のちに日本に誕生するJリーグのように、地域に密着することもなければ、自国の選手を育成することもなかった。

アメリカにおけるプロサッカーリーグの復活は、1996年にスタートするMLS（メジャーリーグサッカー）の開幕まで待たなければならない。

「あの当時、ありとあらゆるシナリオを想定していましたね」

のちに「清算」の意味について問うと、その可能性も排除していなかったことを村井は認めた。そして、こう続ける。

「Jリーグが潰れても、サッカーがなくなることはない。たとえリーグを清算したとしても、クラブさえ残っていれば新たなリーグを作ることはできる。ではどうすれば、この国にサッカーを残せるか？　それこそ『Jリーグ清算』も視野に入れながら、いろんなパターンを検討していたのは事実です」

もしもあの年、本当に「Jリーグ清算」が現実のものとなっていたら、私たちはどうなっていただろうか？

単に、ひとつの競技、ひとつの娯楽、ひとつの産業が壊滅的打撃を受けるだけでは済まされない。地域へのプライドやロイヤリティの発露、世代や業界や出自を超えた交流、勝敗を通じての喜怒哀楽、あるいは遠征先での非日常的な体験。

それらJリーグにまつわる、あらゆる楽しみや喜びもまた、失われていただろう。そして後に残るのは、平日の消耗を回復させるためだけの、変化と起伏に乏しい週末ばかり。

そうした危機的状況を、辛くも未然に防ぐことができたJリーグ。しかし、その後も解決すべき課題は山積していた。

Jリーグ再開に向けての各方面への調整、Jリーグ新型ウイルス感染症対応ガイドラインの完成、コロナ禍を踏まえたDAZNとの契約交渉、そして未消化分を含む公式戦1104試合を安心かつ安全にコンプリートすること。

難易度の高いミッションに忙殺されるうちに、気がつけば2020年は、東京オリンピック・パラリンピックが行われるはずだった夏を迎えようとしていた。

03 コロナ禍で達成した1103試合開催（2020年）

「コロナでずっと外出ができなかった時、何度か電話でお話しさせていただきました。『村井さん、がんばってよ。とにかく応援し続けるから』ってね。資金繰りの問題とかあるかもしれないけれど、Jリーグの一番良いところは、ひとつの企業に依存しているわけではないこと。ファンやサポーター、地元の企業や経済界、そして自治体。そういった人や組織やコミュニティに支えられながら、持続できる構造になっているんですよね」

声の主は、明治安田生命保険相互会社の会長、根岸秋男《ねぎしあきお》。世界がコロナ禍一色となっていた当時、Jリーグのタイトルパートナーの会長は、折に触れてチェアマンの村井満に励ましの言葉を伝えていた。

東京・丸の内にある明治安田生命ビル。Jリーグのロゴが入った、2本の大旗が飾られた受付を通り、エレベーターを出て案内されたのは、最上階の応接室だった。大きな窓の向こう側には、皇居外苑が見える。

Jリーグファンには、すっかりお馴染《なじ》みの明治安田生命は、創業が1881年（明治14年）。保険業界では老舗中の老舗である。歴史があるだけではない。総資産が44兆2472億円、総従業員4万7385人（いずれも2023年3月末現在）という大企業でもある。ずっとサッカーにまつわる取材を続けてきた私にとり、ビジネス界の大物へのインタビューは初めて。何とも場違いな取材が実現したのも、根岸と村井との確固たる信頼関係があればこそであった。

根岸は1958年生まれで埼玉県坂戸《さかど》市出身。早稲田大学理工学部卒業後、1981年に「アクチュアリー」として、当時の明治生命に入社している。

アクチュアリーとは、保険料率や支払保険金額の算定など、保険数理業務を担当する専門職のこと。保険会社の中でも、エキスパートの色合いが濃い職種であり、優秀な人材が多い。ところが根岸は、6年かけてアクチュアリーの資格を取得したにもかかわらず、「現場も知りたい」という理由で営業職に転身（社内では前代未聞だったそうだ）。44歳で支社長、54歳で社長、そして62歳で会長に就任している。

村井とは同世代で、同じ埼玉県の出身。大学も同じ早稲田で、社長就任のタイミングも、村井のチェアマン就任の1年前。そうした共通点の多さが、両者の距離を縮めたのは間違いない。しかし、それだけの理由で、Jリーグのタイトルパートナーを引き受けたわけでは、もちろんないだろう。村井の第一印象について、根岸はこう振り返る。

「最初にお会いしたのは、チェアマンに就任された年（2014年）でした。すぐに『この人は信頼できる』と思いましたね。歴代チェアマンと比べると、経歴という面で確かに異端でした。その分、リクルートでいろんな経験をされていて、経営のありようもわかっていらっしゃる。それとは別に、すごくピュアで裏表がない方ですよね。それで『この人とだったら組める』と思ったわけです」

2014年の時点で、明治安田生命はJ3のタイトルパートナーであった。これをJ1とJ2に広げることを提案したのが、チェアマンに就任して間もない村井である。

提案を受けた根岸は「これだけ大規模な協賛は前例がなかっただけに、勇気がいりましたね（苦笑）」。その勇気を引き出したのが、村井に対する深い共感であった。明治安田生命はリーグのみならず、全国のJクラブとも個別にパートナー契約を締結。こちらについては、クラブごとにバラつきはあるものの、全体的に営業利益が上向く効果をもたらした。

2020年にコロナ禍がJリーグを襲った時も、明治安田生命のアクションは素早かった。5月22日に基本合意となった、Jリーグとの「特別協賛」契約。明治安田生命のリリースによれば**《新型コロナウイルス感染症拡大によって地域社会全体に大きな影響が生じていることをふまえ、地域社会支援等につながる寄付活動や、地域社会を後押しする新たな協働取組みを目的としたJリーグとの「特別協賛」契約の締結を通じた社会貢献等に取り組む》**としている。

明治安田生命が、この「特別協賛」をJリーグに提案したのが4月8日。最初の緊急事態宣言が発出された翌日であった。根岸は言う。

「当時の私の正直な気持ちは『村井さんのために自分ができることは、これだろうな』というものでした。もちろん長期的な視点で見れば、明治安田生命にもメリットのある話です。けれども、そのこととは別に私が考えたのが、Jリーグのために、そして村井さんのために何ができるか、ということでした」

決断の背景には、何があったのだろうか。私の問いに対する、根岸の答えは「困っている人を助けるのが、われわれの仕事ですから」。そして、こう続けた。

「もともと生命保険は、困っている人をみんなで助けるという相互扶助なんですよ。確かにコロナの時は、当社も対面営業ができずに大変でした。けれども、われわれは100年以上続く健全性を保ちながら、歴史を積み重ねてきました。ですから財政的には、ちょっとやそっとのことでは揺るがない。Jリーグが困っているのであれば、こういう時にこそ、当社の財政基盤の強さを発揮できる、というのはありましたね」

明治安田生命が、すぐさまJリーグに救いの手を差し伸べたのは、単に「タイトルパートナーだから」とか「村井さんのために」という話では収まらない。

おそらくは、すでに明治安田生命とJリーグとの間に、ある種の「運命共同体」のような絆《きずな》が生まれていた、と考えるのが妥当であろう。

根岸の言葉を聞いていて、もうひとつ実感したことがある。それは2020年のJリーグが、さまざまな面で「試されていた」ということだ。

直面する課題への対応だけではない。それまで培ってきた実績、さまざまなステークホルダーとの関係性、そして設立時から遵守し続けてきた理念。それらすべてが試されたのが、2020年の未曽有《みぞう》の危機だったのである。

＊

「コロナの中断期間中、移動が制限された中でもリーグを再開させる方策として、全国を3つのブロックに分割するというアイデアを考えていたんです」

当時、Ｊリーグ副理事長だった原博実《はらひろみ》が、知られざる秘話を語ってくれた。Ｊ１からＪ３まで、全56クラブを３つのブロックに分け、カテゴリーに関係なくリーグ戦をするアイデアである。

「各クラブが、なるべく長距離移動しないようにして、試合が終わったらすぐにバスで帰る、みたいな。Ｊ１とＪ３のダービーもあって、盛り上がるんじゃないか——。会議にも上げていないから、本当に数人にしか話してない『幻のリーグ戦』(笑)。でも、これでＤＡＺＮ《ダゾーン》の試合数もクリアできるんじゃないかとか、そこまで考えていましたよ」

実際の２０２０年シーズンは、６月27日にＪ３が開幕、同日にＪ２が、７月４日にＪ１が再開されることとなった。コロナ禍による中断は、結局４カ月にわたって続いたことになる。フットボールは戻ってきたものの、歓声や歌声がスタジアムに戻るのは、まだまだ先の話であった。

ここで、３月27日に発表された「再開直後の試合運営プロトコル」に立ち戻ることにしたい。この時点では**《できれば満員のお客様と共に再開したい。しかしその時期を待っていると、シーズン日程消化ができなくなる》**として、完全収束を待たずにリーグ戦を再開すること。さらに**《無観客は「最後の手段」と位置づける》**と明記されている。

Ｊリーグ27年の歴史の中で、無観客試合を行ったのは一度のみ。いわゆる「ＪＡＰＡＮＥＳＥ ＯＮＬＹ」事件への制裁として、２０１４年３月23日の浦和レッズ対清水エスパルス戦が無観客で開催されている(Ｐ34〜参照)。

当時、チェアマンに就任したばかりの村井にとり、それは極めて衝撃的な出来事となった。だからこそ「無観客というのは、サッカーにおいては懲罰以外の何ものでもない」と言い切り、こう続ける。

「極論するとサッカーって、サポーターの有無によって勝敗が大きく左右する競技なんですよ。コンマ数秒のギリギリに微分された戦いの中で、最後のひと押しをするのがサポーターの力。それを排除するということは、どうしても懲罰につながってしまうんですよね」

ゆえにJリーグは**《無観客は「最後の手段」と位置づける》**としていたのだが、4月23日のオンライン会見で、村井は「場合によっては無観客試合もそろそろ選択肢として入ってくる」とコメント。そのためのシミュレーションを進めていくことも明らかにしている。

「われわれの意思決定には、3つの方針がありました」と語るのは、フットボール本部本部長として、日程プロジェクトのリーダーを務めた黒田卓志《たかし》である。ここでいう3つの方針とは「国民の健康を守る」「スポーツ文化を守る」「お客様を入れて試合を開催する」。Jリーグの試合を開催するには、これらが遵守されることが前提条件だった。

「国民の健康、スポーツ文化、お客様を入れて開催、という順番は、われわれの中では完全に整理されていました。当時は誰もコロナの正体がわからなかったので、われわれとしては政府の方針を受け入れるほかない。その上で、スポーツ文化を絶やさないために無観客で試合を再開させて、状況を見ながらお客様を入れていく方向に舵を切りました」

6月15日のJリーグのリリースでは、J1とJ2の第2節と第3節、J3の第1節と第2節は「リモートマッチ」にて開催。7月10日以降は、原則として上限5000人、もしくはスタジアム収容人員の50％より少ないほうとする方針も発表された。

ここでいう「リモートマッチ」とは、無観客試合に代わる新しい呼称。日本トップリーグ連携機構が一般募集して決まったもので「リモマ」という略称が推奨された。もっとも「リモマ」どころか「リモートマッチ」ですら、一般のファン・サポーターに浸透していたとは言い難い。逆に「無観客」の反意語として「有観客」という、言葉を扱う者には違和感しかないフレーズが一般化したのは、何とも皮肉めいた話である。


125日間にわたるJリーグの中断によって、全国のJクラブが苦しんだのと同様、ステークホルダーであるDAZNもまた、極めて厳しい状況にあった。

DAZNのビジネスは、世界中でスポーツイベントが行われることが大前提。パンデミックによって、世界中のあらゆるスポーツが止まってしまったということは、体内の血液が循環しなくなることと同義であった。

中断期間中のDAZNは、アニメ『キャプテン翼』や海外のスポーツドキュメンタリー、さらには過去の試合映像を現代の実況と解説で配信するなど、あの手この手の苦肉の策で何とか視聴者をつなぎとめようとしていた。

一方の視聴する側は、もちろんDAZNを応援したい気持ちはあるものの、彼ら彼女らもまたコロナ禍による生活不安を抱えていた。中断期間中のSNSを検索すると、試合が再開するまでDAZNの一時解約を検討する書き込みは非常に多く、実際に解約したファン・サポーターも少なくなかった。

4月から5月にかけての村井の日記には、日中から夜にかけてはJリーグチェアマンとしての執務、そして日付が変わる午前0時以降は、ロックダウン状態にあったロンドンとやりとりする日々が綴《つづ》られていた。相手はDAZNの当時のCEO、ジェームズ・ラシュトンだ。

「少なくとも4月の末ぐらいの時点では、中断期間が4カ月くらい続くことは、双方とも視野に入っていました。ただし、ヨーロッパではリーグ終盤のタイミングだったのに対し、日本はシーズンが始まった直後での中断。こっちも再開の目処《めど》が立ってないということで、もはやDAZNとしてもレギュラーな考え方は通用しない。実際、これまでの交渉とは明らかにレベルが違うことは、ひしひしと感じていました」

この村井の証言を裏づけるように、ラシュトンもまた、Jリーグとの交渉が極めてタフなものであったことを打ち明けている。

「世界中で混乱が起きていたため、われわれはJリーグと話し合う必要がありました。課題の中には、契約内でカバーできるものとできないものがあって、どういう落としどころがベストなのか、あらゆるパートナーとのディスカッションを重ねています。もちろん、楽しい内容であるはずもなく、非常にシビアなものでした。具体的な数字は出せませんが、放映権料に関しての割引や補償についても交渉していました」

こうした交渉を経て、JリーグとDAZNとの新たな契約が発表されたのは、8月26日のこと。4年前の契約では2017年から26年までの10年間で約2100億円だったのが、今回は201

7年から28年までの12年間で約2239億円。1シーズンに均《なら》すと、210億円から186億5800万円に減少したこととなる。

年単価は下がったものの、契約期間は2年延長。この新たな契約、どのように評価すべきなのだろうか。チーム5の一員として、2016年にDAZNとの交渉に当たった小西孝生《たかお》は、前向きな評価を示している。

「コロナ禍の影響によって、DAZN側には先延ばしした経営計画を作り直さなければならない事情があったと思います。その観点で言えば、契約の残りの年数での平均単価が落ちることは、彼らにとっても受け入れやすい条件だったと言えるでしょうね」

両者の交渉が妥結を見たのは、村井の日記によれば4月30日。守秘義務の壁があるため、その内容は詳《つまび》らかではない。が、少なくとも「Jリーグ4月危機」の最後の難関が、DAZNとの契約交渉だったことは間違いない。

Jリーグにとってのダゾーンは、明治安田生命とは違った意味での「運命共同体」となっていたのである。ゆえに「もしもDAZNに何かあったら、Jリーグはどうなるのだろう?」という危惧は、サッカー界全体で共有されていた。だからこそ、8月25日の契約更新の発表に胸を撫《な》で下ろしたのは、私だけではなかったはずだ。

極めて難易度の高い交渉を終えた時の感慨について、村井はこう総括する。

「激しく本音でぶつかり合って、お互いの主張を尽くした末に着地点を見出した時、そこに深い信頼関係が生まれます。この時の経験は生涯、忘れられないでしょうね。もっとも私自身に、中国やインドの企業とのM&Aの経験がなかったら、あるいは腰が引けた交渉になっていたかもしれませんが」

再開後のJリーグは、すでに消化していた29試合を含め、合計1104試合の公式戦開催を目指していた。すなわち、J1が306試合、J2が462試合、J3が306試合、ルヴァンカップが29試合、そしてスーパーカップ1試合である。

このうち、リーグ戦とは異なるレギュレーションのルヴァンカップについては、第6節まであったグループステージを第3節までに変更。プレーオフステージを取りやめ、プライムステージの準々決勝と準決勝を2回戦制から1回戦制にすることで、当初の69試合から29試合にまで圧縮された。

先に述べたとおり、ルヴァンカップが「ナビスコカップ」と呼ばれた時代にも、Jリーグやサッカー界の都合で何度も日程やレギュレーションが変更となっている。今回は、シーズン途中でのレギュレーション変更という、前例のないケース。それでも大会スポンサーの寛容な姿勢によって、またしてもJリーグは救われることとなった。

リモートマッチでの開催は、前述したとおり、再開から2節分の58試合。その後も、自治体からの要請などで3試合、合計61試合が対象となった。残りはすべて、制限付きとはいえ観客を入れて行われたことに、Jリーグの強い意思が見て取れる。

「感染対策だけを考えるなら、すべて無観客でやったほうが良かったんです」と村井。そうしなかった理由について、こう力説する。

「われわれが有観客にこだわったのは、もちろん各クラブの入場料収入という側面もありましたが、それ以上に『スポーツ文化を守る』という重要な使命がJリーグにはありました。この年の有観客比率は95％以上。サポーターと一緒に文化を作っていくためにも、なるべくお客さんを入れる必要があったんですね」

Jリーグが「国民の健康を守る」に次いで重視した「スポーツ文化を守る」。言葉にするのは簡単だが、実現するのは極めて難易度が高い。

翌2021年に延期された東京オリンピック・パラリンピックで、主催者側に「スポーツ文化を守る」意識が明確にあったなら、どうなっていただろうか。もしかしたら、大会史上初となる無観客開催も、あるいは回避されていたのかもしれない。

万全の感染対策を施す一方で、少しずつ規制を緩和しながら入場者数を増やしていく。この難しいミッションに加えて、現場が直面していたのが「過密日程」である。

リーグ戦が再開したのが6月の最終週から7月の第1週にかけて。ここから12月の第3週までに、すべての公式戦をコンプリートすることをJリーグは目指していた。

特に日程がタイトだったのが、試合数が多いJ2である。26週の間に41節を消化しなければならず、水曜と土日の週2試合のペース。交代枠は3人から5人に拡大されていたが、厳しい感染対策をクリアした上でのハードスケジュールは、選手たちに相当な負担を強いることとなった

（もちろん、現場や運営に携わるクラブスタッフも同様である）。

そんな中、どんなに当事者たちが細心の注意を払っても、やはり感染者や陽性者は出てしまう。再開後、コロナが原因で最初に中止が決定したのが、7月26日のJ1第7節、サンフレッチェ広島対名古屋グランパスだった。

「あの時は大変でしたね。村井さんから『5分後に会見だ！』という指示があったんですが、『5分では無理です！』と返しました。広報としては、メディアの皆さんにお知らせすることも大事ですが、すでにスタジアムに向かっているファン・サポーターの皆さんにも、速やかに中止をお伝えする必要がありましたから」

当時、Jリーグの広報部部長だった、勝澤健《かつざわけん》の回想である。中止の理由は、Jリーグが定める「公式戦開催可否基準」を満たせない、とチェアマンが判断したためであった。

Jリーグでは、トップチーム登録の選手14名（GK1名を含む）以上を確保できれば、当該試合は予定どおり開催されるとしていた。

名古屋は25日と26日、選手2名とスタッフ1名に陽性反応が出ていたことを発表している。陰性が確認された選手16名、スタッフ1名がすでに広島入りしていたが、クラブ側は濃厚接触者の特定に時間がかかることを懸念。結果、キックオフ時間に間に合わない恐れがあるとして、中止が決まった（その後、濃厚接触者はいなかったことが判明）。

このカードが再試合となったのは、それから3カ月半後の11月11日（2対0で広島が勝利）。2020年に中止になったリーグ戦は、すべて再試合が行われている。

Jリーグが再試合にこだわったのは、もちろんリーグ戦の公平性を第一に考えたからである。とはいえ過密日程の中、再試合を開催することの難しさについては、あらためて留意すべきであろう。日程調整だけでなく、会場確保やチケッティング、警備やボランティアの手配など、感染リスクを極力排除しながら準備しなければならない。再び「公式戦開催可否基準」を満たせない可能性もあるわけで、当該クラブの担当者は試合が終わるまで気が気でなかったはずだ。

「コロナでの中止に関しては、われわれだけの判断では決められないという難しさがありました」と村井。当時の追い詰められた状況について、このように振り返る。

「感染症の専門家の方々のアドバイスを聞きながら、当該クラブや実行委員会の意見もありますし、都道府県によって中止の基準もまちまちでした。しかも夏の時期はコロナだけでなく、毎年のように台風や大雨の影響による中止もありました。ですから、この時期は四六時中、携帯電話から解放されることはなかったですね」

＊

「意外に思われるかもしれませんが、実は村井さんって、けっこうオッチョコチョイなんですよ」

Jリーグ広報部の吉田国夫は、長年にわたり村井の視察に帯同してきた。さまざまな関係者が、チェアマン時代の村井を高く評価する中、この人だけは意外な一面を示すエピソードを惜しみなく披露してくれる。

「飛行機とかタクシーの座席に、携帯や上着を忘れることがしょっちゅうでした。徳島出張に同行した時、帰路の空港のトイレに入ったら、明らかに村井さんのものと思われるiPadを見つけたんですよ。それを本人に手渡して『ありがとう』のひと言を待っていたら、なんて言われたと思います？　『お前、初めて役に立ったな！』って。さすがにあの時は、内心キレましたね（笑）」

11月も下旬になると、コロナで控えていた吉田の出張回数が、目に見えて増加する。村井の視察は10月4日から再開されたが、その同行だけでなく、各カテゴリーの優勝セレモニーの準備もまた、広報としての重要な任務であった。

「水曜と週末に試合があって、優勝の可能性が出てくるたびに、現地に行って打ち合わせをしていましたね。優勝クラブにはJリーグとして心から称えたいし、多くの方々に知っていただくためにメディア露出も考えなければならない。結果、次節に持ち越しで空振りになることも多かったです。それでも、優勝が決まる可能性が少しでもあれば、万全の準備で迎える必要がありました」

当時はまだ、新幹線も飛行機も空席が目立つ状況。「出張」という言葉の響きそのものが、タブー視される空気感が間違いなくあった。

「もちろん、私自身にも感染リスクがあるわけで、PCR検査は毎週受けていました。これだけ出張していて、よく陽性にならないなと思いながら移動を続けましたね」

2020年は、スピード優勝が目立つシーズンとなった。

J3を制したのは、ブラウブリッツ秋田。11月18日、第28節のガンバ大阪U－23戦で勝利し、追走していた2位のＡＣ長野パルセイロが敗れたため、28戦無敗（20勝8分）で優勝を決めている。6節を残しての優勝はＪリーグ史上最速記録だった。

Ｊ１の優勝が決まったのは、11月25日の第29節。川崎フロンターレがガンバ大阪を5対0で下し、2年ぶり3度目のチャンピオンとなった。4試合を残しての優勝決定は、Ｊ１史上最速である。この日はプロ野球でも、福岡ソフトバンクホークスが日本シリーズで優勝していた。Ｊ１とプロ野球の年間優勝が、同日に決まったのは史上初めて。この年から始まった、ＮＰＢ（日本野球機構）とＪリーグの共闘を象徴するかのようなエピソードである。

一方、最後まで優勝が決まらなかったのがＪ２。徳島ヴォルティス、アビスパ福岡、Ｖ・ファーレン長崎の三つ巴《どもえ》のデッドヒートが続き、第41節で徳島と福岡のＪ１昇格は決まったものの、優勝決定には至らなかった。

この年最後の公式戦開催日となった、12月20日のＪ２第42節。福岡のベスト電器スタジアムに、村井と吉田の姿があった。2位の福岡が1位の徳島をホームに迎える首位対決。結果は福岡が1対0で勝利し、徳島と勝ち点84で並んだものの、得失点差で上回る徳島のＪ２優勝が決まった。

「前節、徳島で渡せなかった優勝シャーレ、ようやく福岡で渡すことができました。両クラブとも昇格は決まっていたので、試合後は勝ち負けに関係なく、すごく温かな雰囲気に包まれていましたよね。シーズンを無事に終えた安堵《あんど》感というよりも、やっぱりサッカーっていいな、サポーターっていいな、という気分に浸っていました」

２０２０年最後の視察を終えた、村井の感想である。

翌2021年1月4日には、延期となったルヴァンカップ決勝（柏レイソル対FC東京）が開催され、Jリーグは予定されていた試合の、ほぼすべてを消化。これは、奇跡と言っていい。

2020年シーズン、Jリーグが開催した公式戦は1103試合。一方で、Jリーグが定める「公式戦開催可否基準」を満たせないとして、再開後にも中止となる試合も相次いだ。中止となった17試合の内訳は、コロナによるものが11、天候によるものが6。

このうち8月12日に開催予定だった、ルヴァンカップ・グループステージ第3節のサンフレッチェ広島対サガン鳥栖《とす》は、代替試合の開催を行わずに中止を決定。理由は、鳥栖が25日までトップチームの活動自粛を決定したことと、大会の勝ち上がりに影響がなかったためである。

結局、中止のまま終わったのは、リーグカップの1試合のみ。それ以外の1103試合をJリーグはコンプリートしただけでなく、合計361万4044人もの観客を集めながら、一度としてクラスターを発生させることもなかった。

そんな中、ふたりの偉大なフットボーラーが、この年にスパイクを脱いでいる。

ひとりは、ジェフユナイテッド千葉の佐藤寿人《ひさと》。もうひとりは、川崎フロンターレの中村憲剛《けんご》。いずれも元日本代表で、Jリーグ最優秀選手賞を受賞している。対照的だったのは、前者が5つのクラブを渡り歩いたのに対し、後者は川崎のバンディエラのままキャリアを終えたことだ。

どんなキャリアであれ、できることならチャントに万感の思いを込めて、引退する選手を送り出したい。それが、ファン・サポーターの共通した心情。ましてや、佐藤寿人も中村憲剛も、レジェンド級の存在である。

「ヒサト　オー　ヒサト　オッオッオッオ　オッオオッオ」

「オー　ナカームラー　ケンゴー　ナカームラー」

レジェンドたちがピッチを去る時、声出し応援は禁じられていたため、スタンドのファン・サポーターは泣く泣くチャントを封印した。この時ほど、心底コロナが憎いと思ったことはなかっただろう。もっとも、佐藤寿人も中村憲剛も、この年での引退に「後悔はない」と口を揃える。

佐藤寿人は、これまでの応援への感謝の気持ちを言葉にした。

「僕の21年のキャリアでは、あの年を除く20年間、本当に多くのファン・サポーターから声援を送っていただきました。いろんなクラブでプレーしましたけれど、どこに行っても多くの方々の応援に背中を押してもらっています。最後の1年は声出し応援が禁止されていましたが、僕はそれまで十分に声援を受けてきたので満足です。それよりも、すべての公式戦を開催してくれたJリーグには、心から感謝しています」

中村憲剛もまた、この年にキャリアを終えたことに、何ら未練はなかった。

「2020年、40歳で現役を終えることは、その5年前から決めていたことだったんです。未曽有の状況での引退は、運命と割り切るしかなかった。それでも（12月21日の）等々力での引退セレモニーは、本当にたくさんの人たちが来てくれて、コールやチャントはなくても、僕にはとてもありがたかったです。限られた状況の中でできる、ベストのやり方で送り出していただいたので、これ以上ない美しい思い出になりました」

年内最後の公式戦から2日後の12月22日、シーズンの表彰式であるJリーグアウォーズが開催

声援もチャントもなく、中村憲剛は静かに現役引退した（2020年12月21日／著者撮影）

された。普段はユニフォーム姿の選手たちが、この日は厳格なドレスコードに従って、タキシードやスーツ姿で集う晴れの舞台。例年であれば、横浜アリーナや都内のホテルが会場となるのだが、この年はオンラインでの開催となった。

２０２０年の最優秀選手賞に選出されたのは、28ゴールを挙げて得点王に輝いた、柏レイソルのオルンガ。またベストイレブンには、優勝した川崎フロンターレから、歴代最多となる9人が選ばれている。

この年のアウォーズで、特筆すべきことが2点あった。すなわち「チェアマン特別賞」と「高《たか》円《まどの》宮《みや》久《ひさ》子《こ》妃殿下からのメッセージ」である。

まず、前者。各賞に先立って、11名の感染症専門家や科学アドバイザーへの感謝の意を示す「チェアマン特別賞」が贈られ、座長の賀《か》来《く》満《みつ》夫《お》が受け取ることとなった。表彰の理由については、ここで多くを語るまでもないだろう。

次に、後者。例年のアウォーズであれば、ＪＦＡ（日本サッカー協会）名誉総裁の久子妃の臨席を賜るのだが、この年はメッセージの代読という形が採られている。代読を指名されたのは、この日の司会ではなく、何とチェアマンの村井であった。

「昨年のこの時期、まさか今年がこのような一年になるとは誰が想像できたでしょうか」

このような一文から始まる久子妃のメッセージは、コロナ禍で命を落とした人々への追悼、今も苦しんでいる人々への見舞の言葉、そして医療従事者やエッセンシャルワーカーへの感謝の言葉が綴られていた。その後、各賞の受賞者への祝辞へと続き、さらには「サッカーファミリー全員が努力賞に値するように感じます」と、ファン・サポーターの貢献にも言及している。

そして「最後に、村井チェアマンに対しても、名誉総裁として御礼を申し上げたいと思います」として、村井のリーダーとしての優れた点を列挙。その上で、感染拡大の初期段階で『身体が資本である選手たちの健康と生活を守ることが第一』と話してくださった時には、このようなリーダーなら、選手も安心してついて行かれる」と言及している。

村井による久子妃のメッセージの代読は、SNSでも奇妙な盛り上がりを見せていた。**《これは罰ゲームでは（笑）》**という書き込みもあったが、久子妃のチェアマン称賛について、多くのJリーグファンが同意している。当日のツイートから、いくつか引用しよう。

《村井チェアマンが今年のMVPかもしれない。／安心していられたのは、／村井さんがトップだったからだと思っています。》(2020.12.22 20:45／@peg_pef_peg)

《「Jリーグ」という大きな括りで見たとき、僕の中でのMVPは村井チェアマンです。大好きなJリーグがあったからこそ、この絶望的な状況だった2020年を過ごせたと思います。／ありがとうございました。》(2020.12.22 21:30／@frontale_01)

《あと村井さんもMVP。／難局を適切な舵取りで再開まで持っていき、途中試合を中止させたりしながらも、今日までリーグを完走させてくれた。／表彰はされないけど、サッカーを愛する人はみんな感謝してる。／ルヴァン終わったら美味い酒でも呑んでゆっくりしてほしい。》
(2020.12.22 21:39／@aliveinlive)

チェアマン就任間もない2014年10月19日、NHKの『サンデースポーツ』に出演した際の村井への評価は、実に惨憺《さんたん》たるものであった。それから6年。これほど自身の評価が激変するとは、さすがに当人も予想していなかっただろう。

それでも村井は、冷静に当時を振り返る。

「妃殿下をはじめ、いろんな方々から『村井は良くやった』と言っていただきました。けれども、それってチェアマンの指し示したものに多くの人が合意して、協力してくれたからなんですよね。クラブや選手はもちろん、ファン・サポーター、パートナー企業、メディア、官邸もそうでした。それはサッカーというスポーツが、日本国内において野球に次いで重要な共有資産であることを、みんなが認識してくれたからだと思うんですよ」

そして「私の理不尽な無理強いに、最後までついてきてくれたJリーグの職員には、言葉にならないくらい感謝しています」と付け加える。

そうしたサッカーの価値、あるいはJリーグの価値というものが、2020年という危難の時代において、速やかに共有されたのはなぜか?

村井の答えは「オンラインによるコミュニケーション」であった。

「あの年だけで、Zoomでの会見を71回も開催しました。コロナがわれわれに分断を仕掛けてくるならば、われわれは結束して立ち向かわなければならない。そのためにZoomを活用して、社内や各クラブとの共通意識を握りながら、外に対しては何百社でも視聴できるオンライン会見を開いて、常に情報をオープンにする。あの年にやってきたことって、その繰り返しだったんですよね」

こうしたコミュニケーションの根底にあったのが、村井がことあるごとに言及してきた、情報公開を重んじる経営観だ。

「組織と魚は天日にさらすと日持ちが良くなる」

その姿勢は、オンラインとなって以降も変わらない。いやむしろ、物理的に離れた状況だからこそ、組織内のコミュニケーションはより密になり、情報共有の解像度はより高まり、外部に向けての情報公開はより透明度を増していった。

村井チェアマン時代の4期8年のうち、2020年から22年の4期目は、残念ながらコロナ対応に忙殺される中で終わった。しかし他方、Jリーグという組織の強靭《きょうじん》化という意味では、総仕上げと言える2年間でもあった。

とりわけ2020年の危機を乗り越えたことは、間もなく30周年を迎えるJリーグにとり、何にも代え難い自信となったはずである。

04 報われなかったオリンピックへの貢献（2021〜22年）

「チームMURAIについて考える時、村井満というリーダーは、個人よりも組織の力に確固たる信念を持っていたと思うんです。組織が機能する時って、リーダーのポテンシャルも大切ですが、どのような考えでチーム構成されているかも重要だと考えます」

Jリーグの元常勤理事で、スペイン在住の佐伯夕利子《さえきゆりこ》にインタビューするのは、決まってオンラインであった。チームMURAIについて、熱のこもった論説が続く。

「たとえばペップ・グアルディオラ。誰もが知る有名な指導者ですけれど――」

ここで唐突に、ヨーロッパの異なる国での主要タイトル3冠を成し遂げた、唯一の指導者の名が出てくる。

「現代は、フットボールに関する知識というものは開発され、オープンになっている時代。ですから私のような指導者でも、知識という点では、それほど彼とは大差ないはずなんです。では、他の指導者と比べて、グアルディオラのどこが抜きん出ているか？」

この話、どのように着地するのか、ハラハラしながら耳を傾けている自分がいる。

「彼のチームには、ベンチに座らない人員も含め、30人くらいのスタッフがいると言われています。ひとりひとりのスタッフが、それぞれの強みを発揮できているからこそ、グアルディオラは優れた指導者たり得ているというのが私の考え。村井さんについても、同じことが言えると思っています」

フィールドもナレッジもキャリアも、まったく異なる村井とグアルディオラ。両者を同じ評価軸で語ることができるのは、おそらくサッカー界でもこの人くらいだろう。

佐伯は１９７３年、イランのテヘラン生まれ。航空会社勤務の父の転勤に伴い、その後も日本、台湾とスペインでの生活を経験する。

そして18歳にして、スペイン移住とサッカー指導者を目指すことを決意し、２００３年に日本のＳ級ライセンスに相当する「ＮＩＶＥＬⅢ」、さらにヨーロッパ最上位ライセンスである「ＵＥＦＡ Ｐｒｏ」を取得。スペイン３部のプエルタ・ボニータで、トップチームを指揮することになった時は、日本でもニュースになった。

その後、アトレティコ・マドリードやバレンシアＣＦのセクレタリーを経て、ビジャレアルＣＦにて12年間にわたり育成部門を担当。２０１８年からＪリーグの特任理事を２年務め、２０２０年からは米《よね》田《だ》惠《え》美《み》と入れ替わる形で常勤理事となった。ただし村井が佐伯に求めていたのは、単にスペインでの指導経験だけではなかったようだ。

「強いチームづくりをする上で、さまざまな『眼』を持った人材が必要になると思っています」と佐伯。具体的には「虫の眼」「鳥の眼」「魚の眼」そして「コウモリの眼」。

「虫の眼」とは、自分の身近なヒト・モノ・コトを細やかに観察すること。「鳥の眼」とは、俯《ふ》瞰《かん》して全体を把握すること。「魚の眼」とは、潮の流れを読みながらピンチやチャンスを見極めること。では「コウモリの眼」とは？

「コウモリって、逆さまにぶら下がっていますよね。つまり物事を逆さまに見ることで、それまでの当たり前に対してクエスチョンマークを付けることができる。『虫の眼』『鳥の眼』『魚の眼』だけでなく、そこに『コウモリの眼』が加わることで、初めてチームとして効率的に機能する。この4つの『眼』というのは、村井さんの言葉ではないんですけれど、さまざまな見え方ができる人材というものを、彼は必要としていたんだと思います」

＊

2020年のJリーグの公式戦のうち、唯一「越年」で開催されたのが、国立競技場での柏レイソルとFC東京による、YBCルヴァンカップ決勝。開催日の2021年1月4日は、東京オリンピックが開幕する7月23日から、ちょうど200日前に当たっていた。

初の新国立開催となる、ルヴァンカップ決勝。当日は、チケット販売済の約2万6000人の観客を迎えて開催することが発表されていた（実際の公式入場者数は2万4219人）。前年の12月23日、政府は1月11日までに開催される大規模イベントの入場人数の上限について、収容人数の50パーセントから5000人に変更することを通達。しかしJリーグは、チケットを発売した時点で上限の超過が認められていたとして、コロナ禍以降では最多となる大規模イベントの開催が実現することとなった。

このルヴァンカップ決勝は、入場者数のほかに注目すべき点があった。それは、新型コロナウイルス感染予防のための実証調査が行われたことである。

試合当日は、30台ほどのCO_2（二酸化炭素）の計測器をスタジアムのコンコースやトイレ、さらには選手のロッカールームなどに設置。それ以外にも、カメラ、レーダー、画像センサー、音響センサーなどが持ち込まれた。これらの機材によって、入場者間の平均距離、マスクの着用の有無や応援方法、さらには選手やスタッフのソーシャルディスタンスや発話状況などが記録・分析される。

Jリーグとの協働で、この実証調査に当たったのは、国立研究開発法人の産業技術総合研究所（産総研）。プロジェクトで主導的役割を果たした、地圏化学研究グループの研究グループ長、保《やす》高徹生《たかてつお》は語る。

「Jリーグが実施してきた感染対策、たとえば座席の距離確保や市松模様の配置などによって、感染リスクは30％くらい下がります。けれども、最も効果があるのは、やはりマスク着用。これで90％くらい下がることは、これまでのリスク評価の解析でわかりました。1月4日の国立の試合では、AI技術を用いたマスク着用率も調査しています」

こうした実証調査によって、Jリーグがこれまで試行錯誤しながら続けてきた感染対策の効果が、具体的な数値として可視化されることとなった。その意義はサッカー界のみならず、200日後に開催される東京オリンピック・パラリンピックにも活かされるのではないか——。

当時、新型コロナウイルス対策室のリーダーとなっていた、仲村健太郎の回答は「われわれJリーグは、オリンピック開催や入場制限について意見を言える立場にはありません」としながらも、このように言葉を継いだ。

「ただ、サッカー界が取り組んできた調査結果というものを、オリンピック開催に活用していただければ、という思いはあります。そのための協力は惜しまないですし、もちろん産総研さんとの調査で得られたデータも提供させていただきます」

Ｊリーグと産総研による実証調査は、ルヴァンカップ決勝だけでなく、２０２１年シーズン開幕後も10回以上、実施されている。これらの調査で得られたデータは、全国のＪクラブだけでなく、東京オリンピックの大会組織委員会にも共有されることとなった。

感染予防のための実証調査と並んで、Ｊリーグが東京オリンピック・パラリンピック開催も視野に入れながら実施したのが「Ｊリーグバブル」である。

以前は１９９３年の開幕時における好景気を指していたが、２０２１年における「Ｊリーグバブル」とは、海外からの入国者を陰性が確認できるまでの一定期間、完全隔離するための方式のこと。ネーミングの由来は、シャボン玉（バブル）の膜のイメージである。

内側と外側は薄い膜で隔てられているものの、針を突くだけでバブルは消失してしまう。このシステムの本質を的確に表現したネーミングといえよう。

日本政府は1月14日、それまでの東京オリンピック・パラリンピックに向けた国際大会や強化合宿に参加する海外の選手・スタッフの入国を認めるとした、スポーツの特例措置を一時停止する決定を下している。これに関連して、国内プロスポーツの外国籍選手を対象に認めていた特例も、一時的に停止されることとなった。

２０２１年シーズンは、Ｊ１が2月26日、Ｊ２が2月27日、Ｊ３が3月14日にそれぞれ開幕。前シーズンは降格がなかったため、この年のＪ１とＪ２はそれぞれ4クラブが降格することになっていた。4カ月もの中断期間が続いた前年とは、違った意味での難しいシーズン。チーム編成のラストピースを埋める、外国籍選手が入国できないとなると、クラブにとって死活問題となる。

「クラブ側から『どうにか外国籍選手を合流させることはできないか』という話は、ずっとあったんです。リーグの公平性を考えるなら、契約した外国籍選手を入国させてほしいんですけれど、われわれだけでどうこうできる話ではなかったんですよね」

そう語る仲村は、専務理事の木村正明と共に、選手の出入国を管轄するスポーツ庁との交渉の場に同席していた。おそらくそこで、バブルの話も出たのだろう。

世界で最初にバブル方式を実施したのは、北米プロバスケットボールリーグのＮＢＡである。会場全体を外部と遮断する方式を採用し、２０２０年7月30日から、上位22チームを集めてフロリダ州オーランドで開催。同地にあるディズニー・ワールドに、１５０億円以上を費やして作られた「バブル」が会場となった。また日本でも同年11月8日、同様の方法でアメリカ、ロシア、中国の選手を招いて国際体操連盟主催の大会が行われている。

こうした事例を受けてＪリーグは、予算や人員を極力圧縮した形で、大会ではなくリーグ戦のためのバブル実施を試みた。会場に選ばれたのは、福島県双葉《ふたば》郡《ぐん》楢《なら》葉《は》町《まち》にあるＪヴィレッジ。トレーニングと宿泊の施設が完備されていることに加え、街中から離れているため、外界との接触をコントロールしやすいことが決め手となった。

期間は3月26日から4月29日までの5週間。この間に、入国査証を得てPCR検査で陰性だった外国籍選手たちが、所属クラブの車で続々とやって来る。バブルに入ってからの2週間は、外界から隔離された状態でのトレーニングと検査の繰り返し。そして最終日に陰性が認められると、ようやくバブルを出て所属クラブに合流できるのである。

このJリーグバブルの任務に当たったのは、最大で8名（バブル内3名、バブル外2〜5名）。バブル内3名のうち2名は、JFAハウスにオフィスを持つ、西鉄旅行の女性ツアーコンダクターであった。そして、語学堪能な彼女たちと共に、バブルの内側で外国籍選手たちと向き合っていたのが、クラブライセンス事務局のクラブライセンスマネージャーだった、村山勉《つとむ》である。

「クラブライセンスの仕事はオンラインでできていたし、選手とのやりとりについても自分なら問題ないと思っていたので」と語る村山の前職はJFA（日本サッカー協会）であり、日本代表のチームスタッフとしての経験も豊富。日本があと一歩でワールドカップ初出場を逃した、1993年の「ドーハの悲劇」の映像を見ると、若き日の村山の姿を確認することができる。

とはいえ、もちろんバブルでの選手対応は初めて。しかも、訪れる外国籍選手は45名にも及び、国籍や言語や宗教もさまざま（多くはブラジル人だが、セルビアやベルギー、オーストラリア、ケニアの選手もいた）。

もしも陽性者が出た場合、バブルの外に感染させないこと。そして、バブル内でクラスターを起こさないこと。それが、村山に課せられた使命であった。45名の外国籍選手が、入れ替わり立ち替わり訪れる中、ひと時も気の抜けない日々が続く。

「幸い、Jヴィレッジに来ていた選手全員が陰性の状態で入国して、陰性のままバブルを出てくれました。選手本人のプロフェッショナリズム、そして（日本入国前での）彼らの家族やスタッフの努力のおかげだと思っています」

そんな村山に、ぜひ確認しておきたいことがあった。この時のJリーグバブルが、東京オリンピック・パラリンピックにどれほど貢献したか、ということである。

日本のサッカー界、とりわけJリーグは、東京オリンピック・パラリンピック開催に向けて、大会組織委員会への協力を惜しまなかった。おそらくJリーグバブルのノウハウも、大会組織委員会に共有されていたはずだ。しかし、村山の答えは「あまり参考にはならなかったでしょうね」。理由は「規模が違いすぎますから」。

東京2020開催期間中、海外から訪日した出場選手や大会関係者や報道陣は10万人を超えたとされる。50人にも満たなかった、Jリーグバブルとは、確かに規模が違いすぎた。それでもスポーツ界に与えた影響は「小さくはなかったと思います」と、村山は付け加える。

「ひとりの感染者も出さず、クラスターも発生させなかったという意味で、多少は東京2020開催にも役立ったと思います。『受け入れ側がきちんと対応すれば、入国させても大丈夫』という実績を他競技団体に先駆けて、Jリーグが作った意義も大きかったでしょうね」

Jリーグバブル開始を翌日に控えた3月25日、場所も同じJヴィレッジにて、東京オリンピックの聖火リレーがスタートしている。

なぜスタートが福島県だったかといえば、2011年の東日本大震災からの「復興」が、大会招致時点でのアピールポイントとなっていたからだ。そして最初のランナーを務めたのが、その震災の年に開催されたFIFA女子ワールドカップで初優勝を果たした「なでしこジャパン」の面々。当時の元メンバー15名と、指揮官だった佐々木則夫《のりお》である。

およそ1万人の走者が、121日間をかけて全国の859市区町村を巡る、聖火リレー。しかし、そのスタートの場において時の首相、菅義偉《すがよしひで》の姿はなかった。菅は文書で、このようなコメントを寄せている。

「人類が新型コロナウイルスに打ち勝った証として、東日本大震災からの復興を世界に発信する機会として、安全・安心な大会を実現するという決意は変わっていない」

実は首相の出席見合わせが発表されたのは、2日前の23日のこと。理由は「国会の日程などを総合的に勘案して」というものであった。

この当時、世論はオリンピック開催反対に大きく傾いており、強行開催の批判の矢面に首相が立たされるのを避けたとも言われている。結果として、第一走者となった佐々木となでしこたちが、さらに言えば日本サッカー界が、そのリスクを担うこととなった。

国内すべての競技団体が、東京2020に向けた挙国一致体制となる中、前述したとおりサッカー界（とりわけJリーグ）の貢献度は、群を抜いていたように感じる。

どこよりも早く公式戦の中止を発表し、どこよりも早く観客を入れての試合開催を実現させたのも、自分たちの興行のみを考えてのことではなかった。他競技に先駆けて、さまざまなチャレンジを繰り返してきたJリーグ。その視線の先には、国への貢献があり、さらには東京2020の成功があった。

7月23日の東京2020開幕まで、あと2週間と迫っていた7月8日。東京・神奈川・埼玉・千葉の1都3県で、東京2020の無観客開催が決定する。

大会組織委員会は、すでに3月20日の時点で、海外からの観客の入国を認めないことを決定。それでも国内の観客については、制限付きで認める方向で調整していた。

しかし政府が、東京都に4回目の緊急事態宣言（7月12日〜9月30日）を発出する方針を固めたことが伝わると、事態は急転。一部の会場を除き、史上初めてとなる「無観客での試合開催」が決定した。

東京オリンピックに出場するU－24日本代表は、7月17日にノエビアスタジアム神戸にて、U－24スペイン代表と親善試合を行った。オーバーエイジ枠でメンバー入りしたキャプテンの吉田麻也《まや》は、試合後に選手を代表してこのようなコメントを残している。

「五輪をやるために、国民の税金がたくさん使われている。それなのに国民が観に行けないというのは、いったい誰のための、何のための五輪なのかっていう疑問はもちろんあります。アスリートは、当たり前ですけど、ファンの前でプレーしたいです」

日本代表キャプテンの切実な訴えに、心底から共鳴していたのが、Jリーグチェアマンの村井だった。

「あの当時、アスリートが『観客を入れた会場でプレーしたい』と言えば、エゴと取られてバッシングされかねない空気でしたよね。そんな中、選手の誰もが思っていたことを、麻也は勇気をもって代弁してくれました。私自身、Jリーグの観戦ガイドラインを参考にして、オリンピックでもリスクのない範囲でお客さんを入れてほしいと思っていました。実際、組織委員会の橋本(聖子《せいこ》)会長や政府に対して、水面下で提言もしていたんですよ」

決して多くを語らなかったが、無観客での開催は、村井にとっても無念以外の何ものでもなかったのだろう。さらに、こう続ける。

「大会期間中、何度か会場を視察しましたが、歓声どころか拍手もない試合会場というのは、切なさしか感じられません。やはり観客あってのスポーツであると、あらためて痛感しました」

関東の1都3県で無観客開催となった東京2020。だが、宮城県のサッカー女子や静岡県の自転車競技の会場では、観客を入れて開催されている。また、東京2020開催中は中断していたJリーグも、制限付きながら緊急事態宣言下でも観客を入れて試合を行っている。ならば東京2020についても、本当は無観客にする必要はなかったのではないか?

これは決して、私だけが考えたことではなかったと思う。ではなぜ、Jリーグができたことが、東京2020ではできなかったのだろうか?

それは、つまるところ「決断できるトップ」の有無に尽きるのだと思う。

小さな危機にも早急に対処し、私利私欲を排してファンとアスリートとスポーツのために行動し、常に情報開示に努め、迷ったら基本理念に立ち戻り、海外とのタフな交渉にも果敢に挑み、どんな難局にあっても決して逃げず、最後は自らの責任で決断する――。

そんなリーダーが、大会組織委員会に、JOC（日本オリンピック委員会）に、東京都に、そして日本政府に、果たしていただろうか？

それが答えだ。


コロナ禍以降のJリーグに関して、ひとつだけ、今でもモヤモヤを拭えない事案がある。2021年の6月以降、相次いで明るみになった「エントリー問題」での対応であった。

発端となったのは、J1で6月23日に発覚した浦和レッズの不手際。Jリーグ出場の登録で必要となる、新型コロナウイルスの指定公式検査を受けていない選手を出場させ、結果として没収試合（0対3の敗戦）となっている。J3の福島ユナイテッドFCも、同様の理由で没収試合のペナルティを受けており、順位に変動をきたすこととなった。

「それまで2位だったのが、いきなり6位ですよ。それだけ、勝ち点3には重みがある、ということなんです。同じ懲罰でも0対3になるのではなく、罰金のほうがまだよかったですね。まあ、ウチはそんなに裕福ではないですけど（苦笑）」

そう語るのは福島の当時のGM、竹鼻快《たけはなかい》である。浦和のケースでは、湘南ベルマーレに2対3で敗れた6月20日の試合が0対3となってしまったが、福島はヴァンラーレ八戸《はちのへ》に2対0で勝利した5月16日の試合が0対3となり、勝ち点3を失っている。

2021年のJ3は、上位陣が混戦模様。懲罰が決定する以前、福島は首位のカターレ富山と同勝ち点（26）の2位だった。それが勝ち点で3、得失点で5、それぞれ引かれることとなる。一時的とはいえ、Jリーグで「勝ち点剝奪《はくだつ》」が行われ、順位にも影響を与えるのは前代未聞のことであった。

2014年の「JAPANESE ONLY」事件の際、浦和に科されたペナルティは勝ち点剝奪ではなく無観客試合。この処分は当該クラブのみならず、懲罰を科したJリーグにもトラウマを残すこととなったのは、先に述べたとおりである。

2021年時点のJリーグ規約第142条の「懲罰の種類」を見てみよう。軽い順から、①けん責、②罰金、③中立地での試合の開催、④一部観客席の閉鎖、⑤無観客試合の開催、⑥試合の没収、⑦勝点減、⑧出場権剝奪、⑨下位リーグへの降格、⑩除名、となっている。

今回の場合、「無観客試合の開催」よりもさらに重い「試合の没収」が実施されたのだが、そのことについての深刻さがJリーグから伝わってこなかったことに、私は猛烈な違和感を禁じ得なかった。

Jリーグでは、2020年のリーグ戦再開に向けて「Jリーグマッチコミッショナーガイドライン」を策定。この中で、試合のエントリーに関しては**《マッチコミッショナーは、クラブ運営担当より「メンバー提出用紙」と「検査結果（エントリー可能者リスト）」を受け取り、新型コロナウイルス感染症に関する公式検査において陰性判定を得ているもしくはエントリー資格認定委員会にエントリー可と判断された者がエントリーされていることをチェックする》**としている。

マッチコミッショナーとは、試合におけるすべての出来事を監督し、運営上の最終的な判断を行い、これらの事象に関する報告書をJリーグに提出する役割を担っている。そこに新たに、エントリーチェックの責任が加えられていた。

ところが福島のケースでは、マッチコミッショナーから「エントリー可能者リストに記載がなくても、陰性判定証明ができれば試合に出場できる」との誤った説明があり、これに従ったクラブがペナルティの対象となってしまった。

Jリーグでは7月1日、エントリー問題についてのメディアブリーフィングを行っている（この時の対象は浦和のケースのみ）。ここでフットボール本部の本部長、黒田卓志《たかし》が重要なコメントを残していた。

いわく「今回はケアレスミス等の酌量すべき事由があり、クラブに対しては大幅に（懲罰を）軽減し、選手に対しては処分なしとしました」。規程によれば、出場した選手と出場させたクラブは、それぞれ最大で1カ月の出場停止となる罰則があったが、これらについては回避されていたのである。

ただし、試合の取り扱いについては「これを軽減すると懲罰規程が骨抜きになってしまう」ため、理由がどうであれ当該試合を「出場させてはならない選手を出場させた試合」と認定。「3対0の負けの扱いは、酌量によって軽減できない」と結論付けている。

JFAの懲罰規程別紙3－3には**《出場資格の無い選手の公式試合への不正出場》**という項目があり、チームに対しては**《得点を3対0として負け試合扱いとする》**としている。この罰則基準は、もともとコロナ以前から存在していたものだ。

福島の竹鼻は、新たに加えられたエントリー規約を「コロナ禍における特別立法」と指摘した上で「コロナはどんどん変化しています。出てきた事案や状況に応じて、ルールも柔軟に変えていくべきではないでしょうか」と提言している。

罰せられた側の意見として、確かに傾聴すべき点はある。また、懲罰規程が定める「出場資格の無い選手」とは、出場停止中や未登録といった悪質なケースを想定したものと考えるのが自然。浦和のようなケアレスミス、あるいは福島のようなマッチコミッショナーの誤認識によるエントリーの不備に対して「さすがに没収試合は重すぎるのでは？」と考えるのは、決して私だけではなかったはずだ。

おそらくJリーグにも、情状酌量の余地を残そうという意図はあったのだろう。ただし「懲罰規程が骨抜きになってしまう」ことだけは、絶対に避けなければならない。せめぎ合いの末、導き出されたのが「3対0の負け」という懲罰であったと考えられる。

これに対して浦和と福島は、ＪＦＡ不服申立委員会に異議申し立てをしている。福島については、譴責処分については異議申し立てを却下するも、試合結果に関する懲罰を取り消して「2対0で福島の勝利」を認定。その上で、罰金１５０万円の処分が、クラブに下されることとなった。

一方の浦和については、ＪＦＡ懲罰規程第36条「不服申立可能な懲罰」に該当しないとして、この申し立てを却下。これを受けて浦和は8月19日、Jリーグの懲罰規程の適用自体に誤りがあるとして、今度はＣＡＳ（スポーツ仲裁裁判所）に仲裁の申し立てを行った。しかし、こちらも11月19日に却下されている。

この問題が議論されていた頃、個人的にずっと気になっていたことがある。それは、この件に関するチェアマンの考えが、まったく聞こえてこなかったことだ。

その理由をあらためて問うと、村井は「非常に答えるのが難しいんですが」と前置きしながら、まずは裁定委員会と規律委員会の役割の違いから説明を始めた。

「オフ・ザ・ピッチの事案、つまりレフェリーの管轄外の事案は、裁定委員会の諮問を受けてチェアマンが判断します。たとえば監督によるパワハラとか、クラブのスタッフによる横領事件とか、選手の飲酒運転や交通事故とか。それに対して、オン・ザ・ピッチの事案は審判団の判定に委ねられるべきであり、チェアマン不介入が原則です。レフェリーの判断に異議が生じた場合には、規律委員会で判断するわけですが、その会議にもチェアマンは参加することができません」

ここから、いつもの村井らしくない、歯切れの悪い言葉が続く。

「いわゆる三権分立というか、内閣総理大臣でも裁判所の判決を覆すことができないのと同じ理屈です。規律委員会は完全なる独立司法ですが、(ピッチの)オンとオフの間に微妙なゾーンがあるのも事実。一連のエントリー問題は規律案件でしたが、たとえば試合中の差別行為については、オン・ザ・ピッチでも裁定案件なんですよね」

さらに、このエントリー問題に関して「チェアマンの私ができることは、本当に限られていました」とも。その上で村井は、当時の苦しい胸の内について言葉を選びながら、ぎりぎりの言及を試みる。

「問題があったマッチコミッショナーには、厳重処分を言い渡して(今後の担当試合の)割り当てを無期限でストップしました。あるいは浦和がCASに上訴する際、当時の立花（洋一《よういち》）社長に『ぜひ進めてください』と伝えています。でも、当時の私にできたのは、そこまで。チェアマンが裁定への異論を口にしたら最後、『レフェリーの判定への異議は認められない』なんて、ファン・サポーターには言えなくなってしまいますから」

この件で、割を食うことになったのが浦和。「またウチかよ！」と毒づいたサポーターは少なくなかったはずだ。Jリーグ史上初の無観客試合となった「JAPANESE　ONLY」事件。最多勝ち点を積み重ねながら、2016年のリーグ優勝を持っていかれてしまったのも、前年に導入された2ステージ制の影響であった。

浦和に限らず、ファン・サポーターからJリーグへの疑義が生じた際には必ず、村井は「天日干し」の信条から、チェアマンとしての説明責任を果たしてきた。

ただし、エントリー問題を除いて——。

立場上、口を閉ざさざるを得なかった、2021年のエントリー問題。チェアマン退任後の今も、村井はこの件についての本心を決して口にすることはない。

依然として、モヤモヤは残る。それでも、自身に与えられた権限からの逸脱を厳に戒める、村井の姿勢もまた理解できる。

そしてそれが、村井の中で「天日干し」と同じくらい、絶対的な信条であることも。

*

佐伯夕利子のJリーグ常勤理事時代は、当人の言葉を借りるならば「コロナに始まり、コロナに終わった」2年間。理事就任後はあえて帰国せず、在スペインの理事として、オンライン会議に参加していた。

会議はスペイン時間の午前0時から始まり、明け方まで続くことも珍しくなかった。時差に加えて、欧州と日本との「空気」の違いもある。コロナについても、もちろんフットボールについても。

「無観客試合が当たり前になっているヨーロッパから見ると、これだけ観客を入れているJリーグが奇跡のように感じられます」

2020年末、理事になって初めて、ようやく帰国を果たした佐伯は、12月19日の横浜FCと横浜F・マリノスによるダービーを視察して、このような感想を述べている。

長年、フットボールの現場で活躍してきた佐伯にとり、オンラインでしかコミットできない状況というものは、さぞかしストレスに感じることもあっただろう。そんな中、彼女がJリーグに大きく資することとなったのが、シャレン!(社会連携)の領域だった。

実は常勤理事になる以前から、佐伯はシャレン!に関心を寄せていた。まず彼女が驚いたのが、Jクラブのホームタウン活動や社会連携活動の多さ。2019年には年間2万5000回以上が記録されていることを知り、「こんなすごいことをやっているプロリーグが世界にはあるんだ!」と、強い衝撃を受けながらも誇らしさを感じたという。

離れているからこそ感じられる、Jリーグの魅力と素晴らしさ。けれども佐伯は、ただ手放しでJリーグを礼賛《らいさん》していたわけではない。彼女の「コウモリの眼」は、この組織に決定的に欠けているものも怜悧《れいり》に捉えていた。

「Jリーグに足りないものが何かといえば、これはもう『人権』と答えるほかないですね。具体的に言えば、指導現場におけるハラスメントの問題です」

2021年の年末、Jリーグは裁定委員会を相次いで開催し、東京ヴェルディの監督だった永井秀樹とサガン鳥栖の監督だった金明輝《キンミョンヒ》に、それぞれパワハラ事案があったことを認定。すでに両者とも退任していたが、両クラブには譴責処分と罰金が科された。

「この由々しき問題は、アマチュアや小学生の現場にもあって、いち指導者の問題ではないんです。Jリーグの社会的責任として、真正面から取り組んでいかなければならない課題ではないかと思いました」

そう語る佐伯が、自身の思いをストレートに表現したのが、2022年1月18日にJリーグ公式noteにて公開した「スポーツ現場におけるハラスメントとの決別宣言」。以下、引用する。

《2020年3月にJリーグ常勤理事に就任以降、2年足らずの間に100本近くのセミナー・研修・講演の登壇や取材対応を経験した。

こうした場で、日本と海外のスポーツ現場の違いを共有するたびに、指導者による暴言・暴力に苦しんだという被害者アスリートたちから驚くほど沢山のメッセージが届くようになった。

「言われている以上に日本のスポーツ現場は酷い」

「監督と出くわさないように避けながら過ごしていた」

「毎日自殺することばかり考えていた」

これらの被害者の多くは、然るべき団体や窓口に救済を求めたわけでも、適切な支援を受けたわけでもなく、いまもなお心の傷を負ったまま沈黙の闇で孤独に苦しみ続けているケースがほとんどである。》

こうした事例を踏まえて、佐伯は強く訴える。

「そういう人たちに向かって『スタジアムに来てください』とか『ＤＡＺＮ《ダゾーン》を視てください』とか、軽々しく言えませんよね。だからこそＪリーグは、グラスルーツ（草の根）での人権問題に真摯《しんし》に取り組み、そこでの悪循環を断ち切る努力をすべきなんです」

もしも新体制のＪリーグで、佐伯が常勤理事に再任されていたならば、この問題に彼女は引き続き取り組んでいたことだろう。しかし、そうはならなかった。

２０２２年１月31日、新しいＪリーグチェアマンと理事が発表された（カッコ内は当時の所属と役職）。

チェアマンは野々村芳和《ののむらよしかず》（株式会社コンサドーレ代表取締役会長）。理事は４人で、窪田慎二《くぼたしんじ》（公益社団法人日本プロサッカーリーグ業務執行理事）、髙田春奈《たかたはるな》（株式会社Ｖ・ファーレン長崎代表取締役社長）、並木裕太《なみきゆうた》（株式会社フィールドマネージメント代表取締役）、馬場浩史《ばばひろし》（株式会社ＮＴＴドコモ スポーツ&ライブビジネス推進室長）。窪田を除いて全員が新任。チームＭＵＲＡＩからは、誰ひとり再任されることはなかった。

チームＭＵＲＡＩでの限られた年月について、佐伯は今でも宝物のように感じている。とりわけ、４人が最後に集合した、FUJIFILM SUPER CUP 2022の終了後、ピッチレベルに降りてマ

マスコット大運動会を楽しむチームMURAI（2022年2月12日/著者撮影）

スコット大運動会を楽しんだことは、彼女にとって美しい思い出のひとコマだ。

「チームＭＵＲＡＩの4人は、実は単なるサッカー好き。めちゃくちゃサッカーを愛しているんだけど、それぞれ愛し方が違っている。だからバランスが取れていたんでしょうね。一方で共通点もあって、それは『ステイタスに関心がない』ことだと思っています。みんな偉ぶらない。うれしそうにマスコットを撮影している、村井さんや原（博実《ひろみ》）さんや木村（正明）さんの姿を見ていて、私はそう確信しました（笑）」

新しいチェアマンと理事による、オンラインでの会見が行われた3月15日。この日から「前チェアマン」となった村井は、静かにＪＦＡハウスをあとにしている。

「社員総会が終わって、運転手さんには『もう私を乗せなくていいからね』と言いました。御茶ノ水駅から電車で帰路につく間、何となく

『もう二度と戻らないだろうな』って思いましたね。今のJリーグに対して、距離感があるわけではないんですよ。ただ、私はリクルートでの仕事を終えたあとも、一度も本社ビルには行かなかったし、それは海外事業で自分が作ったオフィスについても同様です」

波乱に満ちた8年間のJリーグチェアマン時代、村井は多くのことを成し遂げた一方で、少なからぬ未解決の課題も遺した。

ACL（AFCチャンピオンズリーグ）が欧州とシーズンを合わせたことで、国内でのシーズン移行問題の議論は再燃するだろうし、経営陣が刷新されたDAZNとは、今後もタフな交渉が続くはずだ。スタジアムに声援が戻るのも、もう少し先の話である（完全解禁となったのは2023年2月11日から）。

それでも「チェアマンOB」として、村井がJリーグに対して何かしらの意見やアドバイスを述べることはない。なぜなら、サッカー界に隠然たる影響力を保持することが、この人の望みではないからだ。

何ごともなかったかのように人知れず、市井《しせい》のサッカーファンに還俗《げんぞく》すること。

それこそが、元「異端のチェアマン」が望む、最高の報酬であった。

エピローグ

初代チェアマンが語る「異端のチェアマン」

かくして8年間に及ぶ、村井チェアマンの時代は終わった。

２０２２年3月15日、野々《のの》村芳和《むらよしかず》が第6代のチェアマンに就任。速やかに新体制が発足したが、ＪＦＡハウスではしばらくの間、そこはかとなく「村井ロス」の空気が漂っていた——。そんな話を、あちこちから耳にしている。

ならば、当の村井満はどうしていたのか?

3月24日には、オーストラリアのシドニーにて、ＦＩＦＡワールドカップ・アジア最終予選を観戦。Ｊリーグチェアマンではなくなったが、ＪＦＡ(日本サッカー協会)副会長としての任期は残っていたため、現地でオーストラリアとのアウェイ戦に臨む日本代表に声援を送っている。この試合に2対0で勝利した日本は、7大会連続7回目のワールドカップ出場が決定。試合後、ピッチ上で日本代表の記念撮影に参加する、にこやかな村井の姿があった。

4月18日には記者会見を開き、久々にメディアの前に登場している。

自身が立ち上げた株式会社ONGAESHI Holdingsが、株式会社Tryfundsとの共同で投資ファンド「ONGAESHIキャピタル有限責任事業組合」を設立。今後は、地方企業の課題解決を支援することが発表された。

6月には、念願だったキャンピングカーを購入。チェアマン時代の8年間、756試合を視察してきた村井であったが、これで「いちJリーグファンとして、自由気ままに全国のスタジアムを行脚《あんぎゃ》する」という夢の第一歩が実現した。

8月にはアメリカ旅行。12月にもハワイに飛んで、ホノルルマラソンに参加している。自身のフェイスブックには**《膝が言うことを聞いてくれず、足を引きずっての半分ウオーキング。9年ぶりのぶっつけフルマラソン》**という書き込みと共に、包帯を巻いた左足を引きずるように歩く村井の姿がアップされている。

「9年ぶり」ということは、チェアマン時代はずっと参加を見送っていたのだろうか。

いずれにせよ、チェアマン退任後の村井の姿は、文字どおりの悠々自適。スーツは「すべて押入れにしまい込んだ」そうで、4月の会見はジャケット姿ではあったものの、ノーネクタイの丸首シャツというラフな出で立ちであった。

過去の栄光や地位に恋々《れんれん》とすがりついたり、あるいは「ご意見番」として古巣に苦言を発信したり、そんな元トップの残念な姿を私たちはたびたび目にしてきた。しかしリタイア後の村井には、そうした俗人めいた態度や未練が、微塵《みじん》も感じられない。

超然とか恬淡《てんたん》というよりも、むしろ「解脱《げだつ》」という表現が近い。ふと思い出すのが『坂の上の雲』の主人公のひとりで「日本騎兵の父」と呼ばれる秋山好古《よしふる》。日露戦争の英雄が、退役後は地元・松山の旧制中学の校長として晩年を過ごしていたことを、私は司馬《しば》遼《りょう》太郎《たろう》の淡々とした筆致で初めて知った。

まさに、今の村井の姿を見ているかのようだ。

チェアマン時代の村井の貢献について、「Jリーグが持つ、ポテンシャルのほとんどすべてを形にした」と喝破《かっぱ》したのは、元専務理事の木村正明である。元副理事長の原博実《はらひろみ》も「村井さんがいなくなった今、あの人の大きさを感じている人は多いんじゃないかな」と語る。そんな中、チームMURAIのしんがりを務めた佐伯夕利子《さえきゆりこ》は、村井の何気ないひと言を記憶していた。

「チェアマン退任を間近に控えていた時だったと思います。『数カ月もしたら、誰も村井のことなんか覚えちゃいないんだから』って、おっしゃっていましたね」

実に潔い諦念。しかし、だからこそ私は、村井がチェアマンだった時代のJリーグについて、きちんと書き残す必要性を痛切に感じた。

これまで、村井本人はもとより、彼に深く関わってきた人々を訪ねては、彼ら彼女らの話に耳を傾けてきた。結果、多くの新事実を知り得ることができ、さまざまな疑問を埋め合わせることもできた。

しかしながら、いまだ氷解できていない謎も存在する。それは、誰が「異端のチェアマン」を生み出したのか、である。

プロローグで描いたとおり、村井にチェアマン就任を要請したのは、前任者の大東和美《おおひがしかずみ》であった。しかし大東自身が、この人事を考えて決断したのかといえば、やはり疑問符が付く。「神輿《みこし》に乗るタイプ」の大東は、自身でチームを組んだり、後継者となり得る人物を抜擢したりするようなことはなかったからだ。

むしろ、誰かからのサジェスチョンがあったと考えるべきだろう。

ならば、サジェスチョンしたのは誰か？　当時の状況を踏まえながら、さまざまな証言を突き合わせていくと、考えられるのはひとりしかいない。

初代チェアマンの川淵三郎《かわぶちさぶろう》である。


現在、JFA最高顧問、そして日本トップリーグ連携機構会長の肩書きを持つ川淵は、月に数回、木曜日に御茶ノ水にあったJFAハウスに出勤していた。そのタイミングに合わせて、1時間のインタビューの場を設定してもらった。

JFAハウス最上階の面談室。編集者と共に初代チェアマンの登場を待ちながら、最近の川淵のメディア露出に関するメモを確認する。JFA最高顧問に就任した2012年以降、サッカー以外のニュースが多いことに気づかされた。

直近で川淵が注目されたのは、2021年2月11日。東京オリンピック・パラリンピック組織委員会の森喜朗《よしろう》会長が、自身の失言が原因で退任の意思を示した直後である。後任の会長候補に川淵の名が出たことから、深夜にもかかわらず自宅に報道陣が殺到。川淵は森から会長就任の打診を受けたことを認めたものの、翌日には辞退している（結果、橋本聖子が就任）。

サッカー界のみならず、日本のスポーツ界にも絶大な影響力を与え続けている、川淵三郎。そんな彼の人生には、サッカー界に生涯を捧げることになる、ふたつのターニングポイントがあった。先に第2の運命の分岐点から、見ていくことにしたい。

それは1988年5月2日、古河電気工業名古屋支店の金属営業部長時代に受け取った、古河産業への出向の内示である。以下、自身の回想録『川淵三郎　虹を摑む』（講談社）から引用。

《古河産業は東京の日本橋にあって古河電工の100％子会社。その役員になるというのは決して悪い話ではなかった。ただ、その時、私はもう51歳だったから、そこに行ったら古河電工に戻れないのは明らかだった。（中略）そんなこんなで自分のサラリーマン人生も先が見えたな、という気になった。先が見えるということが、会社勤めというか仕事に励んできた人間に、これほどのショックを与えるのだということに初めて気づかされた感じだった。》

日本代表としてのキャップ数26で8ゴール。古河電工でもFW（フォワード）として活躍し、引退後は古河電工と日本代表の監督にも就任している。しかし、現役時代も監督時代も、社会的な身分は会社員。それは川淵のみならず、昭和の時代のフットボーラーのほぼ全員が、社業と競技の両立を求められていた。

野心家の川淵は、代表監督を退任した1981年以降、会社組織での栄達に邁進《まいしん》していく。そんな中での、子会社への出向の内示。結果として、ビジネスパーソンとしての限界を感じた川淵は、今後の人生をサッカー界に捧げることを決断する。

この年の8月にJSL（日本サッカーリーグ）総務主事、さらに10月にはJFA理事に就任している。そこから1990年にプロリーグ検討委員会が立ち上がり、自ら委員長に就任。翌1991年の11月には、社団法人日本プロサッカーリーグ（Jリーグ）を設立し、初代チェアマンに就任すると共に、30年間勤続していた古河電工を退職する。

この時、川淵三郎、54歳。村井がチェアマンに就任した年齢と同じであった。ただし川淵は、村井のようなビジネスの成功者ではない。むしろ挫折があったからこそ、その後の日本サッカー界、さらにはスポーツ界の歴史を変える貢献があった。

もし子会社出向の内示がなかったら、その後の川淵のキャリアはどうなっていただろう。再び『川淵三郎　虹を摑む』からの引用。

《もし、本社に営業部長か何かのポストに戻れていたら、私がＪＳＬの総務主事になることはなく、おそらくサッカー界とは縁が切れたまま、残りの人生を送っていただろう。》

ことは、川淵個人のキャリアの話にとどまらない。日本サッカーのプロ化は、時代の必然だったとは思うが、間違いなく１９９３年以降になっていたはずだ。そうなれば、景気後退と長期不況の影響を受けて、発展性に乏しいリーグになっていたかもしれない。結果、サッカーがプロ野球を脅かすこともなければ、バスケットボールのプロ化を促すこともなく、昭和の時代のスポーツ興行がだらだらと続いていたことだろう。

さまざまな偶然や奇跡が重なったことで、１９９３年5月15日にJリーグは開幕。そして、さまざまな関係者の努力によって、30年の歴史をつなぐこととなったのである。

「Jリーグの開会宣言で、僕はこう言っているんだ。『Jリーグは今日、ここに大きな夢の実現に向かって、その第一歩を踏み出します』とね。あれから30年経って、Ｊクラブが60に増えて、それぞれ試合だけでなく地域に根差した活動を続けている。最初は10クラブでも成功するか不安だったけれど、その後のJリーグの発展ぶりは僕の想像のはるか上を行っていた。それは『大きな夢の実現に向かって』という言葉が、各クラブに浸透していたからなんだろうね」

初代チェアマンは、実にリラックスした表情で、このように語り出した。

川淵は1936年生まれ。和暦でいえば昭和11年、二・二六事件があった年だ。実は、亡くなった私の父も同年の生まれ。尋常小学校の3年か4年で終戦を迎え、戦後復興と民主主義の洗礼を受けながら青春時代を過ごし、東京オリンピックの開催時には28歳の働き盛りという世代だ。東京オリンピックといえば、川淵は日本代表として出場し、アルゼンチン戦で1ゴール1アシストを記録。日本のベスト8進出に大きく貢献している。

しかし川淵にとり、それ以上に重要な転機となったのが、その4年前の西ドイツ遠征。これが第1の運命の分岐点となる。

1960年8月18日、日本代表はデュッセルドルフ空港で、日本代表のコーチに就任したばかりのデットマール・クラマーと初対面。そのまま一行はデュースブルク・スポーツ・シューレに向かった。川淵は当時、早稲田大学の4年だったが、若手選手としてこの合宿に帯同。そこで彼は、当地におけるスポーツ環境の彼我《ひが》の差に衝撃を受ける。

デュースブルクのスポーツ・シューレに到着して、真っ先に目に飛び込んできたのが、一面に広がる青々とした芝生のグラウンド。しかも8面もある。体育館が3つ、宿泊施設や医務室や教室や映写室まで整備されていた。

スポーツ・シューレとは、直訳すると「スポーツ学校」。複数の競技種目に対応できる、大規模な滞在型総合スポーツ施設であり、ドイツ国内には各地に設置されている。そこでは、地域のスポーツ・レクリエーション、さらにはクラブチームやナショナルチームのトレーニングにも開放されていた。

この当時、日本代表が練習していたのは、ボコボコの土のグラウンド。千葉県の検見川《けみがわ》運動場が整備され、代表のトレーニング施設となるのは、東京オリンピック開幕直前のことである。

川淵たちを驚かせたのは、施設の充実ぶりだけではなかった。子供と大人が一緒になって、サッカーを楽しむ姿。初めて目にする、障碍者スポーツ。それらを眺めながら、ビヤジョッキ片手に談笑する地域の人々。スポーツのあり方が、日本とドイツでは何もかもが違っていた。

第二次世界大戦では、同じ敗戦国だった日本とドイツ。しかしスポーツに関して、日本が良くも悪くも「教育」に根差していたのに対し、ドイツでは「生活」に根差していた。しかも、単に勝ち負けの追求ではなく、地域コミュニティと生活の質的向上のために、スポーツが存在している。その発想からして、日本とドイツとでは根底から違っていた。

この時の川淵の衝撃が原点となり、33年後のJリーグ開幕へとつながってゆく。ビジネスパーソンとしての挫折を第2のターニングポイントとするならば、大学4年での西ドイツ遠征は、川淵にとっての第1のターニングポイントであった。

「村井さんはチェアマン時代、デュースブルクのスポーツ・シューレを訪れているんだよね。そこで僕が何を感じたのか、それがどんな意味を持っていたのか、わざわざ現地に行って確かめてくれたんだ。その話を聞いて、僕は感動したね！」

川淵が語るとおり、村井はチェアマン時代の２０１７年９月25日、副理事長の原と共にデュースブルクを訪れている。チェアマン就任以前、川淵の講演をすべて書き起こし、何度も推敲《すいこう》を重ねていったことからもわかるように、村井は川淵の言葉からＪリーグの理念を学び取り、それを血肉としてきた。偉大な先達が見てきたもの、感じてきたことを、自分自身も追体験したい。村井がそう考えるのは、当然の成り行きであった。

歴代チェアマンの中で、川淵の思想とＤＮＡを最も色濃く受け継ぎ、時代に合わせて実行に移してきたのが村井であった。ただし、川淵の完全なるコピーだったわけではもちろんない。川淵とは別の系統から、もうひとりの偉大な先達のＤＮＡを村井は受け継いでいる。

江副浩正《えぞえひろまさ》――。

リクルートの創業者であり、昭和末期に発覚したリクルート事件の中心人物である。

江副は東京大学教育学部在学中の１９６０年、リクルートの前身である株式会社大学広告を設立。そこで作っていたのが「求人広告だけの雑誌」だった。情報を求めるユーザー（学生）と、情報を届けたい企業とをマッチングさせるという、当時としては画期的なアイデア。インターネットなど影も形もなかった時代における、まさに「紙のグーグル」と呼ぶべき媒体であった。

今でこそ、大企業のイメージが強いリクルート。しかし、もともとは「情報はビジネスになる」ことに気づいた、学生起業家が立ち上げたベンチャー企業であった。そして江副は、常に時代の先を見通してはカネに換えていく、当時としては極めて稀有《けう》な経営者でもあった。ただし彼には、創業者としてのカリスマ性が、決定的に欠けていた（それは本人も素直に認めるところであったという）。

そんな江副が注力したのが、採用人事。もともと、企業の採用情報サービスからスタートしたリクルートだが、優秀な人材を採用するためにはカネに糸目をつけなかった。一例を挙げると、1987年には「東大クラスの理工学部生を1000人集める」ために、当時の最先端スーパーコンピュータ2台を70億円で購入。江副はそれを「採用費」として計上したという。

優秀な人材を獲得しては鍛え上げ、最強のチームを作っていく。それが、カリスマ性なきトップの基本戦略。そして、人材の確保と育成に膨大なエネルギーを注入する江副のやり方は、そのままリクルートのカルチャーとなり、村井にも確実に受け継がれている。

「自分よりも優秀な人材を獲ってくる」あるいは「自分のブラインドサイドを埋める」という考え方は、いずれも村井がリクルート時代に学んできたものだ。

一方で、入社5年目でリクルート事件に直面した経験から、江副は村井にとっての反面教師でもあった。

1980年代には、銀座の一等地に自社ビルを建てるほどの成長ぶりを見せていたリクルート。しかし、新興ゆえに既存の大企業からは半ば敵視され、財界でも相応のポジションを得られずにいた。そこで江副がのめり込んだのが、政治家への露骨な接近と異常なまでの不動産投機。それらはやがて、戦後最大の贈収賄事件への導火線となってゆく。

2020年のコロナ危機の際、官房長官だった菅義偉《すがよしひで》と面談するまで、村井が政治家と関係を持つことを極力避けてきたのは、ダークサイドに堕《お》ちた江副の姿を遠目に見てきたからだ。村井が入社した1983年当時、すでにリクルートは巨大な組織となっており、江副もまた雲の彼方の存在。それでも村井は、その功罪をつぶさに目《ま》の当たりにし、そこから自らのビジネスの指針を構築してきた。

リクルートを起業した江副、そしてJリーグを立ち上げた川淵。両者のDNAを受け継いでいたのが「異端のチェアマン」村井満だったのである。

余談ながら、川淵と江副は同じ1936年の生まれで、出身も同じ大阪。接点こそなかったものの、両者のキャリアを重ねてみると、ある種の共時性を感じずにはいられない。

川淵がデュースブルクのスポーツ・シューレで衝撃を受けた1960年、江副はリクルートの前身となる会社を立ち上げている。そして川淵がサッカーに生涯を捧げることを決断した1988年、江副はリクルート事件の発覚により国会での証人喚問に召喚され、会長職を辞している(翌89年には収賄容疑で逮捕され、収賄罪で起訴)。

「今でこそベンチャー企業って当たり前になっているけれど、当時としては新しい発想でビジネスを始めて、あれだけ大きい企業に成長させたわけでしょ? その意味で江副さんは、すごい人だったというのが僕のイメージ。その後、未公開の株券を渡して政治家に相当な利益を与えたことが事件になったけれど、時代の寵児《ちょうじ》として槍玉に挙げられた部分もあったんじゃないかな」

リクルート事件と江副について、川淵はこのような所感を述べている。

事件の違法性については、今でも議論の余地があるようだが、これ以上の深入りは避ける。ここで注目すべきは、もしもリクルート事件で江副が失脚しなければ、１９９０年代の日本経済は、バブル崩壊後すぐに立ち直っていたとする言説である。

経済ジャーナリストの大西康之《やすゆき》は、著書『起業の天才！　江副浩正　８兆円企業リクルートをつくった男』（東洋経済新報社）の中で、事件はリクルートという企業のみならず、その後の日本社会や経済にもダメージを及ぼしたことを指摘している。以下、引用。

《だが日本のメディアが、いやわれわれ日本人が「大罪人」のレッテルを貼った江副浩正こそ、まだインターネットというインフラがない30年以上も前に、アマゾンのベゾスやグーグルの創業者であるラリー・ペイジ、セルゲイ・ブリンと同じことをやろうとした大天才だった。その江副を、彼の「負の側面」ごと全否定したがために、日本経済は「失われた30年」の泥沼にはまり込んでしまったのである。》

１９９０年代以降の日本からは、グーグルもアマゾンもフェイスブックもアップルも生まれなかった。けれども、偶然に偶然が重なって、Ｊリーグが生まれた。

そして、江副と川淵のＤＮＡを受け継ぐ村井が、Ｊリーグチェアマンに就任。さまざまな困難を乗り越えて、Ｊリーグ30年の歴史をつなぐ大役を果たしている。

チェアマン時代の実績を考えれば、村井はイーブンな立場で江副と対面した可能性もあっただろう。しかし、チェアマン就任の前年となる２０１３年１月31日、江副は趣味のスキーから帰宅途中の東京駅で転倒して後頭部を強打。すぐさま都内の病院に搬送されたものの、肺炎を併発して2月8日に帰らぬ人となった。享年76。

前出の大西の著書によれば、盛岡駅から東北新幹線に乗車した江副は、網棚にボストンバッグを置き忘れていたという。中身は100万円近い現金と、『会社四季報』だった。


ずいぶんと遠回りをしてしまった。誰が「異端のチェアマン」を生み出したのか、あらためて川淵の証言から検証してみたい。

川淵が村井に初めて出会ったのは、2013年6月29日、さいたま市で行われた「スポーツで豊かな浦和になるために」というトークイベントである。先述のとおり、村井は2時間にも及ぶ講演内容をすべて書き起こし、1カ月にわたって推敲したものを秘書経由で川淵に手渡している。この時の丁寧な仕事が、川淵に強い印象を与えることとなった。

「僕はこれまで何百回と講演をしているけれど、自分がしゃべったものなのに、校正に2時間とか3時間かかってしまうんだよね。これが面倒くさいんだよ（苦笑）。ところが村井さんの書き起こしは、自分で調べたものも書き込まれていて、とても完成度が高いものだった。『この人は本物だな』って、その時に思ったね」

そして同年の11月12日、ホテルオークラで両者は会食することとなる。声をかけたのは、もちろん川淵。サッカー界のよもやま話がメインだったが、村井によれば「ある種の面接めいた質問もいくつかありました」。村井がチェアマン就任の打診を受けたのが、15日後の11月27日。この川淵による「面接」が、オファーに何かしらの影響があったと考えるのが自然だろう。

６月のトークイベント開催から11月の会食までの間、日本サッカー界には大きな出来事があった。２０１５年からの2ステージ制導入の決定である。

９月17日のＪリーグ理事会で承認され、同日にはメディアブリーフィングが行われている。ただし、チェアマンの大東は欠席。メディアから批判を受けることとなった。

当然、この件は川淵の耳にも入る。直後に彼が考えたのが、２０１４年に就任する次期チェアマンの人選であった。川淵がキングメーカーだった、という話ではない。が、この状況を憂慮していたことは、当人のこの発言からも明らかである。

「次のチェアマンは誰かっていう時に、僕が『この人がいい』って言ったのは、鈴木（昌《まさる》）さんの時だけでしたよ。鬼武《おにたけ》（健二）さんを選んだのは鈴木さんだし、大東さんを選んだのは鬼武さん。ただし、大東さんの2期目が終わる時については、僕としては『あんまり適任じゃないな』と思う人が候補に挙がっていたので、専務理事の中野（幸夫）さんとは意見交換をしていたんだ」

この時、すでに村井の名前も出ていたという。さらに川淵は、常務理事の大河《おおかわ》正明と中西大介を呼び出し、彼らの意見にも耳を傾けている。まずは大河の証言から。

「大東さんについて聞かれたので、自ら決断して引っ張っていくのではなく、下の意見を尊重していくタイプだと答えたんです。すると川淵さんは『それだとしんどいなあ。じゃあ、次は誰がいいんだ？』というので、僕が挙げたのが中野さん。適任かどうかはともかく、順番としては専務理事が第一候補でした。すると、隣にいた中西くんが『僕は村井さんがいいと思います』と言ったんですよ」

今度は中西の証言。

「次のチェアマンは、ビジネスパーソンでないと、しんどいと思っていました。だからこそ、川淵さんには『村井さんがいいと思います』と伝えたんです。当時のJリーグは『第2の創業』をしなければいけないくらい追い込まれていました。ですから、アントレプレナーシップ（起業家精神）を持った人が求められると考えたんです」

この中西の言葉が、川淵の決断を促すこととなる。

1997年の入社以来、何かにつけて川淵は中西に目をかけ、頼りにもしていた。その中西が「村井さんがいいと思います」と進言したのだから間違いない――。

中西といえば2ステージ制導入を推進し、DAZN《ダゾーン》との交渉の最前線に立ち、最後は残念な形でJリーグを去っていったことで知られる。毀誉褒貶《きよほうへん》の激しい人物ではあるが、それでも村井のチェアマン就任に関して決定的な役割を果たしたことについては、あらためて強調しておきたい。

ところで、村井にJクラブの社長経験がなかったことについて、川淵に不安はなかったのだろうか？　私の問いに対して、初代チェアマンは「そういう話ではないんだよ」とバッサリ切り捨て、こう続けた。

「チェアマンに求められるのは、まず、スポーツに対する愛情。それから、Jリーグの理念を常に頭に置きながら、どうビジネスとして発展させていくか。そっちのほうが、はるかに重要なんだ。経験ではなく、愛情。そういう意味で、村井さんはまさにうってつけの人だった。不安なんかゼロ。むしろ、待望のチェアマン候補だったね」

繰り返しになるが、川淵は決してキングメーカーではない。2002年でチェアマンの座を鈴木昌に譲り、JFAの会長となって以降は、表立ってJリーグに苦言を呈することもなかったと記憶する。一方で、歴代チェアマンから助言を求められることもあったそうだが、最終的な判断は後継者たちに委ねてきた。

それでもJリーグが、理念に関わる重大な岐路に立たされた時は、介入も辞さなかった。大東の後任人事は川淵にとり、まさに「黙っていられない」最重要案件であった。

「(チェアマン退任後)僕は滅多なことでは口出ししないけど、それでも相談があれば応じてきたし、『それは違うだろう!』と思った時ははっきり言ったよ。Jリーグは自分にとって、子供のような存在だから。村井さんの件は、数少ない例外のひとつだったね」

かくして11月12日、村井との「面接」に臨んだ川淵は、あらためて「彼なら大丈夫」と確信。その後、川淵と大東との間で、どのようなやりとりがあったのかはわからない。が、川淵からの「天の声」により、次期チェアマンを村井とする流れが確定。その後の経緯は、これまで述べたとおりである。

「異端のチェアマン」は、初代チェアマンの介入から生まれた。

これが、関係者への取材を終えての結論である。村井のチェアマン退任後、ようやく明らかになった新事実。おそらく村井自身も、初めて知る話だろう。否、もしかしたら、薄々気づいていた可能性はある。けれども「天日干し」を標榜していた村井にとり、半ば密室で決められた人事には、複雑な思いを禁じ得ないはずだ。

また川淵自身、できればこの話は、そっとしまっておきたかった節が窺《うかが》える。Jリーグチェアマン時代、そしてJFA会長時代、川淵の豪腕ぶりが批判の対象となることが何度かあった。加えてチェアマン候補について、役員候補者選考委員会からの答申で決まる現行のシステムに照らすなら、この時のプロセスが野蛮なものに映ることは必至。そうした時代の変化もあって、この件は一度も表に出ることがなかったのだろう。

それでも、と私は思う。

もしも川淵の介入がなかったなら、その後のJリーグの歴史は大きく変容していたはずだ。果たして、村井ではないチェアマンの誰かは、2014年以降のさまざまな難局を的確に対処しながら、改革を推し進めることができただろうか？

「JAPANESE ONLY」事件、2ステージ制の早期撤廃、Jリーグのホールディングス化、DAZN導入、ハラスメントへの断固たる対応、そしてコロナとの戦い——。

とりわけコロナ禍での難局において、村井ではないチェアマンの誰かで、果たして乗り切ることが可能だっただろうか？

スピード感、情報開示、危機管理能力、傾聴力、決断力、そしてリーダーシップ。それらを併せ持つチェアマンがいたからこそ、ギリギリのところでJリーグは「清算」の危機を乗り越え、30周年を寿《ことほ》ぐことができたのではないか。

村井本人の想いとは別に、私は「異端のチェアマン」を生み出した川淵の豪腕に対し、表立っての賞賛はしないけれど、深く感謝する次第である。

明けて2023年、正月気分がすっかり抜けた1月13日に、村井の名前が唐突にメディアを賑わせることとなった。同日の「日刊スポーツ」からの引用。

《元職員による横領などの組織的隠蔽《いんぺい》があった日本バドミントン協会の新会長に、サッカーJリーグ前チェアマンの村井満氏（63）が就任する方向で調整中であることが13日に分かった。／14日に開催される役員選考委員会と臨時理事会で、理事候補者として村井氏を推薦。翌週の臨時評議員会でまずは副会長とし、6月の役員改選で会長に就く見通し。》

この報道に接して、私は二重の意味で驚いてしまった。

まず、村井とバドミントンとのミスマッチ。限りなく個人競技に近いアマチュアスポーツの協会から、村井に会長就任の打診があったことが、まず驚きであった。

もうひとつの驚きが、絵に描いたような悠々自適な生活からの急転直下ぶり。チェアマン時代の激務から解放されて、まだ1年も経っていないタイミングで「元職員による横領などの組織的隠蔽があった」協会のトップに立とうとする、その真意が測りかねた。

なぜ、サッカーとはまったく異なる競技団体の会長なのか？　しかも、リスクしかなさそうなオファーを受けようとしているのか？

何とも割り切れない日々を過ごす中、当の村井から「会見に来ますか？」とのメッセージを受け取った。1月22日、会場は品川プリンスホテルとのこと。わざわざ会見の案内を知らせてきたということは、すでに当人の心は決まっているのだろう。

ここで、日本バドミントン協会の置かれた状況を確認しておこう。

発端は、協会の元職員による横領。2018年10月から19年3月まで、会計を担当していた当時の職員が、現金で管理されていた約680万円（海外の大会の賞金や選手が負担する合宿費など）を複数回にわたって着服していたことが発覚する。

これだけでも大問題だが、協会は事実を把握しながら、スポーツ庁やJOC（日本オリンピック委員会）への報告義務を怠った。東京オリンピック・パラリンピックへの影響を懸念した理事らは、私費を出し合って補塡《ほてん》することでの隠蔽を図っている。その後、JOCから調査報告を求められ、事実が明るみになったのは2022年3月25日。当然ながら不祥事事案となり、強化費の2割削減が言い渡されることとなった。

問題は、これだけにとどまらない。関根義雄《よしお》会長と銭谷欽治《ぜにやきんじ》専務理事の辞任が発表されたのは、それから8カ月後の11月27日。あまりの対応の遅さから、現役選手からも疑問の声が噴出する有様であった。

新会長には、事業副本部長と国内事業部長を務める中村新一が就任。ただし、改選となる2023年6月までの暫定措置である。中村は「経験豊富な外部理事、および女性理事の登用」と「外部実力者を会長とする」ことを示唆。村井と会ったのは、会長就任直後の12月初旬であった。

「日本のバドミントンは、世界的に競技レベルが高い水準がありながら、協会の不祥事によって選手には苦しい思いを強いていることを知りました。隠蔽体質があったという報道も目にしました。スポーツはみんなのものであり、開かれたものでもあり、国民に活力を与える重要な資産でもあります。マネジメントの不作為によって、数多くの課題が信用を失墜させているならば、これは残念でならない」

会見の冒頭、村井はこのように述べている。

これに先立つ臨時評議会で、村井が日本バドミントン協会の代表理事と副会長に選出されたことが発表された。引用した記事にもあるように、村井が会長に就任するのは6月の役員改選。それまでは、代表理事兼副会長として遇されることとなる。

この日の臨時評議会では、隠蔽に関与したとされる8名（理事6名、監事2名）に対する解任動議が否決され、彼らは6月の役員改選まで組織にとどまることが決まった。これには、さすがに村井も呆れたようで、言葉を選びながらもこう語っている。

「すべてを『天日干し』にするという、自分のこれまでの経営観とは正反対にあると感じています。具体的な内情はまだ見ておりませんが、この世界に身を投じることで、問題のありかを確認したい。あらゆるハラスメントや経済的な不祥事は、その多くが風通しの悪い密室で行われています。だからこそ、徹底して透明性を高めていくし、都合の悪いことも含めて開示していく。これが、私に課せられた使命だと思っています」

「魚と組織は天日に干すと日持ちが良くなる」――。

言うまでもなく、チェアマン時代の村井がJリーグで徹底させていた基本経営方針だ。東西冷戦を終わらせた、ソビエト連邦共産党最後の書記長（のちソビエト連邦大統領）ミハイル・ゴルバチョフのペレストロイカ（立て直し）がグラスノスチ（情報公開）と両輪を成していたように、村井によるJリーグ改革にも情報の「天日干し」は不可欠だった。

では逆に、情報統制や隠蔽を繰り返す組織は、どうなるのか？

答えは明白、必ず腐敗してゆく。先輩・後輩の縦の関係を重んじ、外部からの参入に拒否反応を示すスポーツ団体に、よく見られる傾向。その最たるものが、東京オリンピック・パラリンピック組織委員会であったことは、衆目の一致するところであろう。

東京オリンピック・パラリンピック閉幕から1年後の2022年8月27日、大会組織委員会の元理事だった高橋治之《はるゆき》（電通の元専務）が受託収賄容疑で、東京地検特捜部に逮捕されている。これを皮切りに、大会スポンサー契約締結に関する贈収賄容疑で、紳士服AOKIの前会長や出版大手KADOKAWAの会長などが、芋づる式に逮捕・起訴された。さらにはテスト大会の運営業務受注をめぐり、電通など広告代理店8社に対し、独占禁止法違反（＝談合）容疑で公正取引委員会と合同の家宅捜索が行われている。

ところが、こうしたスキャンダルが発覚する前に、当の組織委員会は6月30日に解散。清算法人も、汚職の全容解明を待たずに2023年3月に解散することが決まっていた（談合容疑を受けて、のちに解散時期の延期を発表）。

少なくとも、この段階では1兆4238億円という膨大な経費が投じられた東京オリンピック・パラリンピックの内実が「天日干し」されることなく、闇に葬られようとしていた。

残念ながら日本は、オリンピックの理念やスポーツの神聖さを隠れ蓑に、不正を働きながら私腹を肥やす輩《やから》が跳梁跋扈《ちょうりょうばっこ》する国になってしまった。そしてスポーツ界においても、それを「必要悪」とばかりに黙認する、おかしな空気が常態化して久しい。

もちろん、スポーツビジネスそのものを否定するつもりはない。むしろスポーツ界にお金が回ることで、われわれの日常が豊かになる可能性は一気に高まってゆく。

しかし、その大前提となるのが、情報の「天日干し」。それがなければ、旧態依然とした隠蔽体質の下、権力者たちが甘い汁を吸う構図が固定化されかねない。

日本バドミントン協会もまた、規模感こそ異なるものの、隠蔽体質を色濃く残す競技団体であった。その会長に、村井は就任しようというのである。

すでに功成り名遂げているにもかかわらず、それまで関わりもないばかりか、むしろリスクしかない組織の再建に着手する。しかも、そこで得られる報酬や名声は、多くを期待できそうにない。われわれ凡人の感覚からすれば、極めて受け入れ難いオファーである。

しかし村井は、この無理筋のオファーを謹んで受ける決断を下した。

確かに、チェアマン時代から「いつかはスポーツ界に恩返しがしたい」とは語っていた。けれども、このような形でなくてもよかったのではないか。

そんな凡人の考えを、はるかに超越した思いが、村井にはあった。

「チェアマンを退任してから、スポーツ競技団体の会長になっての恩返しというものは、まったく考えていませんでした。それが昨年12月、日本バドミントン協会の窮状をお聞きして『これは逃げてはいけない』と感じている自分がいました」

その上で、村井は「緊張するほうを選ぶというのが、私の判断基準です」と続ける。

それは10年前の2013年11月27日、JFAハウス近くにあった江知勝《えちかつ》で、チェアマン就任の打診を受けた時と、まったく同じ心境であった。

「Jリーグのチェアマンを拝命する時、全身が震えるような緊張感の中でお引き受けしました。今回も、あの時のような緊張感がありますが、自分が全身全霊で取り組めば、何か大切なことをスポーツ界は手にするかもしれない。そして――」

続く言葉には、村井の秘めたる思いが凝縮されていた。

「そしてバドミントン協会が変われば、多くの日本のスポーツ団体も変わるかもしれない」

これが、火中の栗を拾う決断をした、村井の本心であった。

思えばこれまでにも、Jリーグの人材が他競技の団体で活躍する事例は、いくつかあった。常務理事だった大河は、川淵が立ち上げたBリーグのチェアマンに就任しているし、常勤理事を2年務めた米田恵美《よねだえみ》もまた、日本フェンシング協会の常務理事や日本ハンドボールリーグの理事を務めている。

Jリーグの発展に貢献した理事たちが、そこで得た知見を他競技にも活かそうする姿を見るにつけ、普段サッカーを取材している私もまた、誇らしさを感じていた。けれども今回の村井の決断は、単にバドミントン界のみならず、日本のスポーツ団体全体のことまで考えているのは間違いない。あるいは、さらに「その先」をも見据えているように、私には感じられた。

「そしてスポーツ団体が変われば、日本という国も変わるかもしれない」

政治とは距離を保ち続けてきた村井は、チェアマン任期中はもちろん、退任後も政治的な発言を厳に謹んできた。しかし、その胸の内には「スポーツこそが、この国の灯火《ともしび》となる」という内に秘めたる信念が、燃え盛っているのではないか。

個人的な見立てと言われれば、確かにそのとおり。それでも長年の取材経験から、あながち間違ってはいないという確信はある。

日本バドミントン協会会長の任期は、Jリーグチェアマンと同じく1期2年。すべてを「天日干し」にして、協会の改革を成し遂げるには、どれだけの年月を要するのだろう？　最低でも2期4年か、あるいはそれ以上か。就任時に63歳の村井は、古希を迎えているかもしれない。

いつか困難なミッションを達成した時、村井に私の見立ての答え合わせをしてみたい。それまでは、折に触れて「異端のチェアマン」の後日譚をチェックしていくつもりだ。

村井満の改革は、舞台を変えて、今も進行中である。

参考文献

・『Jリーグ再建計画』大東和美・村井満編、秋元大輔著　日経BPマーケティング
・『「Jリーグ」のマネジメント――「百年構想」の「制度設計」はいかにして創造されたか』広瀬一郎著　東洋経済新報社
・『川淵三郎　虹を摑む』川淵三郎著　講談社
・『社会を変えるスポーツイノベーション　2つのプロリーグ経営と100のクラブに足を運んでつかんだ、これからのスポーツビジネスの真髄』大河正明著、大阪成蹊大学スポーツイノベーション研究所編　晃洋書房
・『シニカルな祭典　東京2020オリンピックが映す現代日本』阿部潔著　晃洋書房
・『起業の天才！　江副浩正　8兆円企業リクルートをつくった男』大西康之著　東洋経済新報社
・『報道記録　新型コロナウイルス感染症』読売新聞東京本社調査研究本部編　読売新聞東京本社
・『サッカー批評』issue 65　双葉社スーパームック　双葉社
・『Forbes JAPAN』2019年5月号　アトミックスメディア
・『Jリーグ スタジアム観戦者調査2017 サマリーレポート』公益社団法人日本プロサッカーリーグ

あとがき

私が最初の著書『幻のサッカー王国　スタジアムから見た解体国家ユーゴスラヴィア』（勁草書房）を上梓《じょうし》したのが、日本代表がワールドカップ初出場を果たした1998年。以来「構成」で関わったものも含めて、本書が14冊目の書籍となる。

本書は私にとり、四半世紀にわたるブックライター人生の集大成となる。

どんな生業《なりわい》を持つ人でも、50代も半ばとなれば、キャリアの終焉《しゅうえん》を見据えての「集大成」を意識することだろう。基本的に定年がなく、自分の年齢を意識するのが「4年に一度のワールドカップ」という業界においても、それは同様である。

私が「異端のチェアマン」と命名した人物は、ビジネスの世界でのキャリアを極めてから、54歳でサッカーの世界に飛び込むこととなった。

周囲から見れば「驚くべき転身」。けれども彼が、ビジネスに没頭するのと並行してサッカーを愛し続けてきたことを思えば、これもひとつの「集大成」だったのかもしれない。

本書を書き終えて、あらためてそう思う。

私が四半世紀にわたり、テーマとしてきたフットボールは、スポーツというジャンルゆえに、現役選手にフォーカスすることが多い。あくまで個人的な実感だが、現役選手の言葉は、熟成前で酸味が強すぎる。さりとて、実績のある元選手や名のある指導者は、すでに語り尽くされて新味がない。

そんな中、奇跡的に誰もアプローチしていなかったのが「前Jリーグチェアマン」であった。

8年間の任期の間に起こったこと、それらに対して彼が下してきた決断の数々を振り返れば、まさに書き手にとって「宝の山」。無人のゴール前でパスを受ける、まさに「ごっつぁん状態」。書き手に一定の力量と熱量があれば、ゴール間違いなしであった。

2014年から22年の「異端のチェアマン」時代について、リアルタイムで取材をしていたのは、もちろん私だけではなかった。にもかかわらず、この刺激的かつ歴史的な時代を形に残す動きが見られなかったことには、今さらながらに驚きと疑念を禁じ得ない。

私が「宝の山」を独り占めできたのは、背後ガラ空きの業界の迂闊《うかつ》さ、そして前がかりすぎる余裕のなさゆえであろうか。

本書の成立のために、ご尽力いただいた方々への謝辞を述べたい。

まず、本書の担当編集者である、集英社インターナショナルの小笠原暁さん。この人との出会いがなかったら、本書はもっと違った風合いの作品になっていたはずだ。サッカー界の外側からの鋭い指摘は、間違いなく本書の強靭《きょうじん》化に寄与している。

担当編集者以外にも、心強いパートナーに恵まれた。

企画段階からゲラチェックまでサポートしてくれた、中林良輔《りょうすけ》さん。膨大な書き起こし作業を一手に引き受けてくれた、東條《とうじょう》亜梨沙《ありさ》さん。財務諸表の読み方についてアドバイスいただいた、野口学《まなぶ》さん。素晴らしいデザインを施していただいた、tobufuneさん。長丁場の取材と執筆を陰から支えてくれた、妻の晴子《はるこ》。

それから、Ｊリーグの窓口となっていただいた、広報部の吉田国夫さん（当時）と仲村健太郎さん。そして、著者冥利に尽きる帯のメッセージをいただいた、ＦＣ今治代表の岡田武史《たけし》さんにも御礼を申し上げたい。

最後に、私の取材に快く応じていただいた皆さん。ありがとうございました。

とりわけ村井満さんには、心からの謝意をお伝えしたい。長時間に及ぶインタビューでは一貫して「天日干し」の姿勢を崩さず、取材対象へのアテンドでも大変お世話になった。チェアマン在任中のエピソードのみならず、Ｊリーグのさまざまな価値についても言及できたのは、村井さんの全面的なご協力の賜物であった。

かくして、私の集大成は完結した。本書がＪリーグの未来に貢献することを願いつつ、当面はブックライターとしての余生を模索することとしたい。

Ｊリーグ30周年の晩秋に　宇都宮徹壱